INCLUSÃO ÉTNICA E RACIAL NO BRASIL

José Jorge de Carvalho

# INCLUSÃO ÉTNICA E RACIAL NO BRASIL

## a questão das cotas no ensino superior

2ª edição / 1ª reimpressão

Attar Editorial
São Paulo 2011

Título original:
*Inclusão étnica e racial no Brasil : a questão das cotas no ensino superior*



*Edição*
Sergio Rizek

*Editoração Eletrônica*
Silvana de Barros Panzoldo

Dados Internacionais de Catalogação na Publicação (CIP)
(Câmara Brasileira do Livro, SP, Brasil)

---

Carvalho, José Jorge de
Inclusão étnica e racial no Brasil : a questão das cotas no ensino superior / José Jorge de Carvalho. — São Paulo : Attar, 2005. 2ª edição : 2006

Bibliografia.

1. Discriminação racial no ensino superior – Brasil 2. Ensino superior – Brasil I. Título

05-4287 CDD-379.260981

---

Índices para catálogo sistemático:

1. Brasil : Cotas para negros e índios na universidade : Política educacional 379.260981
2. Brasil : Igualdade racial no ensino superior : Política educacional 379.260981

ISBN 85-85115-26-2

Attar Editorial
rua Madre Mazarello, 336 05454-040 São Paulo - SP
fone / fax: (11) 3021 2199 attar@attar.com.br
www.attar.com.br

# Sumário

## PREFÁCIO À SEGUNDA EDIÇÃO

Onze meses após seu lançamento, durante a I Conferência Nacional para a Promoção da Igualdade Racial, em julho de 2005, em Brasília, sai à luz esta segunda edição do livro, ligeiramente corrigida e ampliada. Além de desafiador do ponto de vista intelectual, o tema das cotas é fortemente político, e ao escrever sobre tema tão vivo enfrentamos inevitavelmente o risco da obsolescência e do anacronismo. Enfatizo apenas, neste sentido, que o tema das ações afirmativas – e muito especialmente a questão das cotas nas universidades – continua em plena efervescência e ganha precedência cada vez maior nos debates sobre o ensino superior e as chamadas políticas de inclusão.

O número de instituições que aprovaram o sistema de cotas cresceu significativamente neste último ano; por outro lado, os grupos de acadêmicos contrários às cotas continuam irredutíveis justamente em três das universidades de maior projeção no país: a USP, a UFRJ e a UFMG. Já a Unicamp, antes contrária às cotas, adotou desde o ano passado um sistema de pontuação extra no vestibular, exclusiva para candidatos egressos da escola pública e, entre esses, acrescentando uma pequena pontuação para negros e indígenas. Mesmo que me pareça tímida, essa iniciativa da Unicamp de introduzir uma discriminação positiva para os candidatos negros oriundos da escola pública indica um reconhecimento de que o suposto universalismo meritocrático não consegue explicar a desigualdade racial extrema que vige nessa importante universidade do país.

Em outra frente de luta política, o Ministério da Educação retirou o tema das cotas da sua proposta de Reforma Universitária, ao mesmo tempo em que prometeu dar prioridade à votação, no Congresso Nacional, do Projeto de Lei que institui cotas para egressos da escola pública (e entre eles, os estudantes negros) em todas as universidades federais. Temos assistido, desde o segundo semestre de 2005, a inúmeros avanços e recuos desse projeto na Câmara dos Deputados e no Senado. A polarização em torno do tema só vem aumentando, e a mídia nacional, escrita, radiofônica e televisiva, reflete essa polarização quase diariamente, ainda que se posicionando majoritariamente contra as cotas. Se pudesse resumir o clima atual sobre as cotas, diria que a posição oficial do governo continua ambivalente, dividida, e às vezes abertamente contraditória. Quanto mais exposto fica nosso racismo acadêmico, maior a reação de uma parcela significativa da elite política e universitária no próprio espaço decisório da nação, do Executivo ao quarto poder.

No campo mais especificamente acadêmico – e sobretudo nas Ciências Sociais – o tema polarizou-se ao ponto de quase inviabilizar a realização de debates abertos entre as duas posições. O que me parece ainda mais grave é que a polarização deixou de ser apenas teórica e conceitual para racializar-se definitivamente: a quase totalidade dos acadêmicos negros é favorável às cotas, enquanto que os acadêmicos brancos que as defendem são ainda uma pequeníssima minoria. No país da suposta democracia racial, os negros excluídos das universidades exigem as cotas; e a maioria dos acadêmicos brancos, que ocupam quase todos os postos de importância dentro e fora das universidades, é contra as cotas, mesmo sem apresentar uma alternativa convincente de inclusão. Entender a lógica dessa polarização foi justamente uma das questões que me motivaram a escrever este livro e espero poder contribuir para a compreensão deste conflito através da análise do que chamo "racismo acadêmico". E para que não fique dúvida, minha definição de racismo não se limita à tipificação jurídica do termo. Existe racismo onde o resultado do convívio social multi-racial é a exclusão sistemática e generalizada do grupo racial negro. É neste sentido que analiso o racismo acadêmico brasileiro, independente das responsabilidades individuais por práticas concretas de discriminação racial.

Finalmente, registro uma correção importante para esta edição: o número de professores negros na Universidade de São Paulo (USP) não é apenas 5, como constava na edição anterior, mas 20, segundo averiguações recentes do professor Kabengele Munanga. Por outro lado, atualizei também o seu número total professores, que não é mais 4.701 (dado que recolhi em 2001), mas 5.078 (dado de maio de 2006). Devemos concluir que a situação racial da USP piorou: admitiu mais 10 professores negros na última década, mas simultaneamente ampliou em 367 o seu contingente de professores brancos. Além disso, ela realiza neste momento novos concursos para professores e, na medida em que estão todos dentro do regime dito "universal", em poucos meses terá crescido ainda mais o seu número de professores brancos e diminuído, então, novamente, a sua ridícula porcentagem de docentes negros. Já não estou seguro, portanto, de que ela chegará a contar com 1% de professores negros após 160 anos, conforme a simulação que fiz na primeira edição. Para evitar o pessimismo, não nos resta remédio senão sonhar com uma integração racial, mesmo que o horizonte temporal seja de milênios.

Caso essa simulação lhes pareça insólita ou problemática, convido os leitores a pensar alternativas para a solução desse impasse histórico em que nos encontramos. A única coisa que posso afirmar com boa margem de segurança é que, independentemente do que façamos agora, em termos de políticas de inclusão étnica e racial, ainda assim atravessaremos todo o século XXI identificados como um dos sistemas acadêmicos mais racistas do planeta. Faço esse comentário sobre a situação da USP porque é o exemplo mais contundente de exclusão racial no país. Contudo, todas as nossas universidades de excelência (UnB, UFRJ, UFMG, UFRGS, Unicamp etc.), apesar das iniciativas, também continuarão racistas pelos próximos séculos, caso não efetuemos uma intervenção dramática no seu sócio-metabolismo de reprodução da desigualdade racial. Quanto mais cedo aceitarmos essa dolorosa realidade, com mais urgência e energia atuaremos para amenizar a discriminação étnica e racial extrema que construímos em nossas universidades e instituições de pesquisa ao longo do século XX.

Ainda uma nota sobre o termo inclusão. A despeito de um certo desgaste da palavra, às vezes associada a políticas de inclusão tuteladas e subalternizantes, mantenho o seu uso porque se contrapõe frontalmente à realidade de exclusão étnica e racial que temos reproduzido até hoje no Brasil.Que fique claro, portanto, que lutamos pela inclusão autônoma e sem tutela de negros e indígenas em todos os espaços de saber e poder acadêmico, na graduação, na pós-graduação, na docência superior e na carreira de pesquisa.

Finalmente, a nova frente de luta que iniciamos desde o ano passado pôs em discussão a necessidade de vagas preferenciais para docentes negros. Foi com base na proposta apresentada no Capítulo VI deste livro que a Universidade Estadual do Mato Grosso (UNEMAT) deliberou, em um movimento inédito na história das nossas universidades, reservar 5% das cerca de 400 novas vagas que abriu para professores negros. Isso indica que a discussão das cotas só tende a crescer e se intensificar. Apesar de todos os desgastes acadêmicos e políticos desta luta, somos contagiados pelo entusiasmo da atual geração de negros e indígenas, discentes e docentes, que demandam sua cota de presença neste nosso mundo altamente elitizado, o que nos estimula a fazer parte deste processo de mudança histórica necessária, profunda e positiva da nossa sociedade pós-escravista.

*Brasília, maio de 2006*

# INTRODUÇÃO

Este livro reúne um conjunto de textos que são resultado de pesquisas, reflexões e propostas em torno do tema da reserva preferencial de vagas para negros e índios nas universidades brasileiras. Este processo recente de inclusão étnica e racial no Brasil significa uma revolução no nosso mundo universitário na medida em que, pela primeira vez na sua história, começa a admitir uma presença minimamente expressiva de estudantes negros e indígenas no seu meio altamente privilegiado e excludente. Das várias modalidades de ações afirmativas formuladas no Brasil e em outros países, a medida que mais tem gerado polêmica é a proposta de cotas ou de reserva de vagas nos vestibulares. Esse debate já havia começado no interior da academia em 1999, quando apresentamos uma proposta de cotas na Universidade de Brasília e cresceu a partir de 2001, ano da III Conferência Mundial contra o Racismo, realizada na África do Sul.

Vivemos um momento de efervescência das discussões sobre ações afirmativas e muito especialmente das propostas de cotas étnicas e raciais nas universidades públicas. Essa questão inova não somente em termos da nossa longa prática universalista de mecanismos de ingresso ao ensino superior, mas também em termos da nossa capacidade de rever posturas e modelos de há muito estabelecidos e de formular novas teorias sobre a inclusão étnica e racial em uma perspectiva brasileira. Estamos, então, mudando concretamente o perfil do corpo discente de algumas das nossas universidades públicas e ao mesmo tempo abrindo um campo de reflexão teórica sem precedentes na história das nossas Ciências Sociais.

Até o momento, pouco mais de uma dúzia de universidades federais e estaduais implementaram alguma modalidade de cotas ou reserva de vagas para estudantes negros e índios na graduação. O número ainda é pequeno diante do total de universidades públicas brasileiras; e menor ainda se incluirmos o universo das universidades privadas. Além disso, cotas na graduação representam uma medida parcial, pois há que se combater a exclusão étnica e racial também na pós-graduação e no quadro de docentes e de pesquisadores.

Contudo, apesar dessa escala ainda reduzida, as cotas têm causado uma revolução, não somente no ensino superior, para onde se dirigem mais diretamente, mas na sociedade brasileira como um todo. Pensar as cotas é pensar a igualdade étnica e racial; e pensar a igualdade étnica e racial é questionar as bases mesmas da nação brasileira. Apesar da imagem que projetamos interna e externamente de um povo que não pratica segregação nem intolerância de nenhum tipo, esta é agora questionada pelos argumentos em favor das cotas, muitos dos quais são apresentados neste livro.

A idéia de uma nação sem conflitos raciais profundos tem sido elaborada e reproduzida em nossas universidades desde os anos 30 do século passado. Contudo, os próprios organismos de planejamento do governo apresentam agora dados que confirmam inequivocamente um quadro brutal de desigualdade étnica e racial. A partir desses dados, a academia deve ser questionada justamente por ser uma instituição pública destinada a apresentar o significado dos indicadores de desigualdades sociais e a formular um diagnóstico que possa fundamentar políticas públicas capazes de superar essas desigualdades.

O racismo brasileiro é tão crônico, abrangente e consistente, que se reproduz em todas as áreas da vida social, e também no interior da instituição universitária. Os negros e os índios estão excluídos de todos os postos importantes da nação especialmente porque não é possível alcançar postos importantes de controle e poder do Estado, de produção de riqueza sem ter acesso ao ensino superior. Para um negro sem curso superior, muito pouco resta além do esporte, das artes performáticas e de alguns nichos da indústria cultural; e para um índio em contato mais intenso com o nosso mundo capitalista, menos ainda. A barreira do diploma generalizou-se e neste momento integra claramente os mecanismos de exclusão. A pressão é colocada, portanto, sobre as instituições universitárias, especialmente as públicas, das quais pode-se cobrar mais diretamente uma função social, além de serem, de fato, as de melhor qualidade.

E qual é o perfil racial das nossas universidades, instituições destinadas a formar os quadros chaves para o desenvolvimento econômico, social e cultural do país? As primeiras universidades públicas brasileiras datam das décadas de vinte e trinta do século XX e experimentaram um crescimento constante e intenso nos últimos 50 anos. Passaram de um contingente de pouco mais de 50 mil estudantes no início da década de 60 para chegar atualmente a mais de 1 milhão de matriculados. Contudo, o número de estudantes brancos nas carreiras ditas de alto prestígio das nossas universidades mais importantes chega a 96% e, em alguns casos, a 98%. Esta é a mesma porcentagem que existia no ano de 1950: 4% de negros entre os estudantes. Já a exclusão racial entre os professores é ainda pior: mais de 99% dos professores das universidades públicas de maior presença nacional são brancos, em um país em que os negros representam 47% da população. Quanto aos índios, até oito anos atrás, sua exclusão do ensino superior era absoluta. Eis uma questão suscitada pelas cotas: que crédito daríamos a uma universidade estrangeira que apresentasse um grau de segregação da diversidade étnica e racial de seu país tão extremo como esse?

Esse movimento nacional em favor das cotas para negros e índios abriu pela primeira vez uma dissidência profunda na elite universitária branca brasileira. Desde o momento em que a UnB adotou as cotas a partir de uma decisão dos professores em pleno exercício da autonomia universitária, a questão da exclusão racial não pôde mais ser naturalizada no nosso meio acadêmico. Todas as universidades públicas começam a ser pressionadas pelos movimentos negros e indígenas e pela frente anti-racista para posicionar-se diante do tema. O debate das cotas politiza, portanto, o espaço acadêmico e exige um posicionamento claro de todos os que dele participam. Já não é mais possível invocar o argumento da neutralidade científica ou do desconhecimento. E posicionamento implica não somente em reconhecer-se como um indivíduo que pertence a algum grupo étnico ou racial, mas também passar a ver o mundo a partir do lugar em que se vive. Diante desse quadro de racismo tão evidente, ou somos coniventes com a sua reprodução, ou nos engajamos em alguma atividade dirigida a combatê-lo.

A dissidência colocada pelas cotas se refere primeiramente à necessidade de inclusão, ainda que muitas vezes esse debate seja conduzido com base em uma polarização indevida. Propor cotas não deve ser um pretexto para desmobilizar a luta por um ensino público, gratuito e de boa qualidade em todos os níveis, inclusive com aumento substancial de vagas; não se trata de parar de investir na base para concentrar-se apenas no topo da pirâmide. Por outro lado, a luta pelo ensino básico gratuito não pode justificar a recusa de uma inclusão emergencial de negros e índios no ensino superior, da qual o nosso país é reconhecidamente carente. O mesmo tipo de polarização aparece naqueles que opõem a proposta de cotas a uma suposta democracia racial, defendida como um recurso precioso de nossa sociedade. Defender cotas não é ser contra uma democracia das raças, mas afirmar que, para alcançar essa democracia no futuro, é preciso iniciar imediatamente a inclusão dos excluídos. Nesse sentido, o debate se repõe por enfatizar a urgência das políticas concretas de inclusão étnica e racial, em vez de seguir apenas na afirmação de princípios gerais de convivência que até aqui não conduziram a ações concretas de superação do nosso racismo.

Finalmente, registremos o quanto de positividade, invenção, expansão de horizontes e criatividade que se abre com a experiência das cotas. No caso das Ciências Sociais, a luta pela inclusão étnica e racial tem apontado para uma nova maneira de viver a condição de acadêmico no Brasil: reconhecer-se como um ser humano não apenas produtor de conhecimento abstrato, porém encarnado em um corpo inevitavelmente marcado pelos estereótipos étnicos e raciais vigentes na sociedade e que reage aos estigmas e privilégios deles derivados. Ou seja, as cotas estão forçando a que os acadêmicos finalmente se vejam como brancos e não apenas como cientistas. E pela primeira vez na nossa academia, é possível estabelecer uma frente que inclua brancos, negros e indígenas pensando juntos como promover a igualdade étnica e racial no país, a começar pela universidade.

Assim como a Índia, a partir dos anos 40, ao desenvolver um pensamento próprio sobre as ações afirmativas; os Estados Unidos e a Malásia, desde os anos 70; e a África do Sul, o Canadá, a Austrália, desde os anos 90, que também implementaram modelos de cotas e de ações afirmativas, o Brasil começa agora a criar um pensamento próprio sobre inclusão étnica e racial, desenvolvido a partir das propostas específicas de cotas e reservas de vagas que começamos a implementar.

O presente livro foi concebido justamente como uma tentativa de contribuir para uma revisão radical dos modelos de interpretação da convivência étnica e racial no Brasil, baseada na observação direta e na acumulação de dados sobre a condição excludente das nossas universidades e da dinâmica de discriminação vigente em praticamente todas elas. Todos os ensaios compõem uma unidade argumentativa e propositiva: oferecem encaminhamentos concretos de inclusão étnica e racial no ensino superior, ao mesmo tempo que desenvolvem modelos conceituais para a análise e a interpretação dos dilemas étnicos e raciais brasileiros.

Dois dos capítulos são inteiramente inéditos. Outros já publicados foram revisados e ampliados, e dois deles foram reescritos (ver Carvalho 2002b, 2003a, 2004a). Todos, enfim, estão articulados dentro de um argumento geral que perpassa o livro. Decidi colocar em primeiro lugar o texto revisado da Proposta de Cotas da Universidade de Brasília, por tratar-se do texto irradiador de toda a discussão que se seguiu no interior da UnB e também porque se tornou referência para a formulação de propostas equivalentes em várias outras universidades do país.

Incluí em Apêndice o Plano de Metas para a Integração Social, Étnica e Racial da UnB por tratar-se do documento que condensou nossa proposta de cotas e que foi aprovado na íntegra no dia 6 de junho de 2003. Possui, portanto, o valor histórico de ser o primeiro plano de inclusão étnica e racial no ensino superior que foi votado e aprovado autonomamente pelo Conselho Acadêmico de uma universidade brasileira, obedecendo apenas ao princípio da autonomia universitária.

O envolvimento com esse debate significou para mim um grande enriquecimento intelectual e pessoal, pela oportunidade que tive de conviver intensa e assiduamente com alunos, professores e militantes negros e indígenas, os quais me ajudaram a entender melhor a dimensão do nosso racismo, inclusive dentro do espaço acadêmico. Ao longo de cinco anos, participei de debates sobre as cotas para negros e sobre o ensino superior indígena em inúmeras universidades federais, estaduais, municipais, comunitárias, vocacionais e empresariais e também em escolas indígenas, cursinhos pré-vestibulares, sindicatos e outras instituições, públicas e privadas. Em todos esses espaços contei com sugestões, informações, críticas, referências e o apoio de amigos e colegas professores, estudantes e funcionários. A luta pela igualdade étnica e racial no ensino superior gerou a formação de uma rede nacional, multiétnica e multirracial de intelectuais e ativistas, pequena ainda o suficiente para que nos conheçamos praticamente todos e possamos intercambiar idéias e informações. O que pude inserir neste livro é fruto direto deste intercâmbio e é a cada um dos membros dessa rede em favor da igualdade étnica e racial no Brasil que agradeço de coração.

Sou particularmente grato aos amigos de Brasília que me apoiaram mais de perto nesse longo processo de contato e enfrentamento da exclusão racial nas universidades brasileiras, a começar pela minha própria. Guardo também uma gratidão especial para o meu editor e amigo Sergio Rizek, que colocou todo o seu empenho profissional, em um tempo exíguo, e ainda enriquecendo o texto com suas críticas e sugestões. Finalmente (e em primeiro lugar), expresso minha gratidão a Rita Segato. A ela devo o apoio incondicional e diário, tanto intelectual como afetivo, que me permitiu concluir este trabalho. E a Ernesto e Jocelina, devo a compreensão e a paciência de esperar um momento de resolução dessa tarefa difícil, que os envolveu involuntariamente desde o início. Aos três, todo o meu amor.

*Brasília, junho de 2005.*

CAPÍTULO I

# Uma proposta de cotas para negros e índios na Universidade de Brasília

A presente discussão sobre políticas de cotas étnicas e raciais para a universidade brasileira foi apresentada pela primeira vez na Biblioteca Central da Universidade de Brasília, no dia 17 de novembro de 1999, por ocasião da Semana da Consciência Negra, quando Rita Segato e eu defendemos a necessidade de se implantar cotas para estudantes negros na universidade. Naquela ocasião, apresentamos uma versão simplificada desta proposta, de apenas cinco páginas, e recolhemos um abaixo-assinado entre alunos e professores presentes que apoiavam a necessidade de se levar o tema para ser discutido numa sessão do Conselho de Ensino, Pesquisa e Extensão (CEPE) daquela universidade. Desde então, ela foi corrigida e aperfeiçoada através de inúmeros debates públicos, seminários, fóruns, entrevistas na mídia, reuniões de trabalho, além de conversas informais. A proposta foi finalmente votada pelo CEPE da UnB no dia 6 de junho de 2003, tendo sido aprovada por 24 votos a favor e 1 contra.

Com aquela histórica votação, a UnB passou a ser a primeira universidade federal brasileira a aprovar cotas para negros e índios, após quase cem anos de ensino superior público no Brasil. A presente proposta foi o texto que instituiu o debate entre os conselheiros na referida sessão de 2003. Contudo, o Conselho votou, na íntegra, um outro documento-resumo da proposta, que denominamos de Plano de Metas para a Integração Social, Étnica e Racial na Universidade de Brasília. Na medida em que ele sintetiza a política pública de cotas propriamente indicada na Proposta principal, foi incluído em Apêndice.

O texto completo da proposta de cotas na UnB consta de duas partes. A primeira, por mim escrita e aqui reproduzida, apresenta uma fundamentação histórica e os dados quantitativos da exclusão racial na universidade brasileira, seguida de uma argumentação e uma descrição detalhadas do sistema proposto. A segunda parte, escrita por Rita Segato, apresenta uma análise dos tipos mais comuns de racismo praticados no Brasil e uma fundamentação, seguida de uma proposta de funcionamento, de três mecanismos institucionais que a UnB deveria desenvolver paralelo à implementação das cotas pelo vestibular: o Acompanhamento Psicopedagógico, a Comissão de Avaliação Permanente e a Ouvidoria.[1] Para não desfigurar a estratégia argumentativa original e própria do texto, decidi manter o presente histórico do momento em que foi apresentada (o ano de 2002), anterior, portanto, à votação da proposta (2003) e à implantação do sistema de cotas (2004).

### A exclusão racial fundante da universidade brasileira

Em 1996, a Secretaria dos Direitos da Cidadania do Ministério da Justiça convocou um Seminário Internacional na Universidade de Brasília para discutir a discriminação racial no Brasil. Naquela ocasião, que congregou renomados especialistas brasileiros e norte-americanos, foram discutidas as diferenças do racismo brasileiro com o vigente nos Estados Unidos e as possibilidades de implementação de um conjunto de ações afirmativas que servissem de reparação à exclusão histórica sofrida pelos negros no Brasil. Na abertura do Seminário, o então Presidente da República, Fernando Henrique Cardoso, comprometeu-se a implementar políticas de reparação das injustiças cometidas contra os negros brasileiros, conclamou os participantes a encontrarem soluções criativas para esse problema e admitiu de modo inequívoco a existência de discriminação racial no Brasil: "a discriminação parece se consolidar como alguma coisa que se repete, que se reproduz. Não se pode esmorecer na hipocrisia e dizer que o nosso jeito não é esse. Não, o nosso jeito está errado mesmo, há uma repetição de discriminações e há a inaceitabilidade do preconceito. Isso tem de ser desmascarado, tem de ser, realmente, contra-atacado, não só verbalmente, como também em termos de mecanismos e processos que possam levar a uma transformação, no sentido de uma relação mais democrática, entre as raças, entre os grupos sociais e entre as classes" (citado em *Multiculturalismo e Racismo*, pág. 16).

Passados sete anos, a Universidade de Brasília, escolhida para sediar tão importante evento, ainda não havia tomado nenhuma deliberação na direção sugerida pelos ilustres participantes do Seminário. Já é hora, portanto, de que respondamos ao desafio colocado pelo Presidente da nação e que apresentemos uma agenda concreta de intervenção contra a discriminação racial no Brasil.

---

1. Esta segunda parte, incluída no texto da nossa proposta (Carvalho e Segato 2002) foi publicada como artigo separado na revista *O Público e o Privado* (Segato 2005).

O tema do racismo brasileiro alcançou o máximo de exposição para a sociedade, em toda a nossa história, nos últimos cinco anos, quando o governo sistematizou os dados estatísticos à sua disposição para preparar a posição brasileira levada à III Reunião Mundial contra o Racismo, Discriminação Racial, Xenofobia e Intolerância Correlata, ocorrida em Durban, na África do Sul, em agosto de 2001. No momento presente, o governo brasileiro admite abertamente que existe discriminação racial em nossa sociedade e ações afirmativas de vários tipos começam a ser implementadas como resposta às demandas da sociedade e também às pressões da comunidade internacional, agora consciente da desigualdade racial existente em nosso país. No caso particular da Universidade de Brasília, não temos mais como evadir a apresentação de uma proposta de solução do problema, visto que contamos agora também com dados concretos que confirmam a existência de uma estrutura sistemática de exclusão dos negros no meio universitário. Passamos então a descrever uma proposta de implementação de um mecanismo concreto de inclusão dos negros na UnB.

## Perfil de exclusão racial das universidades brasileiras

Apesar da universidade pública brasileira ser um dos poucos redutos de exercício do pensamento crítico em nosso país, se a observamos a partir da perspectiva da justiça racial impressiona a indiferença e o desconhecimento do mundo acadêmico a respeito da exclusão racial com que, desde sua origem, convive. Desde a formação das primeiras instituições de ensino superior no século dezenove, não houve jamais um projeto, nenhuma discussão sobre a composição da elite que se diplomaria nas Faculdades de Direito, Medicina, Filosofia, Farmácia e Engenharia existentes naquela época. A atual composição racial da nossa comunidade universitária é um reflexo apto da história do Brasil após a abolição. Como bem o explica o historiador George Reid Andrews, o Estado brasileiro na virada do século XIX, ao invés de investir na qualificação dos ex-escravos, agora cidadãos do país, optou por substituir os poucos espaços de poder e influência que os negros haviam conquistado pelo estímulo e apoio à imigração européia.

Devido a essa política racial deliberada de branqueamento, os europeus que chegaram ao Brasil, também com baixa qualificação, em poucas décadas experimentaram uma ascensão social impressionante, enquanto os negros foram empurrados sistematicamente para as margens da sociedade. Os dados apresentados na presente proposta nos permitem visualizar que essa política de exclusão dos negros praticada pelas elites brasileiras foi consistente, contínua e intensa durante todo o século XX. Se agora constatamos alarmados que 96% dos atuais universitários brasileiros são brancos (3% são negros e 1% amarelos), uma percentagem considerável desse número é constituída de descendentes de imigrantes, daquele contingente que uma vez viveu em condições de precariedade similares às dos negros que viveram na virada do século XIX.

Quando, no início dos anos 30, foi criada a Faculdade Nacional de Filosofia (mais tarde Universidade do Brasil), a questão racial não foi discutida e confirmou-se, pela ausência de questionamento, de que estaria destinada a educar a mesma elite branca que a criara, contribuindo assim para sua reprodução enquanto grupo. Analogamente, a Universidade de São Paulo (USP) foi criada na mesma década sem que seus fundadores questionassem a exclusão racial praticada no Brasil e consolidou-se, desde então, como outra instituição de peso destinada a ampliar a elite intelectual branca do país.

É importante lembrar, por exemplo, que Guerreiro Ramos, um dos grandes sociólogos e pensadores da condição nacional brasileira, formou-se na primeira turma da Faculdade Nacional de Filosofia, porém não conseguiu ser professor da instituição. Vítima de várias perseguições (inclusive raciais), foi excluído do grupo seleto que formou a geração seguinte à sua na primeira universidade pública brasileira. Da mesma forma, Edison Carneiro, um dos maiores estudiosos da cultura do negro no Brasil, não conseguiu exercer a cátedra de Antropologia da Universidade Federal do Rio de Janeiro. Professores de trajetórias intelectuais apagadas se sucederam nos cargos que nenhum dos dois, brilhantes como foram, conseguiram ocupar. Podemos acrescentar ainda a esta lista de excluídos ilustres o nome de Clóvis Moura, intelectual que dedicou sua vida a escrever sobre a história do negro no Brasil e que, da mesma forma que os outros, não conseguiu lecionar em nenhuma das universidades de renome do país. Uma das honrosas exceções que confirmam essa regra de exclusão continua sendo o saudoso geógrafo Milton Santos.

O que essas trajetórias de fato revelam, de forma inquestionável, é que os poucos negros que escreveram sobre a exclusão do negro na educação superior não conseguiram se inserir eles próprios nas instituições universitárias (seus fracassos se deveram a motivos vários, porém sempre ligados às dificuldades que enfrentaram devido à sua condição racial). Acreditamos que a ausência, entre os quadros das universidades brasileiras, de acadêmicos negros produzindo conhecimento e reflexão sobre a questão negra na educação deixou essas instituições com pouca capacidade para refletir sobre sua própria política racial e de auto-avaliar-se adequadamente nesse respeito.

Para dar uma idéia do ponto a que chega hoje a segregação racial implícita na vida acadêmica brasileira, basta dizer que a famosa Faculdade de Filosofia, Letras e Ciências Humanas da Universidade de São Paulo, onde trabalham tantas figuras de destaque nacional, conta com apenas três docentes negros na ativa, entre seus 504 professores. Desses três professores negros, um deles é nascido no Zaire e graduou-se fora do Brasil; assim, a FFLCH é uma instituição acadêmica brasileira composta basicamente de brancos.[2] Obviamente, o objetivo não é acusar especificamente a USP (afinal, esse mesmo panorama se estende às demais universidades e institutos superiores de pesquisa do país), mas trazer para o debate a consciência da condição histórica de exclusão racial da universidade brasileira de formar e servir apenas os membros da elite branca que a criou. Neste momento, tal como o demonstram inúmeras matérias que têm circulado no Brasil desde o ano de 2001, até a África do Sul já conseguiu construir comunidades universitárias mais plurais e democráticas na questão racial que os *campi* brasileiros.

Um outro claro indício da exclusão do negro do mundo acadêmico, e que de tão óbvio poderia passar despercebido, nos oferece a recente publicação da Sociedade Brasileira para o Progresso da Ciência (SBPC), intitulada *Cientistas do Brasil. Depoimentos*. Esse livro se propõe cobrir, através de entrevistas e perfis biográficos, os principais realizadores de renome que temos ou tivemos em praticamente todas as áreas da produção científica nos últimos cinqüenta anos. De novo, dos 60 cientistas de maior destaque, segundo a avaliação da SBPC, apenas um é negro – menos de 2%, pois, algo gravíssimo para um país com 47% de negros e mais de 200.000 professores universitários. E há mais um detalhe desconcertante: este negro, único entre os luminares da nossa ciência, é de novo o mesmo Milton Santos, que já havia sido único na USP.

Mencionada a USP e a SBPC como marcos de referência nacional, lembremos que a situação racial da UnB foi, em setembro de 2001, matéria de capa do jornal *Correio Braziliense*, que se referiu ao nosso meio universitário como um "gueto negro",

---

2. Essa informação foi-me passada por João Batista Borges Pereira, Professor Emérito da USP e ex-Diretor da FFLCH, a quem agradeço.

devido ao baixíssimo número de alunos negros em nossos cursos. Se olharmos a composição racial dos docentes, temos que, de um contingente de 1500 professores, apenas 15 deles são negros - a porcentagem de docentes negros, portanto, não passa de 1%. Incômoda para a maioria dos acadêmicos, essa porcentagem se repete em praticamente todas as universidades federais. Em que pese ainda o pioneirismo da proposta de Darcy Ribeiro e o grande legado para o ensino brasileiro deixado por Anísio Teixeira, nenhum questionamento sobre essa desigualdade racial foi colocado desde a criação da Universidade de Brasília na década de 1960 até os dias de hoje.

Ampliando mais esse quadro, as demais universidades federais, independente da região do país em que se instalaram, jamais colocaram em questão a exclusão racial por elas mesmas reproduzidas. Chegamos então ao século XXI com um grande passivo de reflexão sobre o tema e às vezes até com uma recusa em admiti-lo. Isso nos deixou despreparados para reagir diante de uma nova agenda internacional de reparação dos excluídos e já retirou de nós, acadêmicos cuja missão deveria ser produzir conhecimento para guiar a nação em direção à igualdade e à justiça social, o papel de vanguarda, chegando a ponto de comprometer a nossa ética de servidores públicos.

Claro que esse vazio de análise e proposta não foi causado por um despreparo de nossa academia branca e sim por uma decisão, bastante consciente, ao longo de mais de setenta anos, de construir um conceito específico e interessado de brasilidade (cristalizado com grande eficácia na obra de Gilberto Freyre) e destinado a encobrir o mais possível o escândalo (agora exposto como nunca antes) da discriminação sistemática sofrida pelos negros no Brasil. Esse discurso oficial do Brasil, desde a década de trinta até recentemente, consistiu numa celebração culturalista da mestiçagem e de uma suposta cordialidade de convívio inter-racial, paralelas a um silenciamento sistemático da desigualdade de vantagens imposta aos negros e aos índios. Meditar sobre a ausência atual de negros e índios na universidade é ousar revisar os pressupostos dessa brasilidade que ocultou deliberadamente um de nossos problemas mais graves como nação.

Resumindo, a classe universitária brasileira ainda não parou para pensar a sua condição branca excludente. Porque a academia se espelha na Europa e nos Estados Unidos, a imagem que fazemos de um acadêmico não inclui um negro e não temos nenhuma imagem da academia da África. A imagem de uma sala onde exista algum cientista ou intelectual pensando, seja em Biologia, História ou Física, era, até uma geração atrás, a de um homem branco. Incluímos agora a imagem de uma mulher branca no lugar do cientista e continuamos com a imagem de uma platéia formada por pessoas brancas que escutam esses brancos. Basicamente, esta é a imagem, assimilada e reproduzida acriticamente, do que é o mundo universitário no Brasil.

O código universalista europeu se transformou no nosso meio em um mecanismo basicamente alienante, na medida em que fez silenciar a discussão sobre a prática, também silenciosa, mas sistemática e generalizada, da discriminação racial. Colocada e defendida cegamente, a ideologia do mérito e do concurso passa a se desvincular de qualquer causalidade social e a flutuar num vácuo histórico. Como se alguém, independente das dificuldades que enfrentou, no momento final da competição aberta e feroz, fosse equiparado aos seus concorrentes de melhor sorte social. Universalizou-se apenas a concorrência, mas não as condições para competir. Não se equaciona mérito de trajetória, somente conta o suposto mérito da aprovação no concurso. Nenhuma avaliação do esforço de travessia, e uma fixação cega, não problematizada, na ordem de chegada. Como se um negro se dispusesse a atravessar um rio a nado enquanto um branco andasse de barco a motor em alta velocidade e ao chegarem à outra margem suas capacidades pessoais fossem calculadas apenas pela diferença de tempo gasto na tarefa. Vista de uma outra perspectiva, que introduza a diferença histórica, social e econômica de desigualdade crônica entre negros e brancos no Brasil, a própria noção abstrata de concurso, de competição, de rendimento, de quantificação das trajetórias individuais necessita ser radicalmente repensada.

Retornando ao problema do acesso dos negros ao ensino superior, uma linha de intervenção crescente e que tem dado muito resultado tem sido a implementação de cursinhos pré-vestibulares. Ao invés de questionar de frente a própria prática excludente do vestibular no Brasil, opta-se por concentrar esforços na preparação de alunos negros e carentes para que possam competir com os brancos que contam com mais recursos. Iniciativas da maior importância, como a Cooperativa Beneficente Steve Biko, de Salvador, apoiada pela Universidade Estadual da Bahia; os cursos Pré-Vestibular para Negros e Carentes (PVNC) do Rio de Janeiro; os cursinhos organizados em vários estados pela ONG EDUCAFRO, ligada à igreja católica; os cursinhos para negros de São Paulo, como o THEMA Educação; o pré-vestibular Zumbi dos Palmares de Porto Alegre e Viamão; o Instituto Luther King de Campo Grande; o Horizontes Pré-Vestibular de Belo Horizonte e Contagem etc. Essas e muitas outras redes de pré-vestibulares para negros e carentes apontam para um alto grau de mobilização da sociedade civil, consciente de que a injustiça social brasileira não se aplaca apenas com intervenções na desigualdade de classe, mas também na luta contra a exclusão racial.[3]

Apesar do esforço valioso dos cursinhos pré-vestibulares, os dados recentes que exibiremos a seguir apontam para um diferencial de desvantagem em acesso à educação dos negros que é crônico e irredutível desde o início do século vinte, o que exige um mecanismo de inserção ainda mais eficaz na sua capacidade de começar a recuperar esse atraso imediatamente. Há um consenso crescente entre os que procuramos equacionar esse problema do acesso dos estudantes negros ao ensino superior que os cursinhos supracitados não devem substituir o esforço pela implementação de cotas; seria de fato mais adequado unir esses dois tipos de ação afirmativa.

**Os números oficiais da nossa desigualdade**

O primeiro estudo sistemático sobre o perfil racial e socioeconômico das universidades federais, em âmbito nacional, acaba de ser concluído com a publicação da obra *O Negro na Universidade*, organizado por Delcele Queiroz e publicado pela Universidade Federal da Bahia (Queiroz 2002). O livro apresenta análise comparativa dos questionários aplicados em cinco universidades federais brasileiras: Universidade Federal da Bahia, Universidade Federal do Maranhão, Universidade Federal do Rio de Janeiro, Universidade Federal do Paraná e Universidade de Brasília (onde o questionário foi aplicado pelo autor da presente proposta). Em todas as cinco universidades, tão distantes geograficamente, diversas em suas composições étnicas e raciais regionais e com histórias e inserções urbanas tão diferentes, praticamente o mesmo perfil previsível de exclusão racial se repetiu. É possível, portanto, para efeito da presente proposta de compensação, resumir os dados da UnB como exemplo da tendência geral (ressalvando que foi a universidade que apresentou o mais baixo índice de respostas ao questionário: apenas 30%, contra 70% e mais das outras).

O diferencial de sub-representação de pretos e pardos em relação à sua proporção demográfica no Distrito Federal chegou, em média, a 40%. Contudo, a dimensão mais grave da exclusão reside no fato de que os negros (pretos e pardos) estão praticamente ausentes dos cursos de "alto prestígio", segundo os parâmetros de hierarquia social atualmente vigentes, como Medicina, Direito, Odontologia, Administração e Jornalismo; os pardos têm representatividade pouco maior que a dos pretos

3. Sobre os cursinhos pré-vestibulares, ver Andrade & Fonseca (2002) e Santos (2003).

– ainda que inferior proporcionalmente ao seu contingente – nos cursos tidos como de médio prestígio; e os poucos pretos se concentram nos cursos tidos como de baixo prestígio, como Letras e Artes; porém, em todo o espectro, ainda que crescendo na proporção do prestígio, os brancos estão super-representados.

Somente este estudo localizado seria razão suficiente, do ponto vista do papel social de uma universidade pública, para uma intervenção nas nossas regras de acesso, de modo a tornar a UnB mais democrática do ponto de vista racial. Contudo, nossa perspectiva deve responder, simultaneamente, também a uma necessidade de reparação que está sendo colocada a partir também de um outro conjunto de dados: a situação racial específica do Distrito Federal. A análise comparativa de seis regiões metropolitanas brasileiras, realizada pela Fundação SEADE e o PED (Pesquisa de Emprego e Desemprego) do DIEESE e divulgada pela Câmara Federal do ano 2000, permite-nos atualizar uma realidade provavelmente ainda pouco assimilada pela nossa comunidade acadêmica.

A porcentagem de negros na população de Salvador é de 81%; no Recife, 64%; e no Distrito Federal, 63,7%. Mentalizemos: o Distrito Federal é uma região predominantemente negra. Além disso, é a região metropolitana mais segregada de todas, simultaneamente do ponto de vista do espaço, da renda e do perfil racial. Temos a grande maioria da população branca concentrada no Plano Piloto e imediações e uma enorme população negra confinada e mantida à distância nas cidades satélites e nos assentamentos (além de uma massa negra considerável, ainda não computada, que vive no Entorno). Se não ocorrer nenhuma interferência de políticas públicas, esse processo de crescimento demográfico, ainda em expansão, caminha no sentido oposto da integração racial e está fazendo a Capital da República se parecer cada vez mais com a realidade da África do Sul nos dias do *apartheid*, com os brancos nas áreas nobres e os negros no Bantusthans pobres e desatendidos. Para complicar o quadro, a UnB, branca e rica, se encontra localizada no coração da área branca e rica da capital. Foi certamente por perceber a gravidade deste problema que o Vice-Reitor Timothy Mulholand expressou sua preocupação recentemente numa entrevista à imprensa local: "Nossa universidade é branca. Brasília é muito mais mestiça e multirracial do que a UnB. Temos que ser uma expressão mais fiel da sociedade e ajudar a formar uma classe média negra com formação universitária" (*Correio Braziliense,* 27 de fevereiro de 2002).

Um grande número de estudos realizados nas duas últimas décadas por autores como Carlos Hasenbalg, Nélson do Vale Silva, Antônio Sérgio Alfredo Guimarães,

Kabengele Munanga, entre outros, cobrem praticamente todas as áreas que incidem de um modo estrutural sobre a qualidade de vida (na educação, no emprego, na moradia, na saúde física e mental, na auto-estima e na perspectiva de futuro) e confirmam um quadro dramático de discriminação racial no Brasil, o qual se estende também às instituições educativas, públicas e privadas, em todos os graus. No mercado de trabalho, além de uma inserção sempre inferiorizada, há discriminação no salário pago a negros e negras, bloqueios e dificuldades no seu ritmo de promoção funcional quando comparado com o dos colegas brancos em idêntica condição. Agregue-se a isso as barreiras de acesso aos empregos mais qualificados, o que faz com que os negros estejam praticamente ausentes, apesar de representarem 47% da população nacional, de todas as posições de prestígio, como no corpo diplomático, nos altos postos militares, na magistratura, no legislativo, nos escalões superiores do Executivo e do serviço público em geral, nas universidades, nos postos de visibilidade na mídia e no nível executivo da empresa privada.

Apresentaremos aqui uma síntese dos dados coletados pelo IPEA nos últimos anos e resumidos inúmeras vezes pela imprensa de todos os estados brasileiros durante o ano de 2001.[4] Trata-se possivelmente da pesquisa mais detalhada, extensa e completa jamais produzida sobre o efeito da condição racial nas trajetórias individuais, familiares e coletivas no Brasil, sintetizando inclusive a série histórica dos censos populacionais brasileiros do século XIX. A marca racial foi cruzada sistematicamente com os indicadores de renda, emprego, escolaridade, classe, idade, situação familiar e região, ao longo de mais de 70 anos, desde 1929. Controlando todas essas variáveis, os pesquisadores chegaram à conclusão irrefutável de que no Brasil a condição racial é sistematicamente fator de privilégio e vantagem para os brancos e desvantagem e exclusão para os pretos e pardos. A gradação da desigualdade é de uma nitidez cristalina: os pardos sempre estão em desvantagem em relação aos brancos em iguais condições sociais, econômicas e territoriais; e sempre estão em pequena vantagem em relação aos pretos.

Como já é praxe entre os especialistas no tema de relações raciais no Brasil, podemos unir os contingentes de pretos e pardos (que são as duas categorias oficiais do censo brasileiro do IBGE) na categoria de negros e afirmar com segurança: ser negro no Brasil sempre tem sido uma condição humana de exclusão, discriminação,

---

4. Esses dados foram sistematizados por Ricardo Henriques no Texto para Discussão No. 807 do IPEA, de julho de 2001 (Henriques 2001).

desvantagem e abandono – e isso visto estritamente do ponto de vista dos indicadores oficiais do estado, cujo interesse, obviamente, nunca foi o de exagerar os indicadores sociais negativos do país. O Brasil foi construído nos séculos anteriores e se perpetuou, durante todo o século vinte, sob o prisma estruturante da desigualdade racial.

De saída, lembremos que o Brasil é tido como a nação com a segunda maior população de ascendência negra do mundo, a primeira sendo a Nigéria. E de fato, conforme veremos a seguir, faz sentido, do ponto de vista da desigualdade racial e logo das estratégias de implementação de políticas públicas, unificar esses dois contingentes e chamá-los de negros. Vejamos alguns números:[5]

- A população do Brasil é de aproximadamente 180 milhões de pessoas; e 47% da população brasileira (84,6 milhões) são pessoas negras (7% de pretos e 40% de pardos);
- 25 milhões de seres humanos no Brasil vivem abaixo da linha de pobreza, condição definida como aqueles que não consomem o nível mínimo de calorias recomendado pela Organização das Nações Unidas (ONU). Desses 25 milhões, 70% são negros.
- 58 milhões de brasileiros vivem na pobreza (um mínimo de 200 reais por mês); desses, 63% são negros.

A primeira conclusão que tiramos desses dados é que a pobreza no Brasil tem em geral a cor negra. Mais do que isso, mesmo entre os pobres e miseráveis brasileiros, há os que são mais miseráveis ainda: os negros. Na distribuição da renda, o quadro se repete: dos 10% mais pobres, 70% são negros e 30% são brancos; enquanto dos 10% mais ricos, 85% são brancos e 15% são negros. Simetricamente então, assim como há um enegrecimento social da pobreza, há um evidente embranquecimento da riqueza. Vejamos agora como as diferenças raciais incidem sobre todas as fases da vida dos brasileiros.

Na faixa do nascimento até os 6 anos, a pobreza atinge 51% das crianças brasileiras; contudo, o índice de pobreza é muito menor entre as crianças brancas (38%) que entre as negras, das quais 65% são pobres. De novo, um diferencial considerável de desvantagem dos negros já na infância.

5. As estatísticas e porcentagens das próximas três seções deste capítulo foram compiladas nos anos 2001 e 2002. Procurei atualizá-las seguindo os valores quantitativos divulgados nas últimas pesquisas oficiais. Mesmo que alguns números estejam um pouco datados, as porcentagens sofreram poucas alterações e em alguns casos (como os assassinatos de jovens negros em áreas urbanas) pioraram nos últimos quatro anos.

- Para cada 100 crianças brancas em situação de pobreza existem 170 crianças negras em idêntica condição.
- Entre 7 e 14 anos, o percentual de pobres entre os brancos é de 33%, enquanto entre os negros é de 61%.
- Entre 15 e 24 anos, vivem na pobreza 47% dos negros e 22% dos brancos.

Esses números reafirmam que os negros não conseguem recuperar a desvantagem com que nasceram, nem na adolescência, nem na fase adulta: sua desvantagem é crônica.

Outra comprovação que aponta para a intensificação da desigualdade é que a diferença entre negros e brancos não decorre somente do nível de renda, mas também da discriminação pela cor. Para chegar a essa conclusão, os pesquisadores do IPEA observaram crianças de 11 a 14 anos, do sexo masculino, pertencentes ao grupo dos 25% mais pobres do Brasil. Entre os meninos brancos desse grupo, 44,3% estão cursando a segunda fase do primeiro grau (quinta a oitava série), enquanto entre os negros do mesmo grupo, apenas 27,4% cursam essa fase dos estudos. A conclusão é clara: ser negro no Brasil é ter menos acesso à educação que os brancos. E mais: a desigualdade entre crianças brancas e negras só tende a crescer na vida adulta. As causas são previsíveis - mais pobres, entram mais cedo no mercado de trabalho e se preparam menos, o que as confina às posições inferiores na sociedade e das quais não têm como sair.

Outra correlação enfatizada nessa pesquisa é que, ao longo do século vinte, a educação melhora constantemente, mas as diferenças entre brancos e negros jamais se alteram. Isso quer dizer que um jovem negro hoje, de 20 anos, herdou a desvantagem racial sofrida pelo seu avô, que passou a desigualdade que sofreu para o seu pai, que por sua vez a transmitiu a ele. Resta decidir o que faremos agora para impedir que esse jovem transmita ao seu filho essa mesma desvantagem racial.

Sintetizando parcialmente esses dados que apontam tendências, apenas 30% da população negra conseguem terminar o ciclo básico do primeiro grau. O que significa dizer que temos uma massa de 59 milhões de negros brasileiros que estão praticamente à margem completa da cidadania: estão absolutamente despreparados para o mercado de trabalho e com condições baixíssimas de mobilidade social na fase adulta. Há ainda uma conseqüência bastante incômoda para a auto-imagem do Brasil que se pode retirar desse número: o Brasil não somente é o país com a segunda maior população negra do mundo, mas também o país que submete essa população negra a condições de miséria e exclusão comparáveis às dos países mais pobres do mundo.

Dos 25 milhões restantes, pelo menos 17 milhões engrossam a parte majoritária da faixa menos qualificada do mercado de trabalho. Sobra uma faixa de aproximadamente 8 milhões de pessoas, definida como a nova classe média negra (apenas 4,4% da população nacional), porém que na verdade estão também na faixa inferior desse segmento de classe (famílias com renda de 3 a 5 salários mínimos), quando computado em conjunto com a classe média branca brasileira. Os pesquisadores do IPEA já usam, em declarações à imprensa, a oposição entre um "Brasil branco", mais rico e um "Brasil negro", mais pobre.

Finalmente, contra esse pano de fundo nada alentador, vejamos alguns dados que apontam nitidamente para a dificuldade enfrentada pelos negros no acesso à educação:

- 8,3% dos brancos com mais de 15 anos são analfabetos, enquanto 20% dos negros com mais de 15 anos são analfabetos;
- 26,4% dos brancos adultos são analfabetos funcionais, enquanto 46,9% dos negros adultos são analfabetos funcionais;
- 57% dos adultos brancos não completaram o ensino fundamental, enquanto 75,3% dos adultos negros não completaram o ensino fundamental;
- 63% dos jovens brancos de 18 a 23 anos não completaram o ensino médio, enquanto 84% dos jovens negros não completaram o ensino médio.

Somente esses dados já mostram que a melhoria universalista no ensino básico não resolverá o problema da desvantagem dos negros, que é crônica. Já no ensino médio, a distância entre brancos e negros cresce cada vez mais:

- 12,9% dos brancos completaram o ensino médio, enquanto apenas 3,3% dos negros completaram o ensino médio.

Pensemos na realidade da discriminação racial embutida nesses dados. Se considerarmos que os dois contingentes humanos são demograficamente próximos, os brancos preparam um número 4 vezes maior de jovens para ingressar em melhores trabalhos na fase adulta que os negros. Isso aponta para o fato de que a desigualdade cresce mais intensamente na passagem do ensino fundamental para o ensino médio. E o jovem branco ampliará essa vantagem ainda mais no momento de terminar o segundo grau. Vejamos esses dados em gráficos preparados pelo IPEA no ano 2000 e postos à nossa disposição pelo seu Diretor, Prof. Roberto Martins, em apresentação feita na UnB em março de 2002.

**Porcentagem da população com escolaridade igual a 8ª série do ensino fundamental**

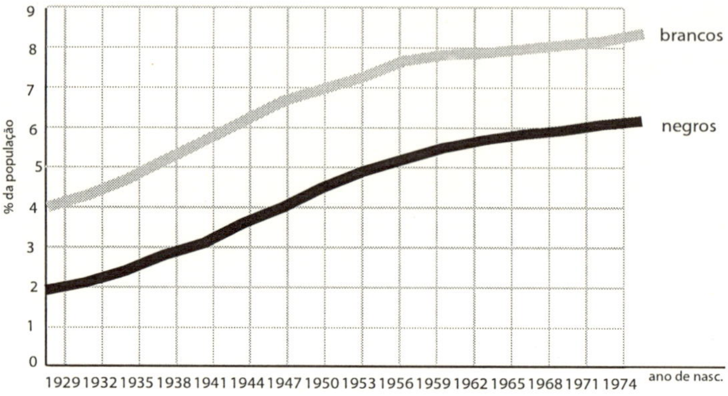


Fonte: Pesquisa Nacional por amostra domiciliar (PNAD) de 1999

Como se já não bastasse ser pequena a parcela da população negra que conseguiu estudar até oitava série e a sua defasagem crônica em relação ao contingente de brancos com idêntica escolaridade, observamos ainda mais uma desvantagem: os negros alcançaram sua melhor situação em 1963 e em seguida pioraram, declinando ano após ano até 1968, ano marco da ditadura militar no Brasil – ou seja, perderam tempo, quando já estão muito atrasados. Fica ainda uma pergunta sem resposta: por que os brancos não foram igualmente afetados no ritmo de crescimento de sua escolaridade pelo golpe militar?

Vejamos agora a porcentagem de brancos e negros com secundário completo – aptos, portanto, a tentar o ingresso no ensino superior.

**Porcentagem da população com escolaridade igual a 3ª série do ensino secundário**

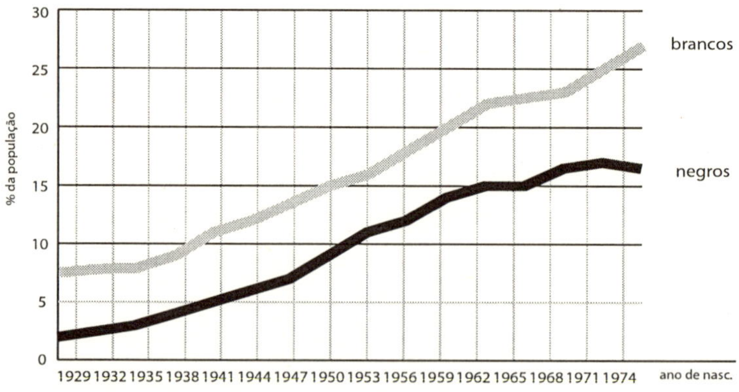


Fonte: Pesquisa Nacional por amostra domiciliar (PNAD) de 1999

Consistentemente, o sistema educacional favoreceu mais brancos que negros, com mais de 10% de diferença (diferença maior que a existente até a oitava série), de novo com um agravante similar ao que registramos no gráfico anterior: de 1968 (ano do AI-5) em diante, aumentou a vantagem dos brancos diante dos negros aptos a prestar o vestibular.

Passemos agora à diferença entre brancos e negros no acesso aos 4 primeiros anos do ensino superior.

**Porcentagem da população com escolaridade igual a 4 anos ou mais de estudo do ensino superior**

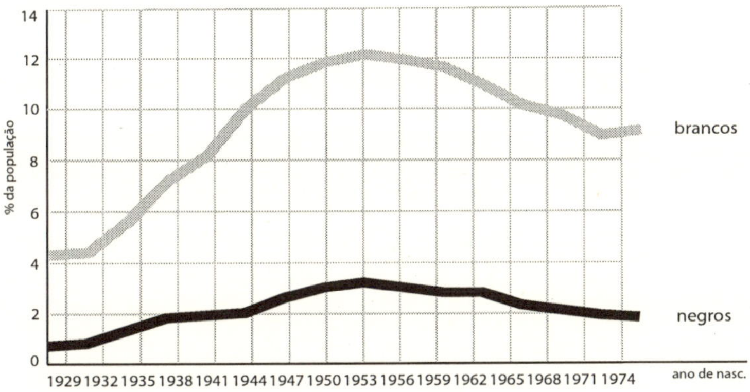


**Fonte: Pesquisa Nacional por amostra domiciliar (PNAD) de 1999**

O fato mais relevante aqui é de que a porcentagem de vantagem dos brancos sobre os negros em chegar a 4 anos de curso superior é mais que o dobro da vantagem que têm em terminar a oitava série e o segundo grau. Isso significa que o acesso à pós-graduação é ainda muito mais proibitivo para o negro que conseguir entrar na graduação. Por trás do aparente paralelismo estático dos três gráficos se esconde a história de um abismo que só vai crescendo entre brancos e negros: em cada etapa da escolaridade, o branco aumenta a distância de sua vantagem.

Finalmente, um gráfico que sintetiza uma grande massa de dados e que nos permite concluir, inequivocamente, que a escola no Brasil sempre favoreceu os brancos.

**Porcentagem da população com escolaridade igual a 4 anos ou mais de estudo do ensino superior**

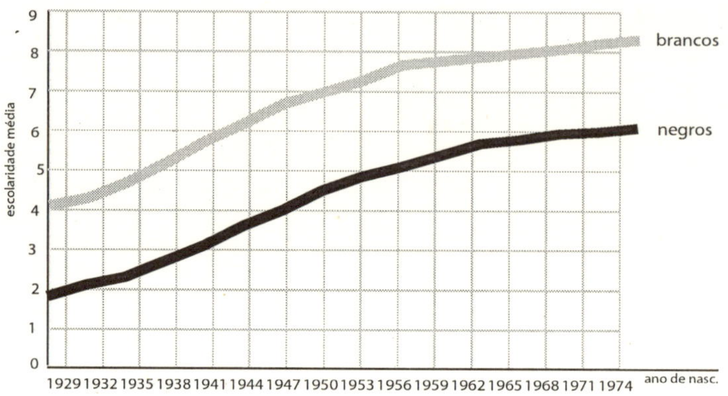


Fonte: Pesquisa Nacional por amostra domiciliar (PNAD) de 1999

Esse tipo de correlação aponta para a necessidade de uma intervenção urgente na desvantagem crônica do negro brasileiro na educação. Enquanto a média de freqüência escolar de uma pessoa branca é hoje de 6,6 anos, a de um negro é de 4,4 anos. O doloroso é constatar que, apesar da evidente melhoria na educação da população brasileira ao longo de todo o século vinte, essa diferença considerável de 2,2 anos é a mesma que existia no início do século passado. Podemos concluir que se nada for feito em termos de ação afirmativa e se as políticas públicas continuarem tratando todos como iguais (e esperando que não piorem daqui para frente), somente daqui a 20 anos os negros alcançarão a média de escolaridade alcançada hoje pelos brancos - ou seja, vão necessitar de duas décadas de crescimento estável e ininterrupto das políticas atuais de educação para concluir o ensino básico. Evidentemente, daqui a 20 anos os brancos alcançarão também uma média de freqüência escolar muito maior do que a que já têm hoje e passarão na frente dos negros a caminho de um domínio ainda mais totalizador da pós-graduação, da docência superior e de todas as áreas da pesquisa científica, tecnológica, artística e das Humanidades em geral.

Há ainda outro aspecto deste problema que aponta para a intensificação do drama dos estudantes negros: a diferença de 2 anos e 4 meses de freqüência média escolar entre brancos, que permaneceu constante ao longo de 70 anos, não teve o mesmo peso, em termos de desvantagem socioeconômica, em 1930 que em 1950, que por sua vez não significou o mesmo em 1970, que por último não significou o mesmo em 2000. Quanto mais nos afastamos de 1888, mais discriminação racial específica foi necessário mobilizar para barrar a tentativa do negro de alcançar os mesmos serviços de educação oferecidos universalmente pelo estado: pois, se a freqüência média escolar foi crescendo, certamente cresceu a aspiração de melhoria por parte dos negros. Se a sua auto-estima não melhorou nos anos setenta, quando triplicou a sua média escolar em comparação com os anos trinta, quer dizer que triplicaram os fatores de contenção acionados pelos brancos contra sua aspiração de alcançar uma ascensão idêntica à que eles alcançaram. Não há outro modo de entender esse paralelismo defensivo, sobretudo porque a doutrina oficial do estado brasileiro foi sempre, de Getúlio Vargas à ditadura militar passando por Juscelino Kubitschek, a do bom convívio inter-racial e a da democracia racial.

Essa inversão das expectativas nos leva a supor que o discurso dos brancos na escola brasileira deve ter sido sempre bifurcado: uma posição explícita de integração racial disfarçava um acionamento sistemático e constante de dispositivos de inibição e cerceamento da tentativa do negro de usufruir dos mesmos benefícios a eles concedidos. A barbaridade dos conteúdos abertamente racistas que ainda encontramos nos nossos textos escolares pode ser um bom indicador desse contra-ataque, pela base e de dentro do sistema, à doutrina oficial e exteriorizante de integração racial.

No caso do último período analisado, dos anos 1970 para o ano 2000, o fato de que a freqüência média escolar dos negros não melhorou em nada em relação à dos brancos é ainda menos aceitável e mais problemático em termos de construção da nação, devido aos inúmeros esforços econômicos e sociais que deveriam ter atenuado a desvantagem histórica dos negros, já na quarta geração após o fim da escravidão. Neste período, atravessamos o fim do regime militar; o retorno do quesito cor nos censos do estado; uma grande mobilização do Movimento Negro; o fim da censura com a Nova República; a instalação da Secretaria de Estado do Negro; mais tarde, a atuação, em âmbito nacional, da Fundação Cultural Palmares; e a visibilidade gigantesca da cultura negra (sobretudo carioca e baiana) na mídia. É alarmante que tudo isso não haja facilitado uma integração do negro ao conjunto de benefícios estratégicos na educação acumulados pelos brancos. Infelizmente, a conclusão inevitável que se impõe é de que os mecanismos de discriminação racial se tornaram mais poderosos nos últimos anos – que é o clima de desigualdade racial com que convivemos precisamente agora.

Na medida em que nos interessa intervir para que os negros cheguem ao ensino em igualdade de condições com os brancos, temos que simular quando alcançaremos a meta coletiva de finalização do segundo grau. De novo, os brancos necessitarão de mais 13 anos para chegar aos oito anos de estudo, se continuar estável o atual esforço do governo pela ampliação do ensino secundário. Já a população negra brasileira necessitará de 32 anos para chegar aos oito anos de estudo. Para terminar o segundo grau completo, num país que amplie apenas de um modo universalista a cidadania, a população branca se distanciará em duas gerações inteiras da população negra (a diferença de ritmo entre os dois contingentes passará de 30 anos).

Lembremos aqui que a freqüência escolar média na Europa é de 12 anos de estudo e na África do Sul, epítome do país que maltratou os negros no século XX, era de 11 anos na década final do *apartheid*. Ou seja, o negro brasileiro levará um pouco mais de meio século para alcançar a escolaridade que tinha o negro sul-africano no ano em que terminou o *apartheid*. A triste ironia desses números é que fomos acostumados, por décadas, a contrastar essas duas sociedades como antípodas, de modo a favorecer nossa cordialidade inter-racial contra a injustiça da segregação: a África do Sul seria o inferno negro e o Brasil, o paraíso mestiço. Os dados oficiais nos oferecem agora um espelho incômodo que inverte nossa imagem da África do Sul face à da nação brasileira: o Brasil é (ainda) o inferno racial de que a África do Sul se despediu há mais de uma década.

Ainda mais um indicador internacional da desigualdade racial brasileira: o Índice de Desenvolvimento Humano (IDH) medido pelo PNUD (Programa das Nações Unidas para o Desenvolvimento) em todos os países do mundo e que faz uma articulação de indicadores como educação, expectativa de vida e renda *per capita*. Tal como demonstraram Marcelo Paixão e Wânia Santana, ao desmembrar o IDH geral brasileiro por grupo racial, há um abismo de 61 países entre o Brasil negro e o Brasil branco: no ranking de qualidade de vida, os brancos ficam em 46º lugar, entre a Lituânia e a Croácia e os negros brasileiros em 107º lugar, pior que todos os países africanos, inclusive a Nigéria e a África do Sul.[6] Ou seja, a situação dos negros brasileiros é comparável à de países como o Vietnã e Argélia, onde o desenvolvimento humano está na faixa inferior (e que passaram por guerras absolutamente arrasadoras há algumas décadas, enquanto o Brasil vivia "em paz" e com um PIB incomparavelmente maior que o desses dois países). Enquanto isso, os brancos têm qualidade de vida similar à de países como os Emirados Árabes (45º lugar), de alto desenvolvimento

6. Ver Paixão (2003).

humano e já considerados ricos. Isso indica que mais de um século depois de abolida a escravidão, os descendentes de escravos ainda não tiveram chance de usufruir da riqueza construída pelo trabalho forçado realizado pelos seus ancestrais.

Outra pesquisa da UFRJ, com a mesma metodologia usada pelo PNUD, mostra que a renda média familiar *per capita* dos brancos brasileiros é de 2,99 salários mínimos, mais do que o dobro da dos negros (1,28 salários). Na expectativa de vida, enquanto a do branco é de 71,2 anos, a do negro é de 65,1.

Finalmente, a seguinte notícia veiculada pelo jornal *O Globo* de 26 de agosto de 2001: "Estudo do IPEA mostrou que negros e mulatos recebem 48% do salário recebido por brancos. Mas como a diferença educacional é muito grande entre negros e brancos, isso pode ser a causa da diferença salarial. Comparando-se salários de pessoas com a mesma escolaridade e que moram na mesma região, negros e mulatos ganham apenas 84% do que recebem os brancos. 'Esse foi o flagrante mais evidente que conseguimos de racismo, porque as pessoas são do mesmo nível, da mesma região e do mesmo grau de escolaridade. Não havia razão para a diferença', diz o presidente do IPEA, Roberto Martins".

### Baixa presença negra entre profissionais com curso superior

Se lermos este dado de racismo no salário em conjunto com a curva paralela da desigualdade racial na freqüência média escolar, apresentada no último gráfico acima, poderemos desmontar de vez uma teoria ainda muito difundida na sociedade, contra as ações afirmativas, que procura justificar a desvantagem atual do negro como sendo um problema histórico, herdado do seu despreparo inicial ao findar a escravidão. Ora, se o problema fosse apenas a desvantagem construída pelo regime escravo, a tendência da freqüência média escolar seria de unificar cada vez mais os contingentes de estudantes brancos e negros; pelo contrário, o que vemos é a vantagem nada trivial dos brancos se reproduzir ao longo de setenta anos. E de modo análogo, não seria possível uma pessoa negra ganhar consideravelmente menos que uma branca, em condições equivalentes, 114 anos após a abolição da escravidão. A explicação da desigualdade sofrida pelos negros, na renda e na escolaridade, não pode ser buscada no passado brasileiro até 1888, mas no racismo estrutural que se instalou no Brasil a partir de então e que jamais mudou, até o ano de 2002.

Não é mais possível continuar discutindo a questão da ausência dos negros do ensino superior como se o assunto girasse exclusivamente em torno de qualificação e mérito pessoal. Nós, membros da comunidade acadêmica que nos guiamos pelas evidências da pesquisa empírica, possuímos agora conhecimento objetivo de que os negros estão ausentes da universidade como conseqüência de um mecanismo estrutural que privilegia os brancos. E onde há privilégio racial não há universalismo. Diante disso, ou modificamos nossos critérios de acesso para inverter esse mecanismo automático de favorecimento aos brancos, ou contribuiremos - agora sem a desculpa do desconhecimento - para a perpetuação da exclusão secular do negro do ensino superior no Brasil. Ricardo Henriques, pesquisador do IPEA, expressa essa mesma angústia com uma veemência maior: "Esses dados mostram que, para que as diferenças não se mantenham, as políticas sociais precisam tratar os desiguais como desiguais. Tratar todo mundo por igual é cinismo".

Outras cifras alarmantes da exclusão racial no ensino superior divulgados amplamente no Brasil ano passado, por ocasião da III Reunião Mundial contra o Racismo, foram os resultados do Provão do ano 2000, divulgados pelo Ministério da Educação. Dos 191.000 estudantes avaliados em 2.888 faculdades, 80% são brancos, 13,5% são pardos (lembremos que eles representam 40% da população) e apenas 2,2% são pretos (que são 5,7% da população). A imprensa, ao divulgar esses dados, ainda chamou atenção para o fato de que o Provão unificou as informações coletadas concernentes aos cursos universitários públicos e privados – o que nos permite concluir que a porcentagem de negros que freqüentam somente as universidade públicas é ainda muito menor do que a geral anunciada visto que, sabidamente, a maioria dos poucos negros matriculados no ensino superior no Brasil só conseguiu entrar nas faculdades particulares.

Esse quadro de exclusão e desvantagem não é distribuído por igual entre os cursos; pelo contrário, ele se acentua nos cursos de alto prestígio. Em Odontologia, por exemplo, somente 0,7% dos alunos que se formaram em 2000 são negros. Ser dentista no Brasil (como ser médico) é ser branco. E não somente médicos e dentistas no Brasil são brancos. Todos os cargos de importância, prestígio, poder e alta remuneração são esmagadoramente brancos, restando aos negros uma faixa residual consistentemente entre 1% e 2%. Finalmente, visualizemos os dados agregados de maior escala do nosso problema acadêmico-racial.

Temos no Brasil, atualmente, uma população de estudantes universitários de 3.500.000 pessoas (pouco menos de 2% da população). Isso significa que qualquer estudante universitário brasileiro, por pior que seja a faculdade em que esteja matriculado, já pertence a uma minoria absolutamente privilegiada. Desses 3.500.000 estudantes universitários, 2.500.000 freqüentam instituições privadas de ensino e apenas 1.000.000 estudam nas universidades e demais instituições públicas de ensino superior. Ou seja, apenas 0,6% dos brasileiros conta atualmente com o benefício público da educação superior gratuita.

Cabe ainda aprofundar a diferença marcante entre esses 1.000.000 estudantes das universidades públicas e os outros: o valor fundante da instituição de ensino. Com exceção de umas poucas universidades particulares de maior qualidade e vocação (como as PUC's, por exemplo), a maioria das faculdades particulares oferece um conteúdo e um clima de aprendizado voltado exclusivamente para a qualificação do estudante para o mercado de trabalho. Já no caso das universidades públicas, mesmo apesar do clima atual de privatização, elas foram concebidas, pelos menos idealmente, como instituições imbuídas da missão de pensar o país em sua complexidade e diversidade e gerar conhecimentos capazes de auxiliar na solução dos problemas nacionais. Esta é também uma vantagem com que conta o estudante que nela ingressa.

Se o Estado brasileiro aloca recursos consideráveis para a manutenção desse conjunto de universidades públicas que apenas absorve 1 de cada 200 cidadãos, é de se esperar que essa elite universitária represente a diversidade étnica e racial do país para melhor pensar e atuar sobre seus problemas. Todavia, deparamos, no estudo realizado pelo Provão do ano 2000, com o fato de que 84% desse contingente de universitários beneficiados com o ensino público de qualidade são brancos. Ou seja, nosso sistema universitário público está excluindo sistematicamente a população negra brasileira do seu meio. O quadro de desigualdade racial no ensino superior é ainda mais dramático se analisarmos que a pequena parcela de negros incluída está concentrada nos cursos ditos de baixo prestígio, ou de baixa demanda; em resumo, em geral concentram-se os negros nas licenciaturas, nas Letras, Humanidades e nas Artes. Já as carreiras que conduzem a renda mais alta, maior prestígio social e influência, são reservadas quase que exclusivamente para brancos. Isso não é novidade, mas é crônico no Brasil. Apesar de somarem 45% da população brasileira, os negros muito raramente são médicos, juízes, dentistas, engenheiros, diplomatas, jornalistas, administradores.

É preciso questionar se nossas universidades públicas estão cumprindo bem seu papel social ao contribuir com a exclusão sistemática da população negra das suas carreiras tidas como mais importantes e que possibilitam alto retorno financeiro. Mais ainda, a discussão das cotas nos permite meditar sobre a distorção dos nossos critérios atuais de prestígio social na universidade. Afinal, não diz boa coisa sobre o Brasil que a profissão de educador seja considerada de baixo prestígio e de remuneração pobre e por isso mesmo procurada pelo setor mais discriminado da sociedade.

Eis alguns dos inúmeros dados de exclusão em cargos de elite divulgados pela imprensa em 2001 e atualizados para 2005.

- Dos 620 Procuradores da República, apenas 7 são negros. Ou seja, 98,6% de brancos.
- No Poder Judiciário, dos 77 ministros dos quatro tribunais superiores, há apenas 2 negros, um Ministro no Tribunal Superior do Trabalho (TST) e um no Supremo Tribunal Federal (STF). Ressalte-se que Carlos Alberto Reis de Paula, do TST, foi o primeiro ministro negro na história do Brasil a ingressar em um dos tribunais superiores. Ou seja, em 114 anos pós-abolição, a porcentagem de brancos caiu apenas de 100% para 98,5%.
- Segundo a Associação dos Juízes Federais, dos 970 juízes, o número de negros é menor que 5%.
- No Supremo Tribunal de Justiça, há 33 ministros, todos indicados pelo governo. 100% de brancos.
- No Ministério Público do Trabalho, de 465 procuradores, apenas 7 são negros. 98% de brancos.
- Na Câmara Federal, há 513 deputados, dos quais apenas 20 são negros. 96% de brancos.
- No Senado Federal, apenas 2 dos 81 senadores são negros. 97% de brancos.
- Dos 34 ministros de estado do atual governo, apenas 2 são negros. 94% de brancos.[7]
- O Itamaraty conta com um corpo de cerca de 1000 diplomatas; menos de 10 deles são negros. 99% de brancos.
- O Conselho Nacional de Educação (órgão que substituiu o Conselho Federal de Educação) possui um único membro negro e um único membro indígena. São duas professoras empossadas no dia 9 de abril de 2002. Trata-se da primeira pessoa negra e da primeira pessoa indígena a fazer parte desse poderoso Conselho, após mais de quarenta de sua existência.

---

7. Em 2002 eram 24 Ministros de Estado e todos brancos.

- Dos professores universitários da rede das 53 universidades federais, 99% são brancos.

Resumindo essa longa argumentação: com exceção dos cargos no Congresso, todos os demais postos de importância acima citados dependem necessariamente de uma boa formação universitária. E é precisamente por esta razão que as universidades têm uma responsabilidade central na manutenção e/ou eliminação dessa desigualdade.

**O racismo acadêmico brasileiro visto em escala mundial**

Ressaltemos que o sistema de cotas não é nenhuma panacéia universal que resolverá definitivamente o problema da desigualdade racial no Brasil. Trata-se apenas de um mecanismo legal e legítimo, entre vários utilizados em muitos países do mundo, para compensar experiências históricas negativas de discriminação, injustiças e opressões sofridas por minorias, grupos étnicos ou mesmo povos inteiros. Estados Unidos, Canadá, Índia, Alemanha, Austrália, Nova Zelândia, Malásia, entre outros, têm desenvolvido modelos específicos de ações reparatórias, em caráter temporário, tomando em conta necessidades concretas de ajuste de contas com seu passado como nações em busca de uma convivência mais justa e mais pacífica. Não se trata, pois, de um mecanismo que possa funcionar satisfatoriamente independente de outros passos dados com a mesma determinação, sensibilidade ao contexto nacional específico e vontade coletivas. O que não podemos é continuar convivendo com um sistema informal de cotas que reserva 98% dos melhores empregos e posições de mando na sociedade exclusivamente para os brancos e ainda chamar essa proteção aos brancos de meritocracia.

Simplificando uma história complexa, o Brasil expandiu seu sistema de universidades federais no final dos anos sessenta, justamente após o golpe militar que negou o projeto do governo João Goulart de investir maciçamente na educação. Vale lembrar que a justificativa do golpe foi o temor de que se instaurasse no Brasil uma "república sindical", que teria justamente como um dos seus pilares a intensificação da educação em todos os níveis. Curiosamente, os governos do estado de bem-estar que marcaram a Europa Ocidental no pós-guerra tiveram exatamente essa marca de "república sindical" na medida em que, pela primeira vez na história desses países capitalistas, os jovens das classes trabalhadoras entraram massivamente nas instituições superiores de ensino e pesquisa.

No caso do Brasil, nos últimos 40 anos fossilizou-se esse mecanismo do vestibular e hipertrofiou-se a sua relação de promiscuidade com os cursinhos privados, que se tornaram impérios empresariais de educação média e superior. Uma discussão complexa de mérito em termos sensíveis à realidade histórica brasileira implica, portanto, analisar todos esses fatores e avaliar como se articulam e incidem nas trajetórias de estudantes oriundos de diversas classes sociais e de diversos segmentos raciais e étnicos do país. No caso que nos mobiliza, que é o da exclusão do negro do ensino superior, tivemos ainda um retrocesso histórico do qual estamos tentando agora nos recuperar: o do silenciamento consciente da desvantagem do negro. Durante duas décadas consecutivas, o governo militar do Brasil retirou o quesito cor de todos os censos oficiais do Estado. A doutrina de segurança nacional não admitia nenhum tipo de identidade parcial ou setorizada que pudesse arriscar a suposta unidade nacional. Em lugar do censo, investia-se pesadamente na ideologia freyreana da democracia racial, provavelmente encobrindo um crescimento dramático da discriminação racial no país. Falar de discriminação racial nos anos do regime de exceção era incorrer em prática subversiva. Uma indicação dessa correlação brasileira entre capitalismo, discriminação racial e ditadura foi sugerida por Lélia González, em um ensaio de 1982, ao mostrar a hierarquização racial da mão de obra nacional, de modo que, também entre os operários, os postos mais bem remunerados e mais estáveis foram sistematicamente sendo ocupados por brancos.[8]

Não é por acaso que a primeira análise realmente contundente que revelou a desvantagem crônica dos não-brancos no Brasil face aos brancos (a Pesquisa Nacional de Amostra por Domicílio do IBGE estudada por Carlos Hasenbalg e Nelson do Valle Silva) surgiu em 1979, três décadas após a histórica pesquisa da UNESCO que também apontava na direção da discriminação racial e cujos resultados já haviam então sido silenciados pelos anos de chumbo e pela política oficial da democracia racial.[9] Somente agora, portanto, após décadas de silêncio e após uma contundente Conferência Mundial sobre Discriminação Racial, na qual o governo brasileiro pela primeira vez apresentou uma posição não ambígua quanto às relações raciais no Brasil, podemos rediscutir os parâmetros de mérito atualmente vigentes no nosso vestibular de acesso à universidade e colocar com evidência empírica inconteste a exclusão do negro do nosso ensino superior há pelo menos cem anos.

É muito comum interpretar a meritocracia acadêmica como a avaliação dos pares, tal como é empregada nos organismos de apoio à pesquisa, como o CNPq, CAPES, FINEP, FAPESP, entre outros. Contudo, mesmo nestas instituições, trabalha-se

8. González (1982).

9. Hasenbalg (1979).

com diferenciais nacionais que corrigem a aplicação de um universalismo cego ao alocar bolsas, recursos e vagas: programas especiais são desenvolvidos para o desenvolvimento regional e para temas e problemas estratégicos.

O que vige neste momento, como parâmetro de mérito no nosso vestibular, é o equivalente, em economia, do neoliberalismo encarnado pelo capitalismo selvagem contemporâneo. Considerar comparáveis os méritos do rendimento no vestibular de um aluno que estudou num cursinho rico com o de um aluno negro egresso de uma escola pública de uma periferia pobre é como julgar leal a concorrência comercial entre os Estados Unidos e Honduras, caso se estabeleça a zona de "livre comércio" nas Américas.

Retomando aqui a leitura dos gráficos do IPEA acima reproduzidos, há que deixar claro que os últimos 30 anos foram cruciais para o alijamento dos negros de todas as posições de destaque no país. Foi durante este período que o nosso sistema de universidades públicas cresceu vertiginosamente. O número de instituições federais de ensino superior triplicou; houve uma expansão enorme das instituições de pesquisa; a pós-graduação cresceu a partir de investimentos formidáveis, que permitiram também a consolidação de instituições altamente qualificadas de gerenciamento do ensino superior e da pesquisa, como o CNPq, a CAPES, a FINEP, o MCT etc. Os negros ficaram inteiramente de fora desse investimento colossal para a consolidação de uma das maiores redes de instituições de ensino e pesquisa do sul do mundo. Laboratórios foram montados; grupos de pesquisa se afirmaram; novas especializações foram criadas; orientadores se preocuparam (justificadamente) por colocar seus ex-alunos mestres e doutores nas posições abertas para a docência superior e a pesquisa. E os negros não conseguiram penetrar nesse fechado circuito acadêmico e científico. Sua exclusão, portanto, no momento presente, é muitas vezes maior que nos anos sessenta, quando ainda teriam tido a chance de se inserir e participar na construção do sistema para então acumular um capital acadêmico equivalente ao que foi gerado pelos brancos. Agora que o sistema já passou pela curva da sua expansão e que inclusive se fecha devido à ameaça da privatização, as chances de uma competição de igual para igual entre brancos e negros, na faixa da educação superior, são simplesmente ilusórias.

Colocando nossa situação numa perspectiva maior, talvez fique mais evidente a anomalia da brancura das nossas universidades. Quem sabe, nossa imaginação política se empobreceu tanto nas últimas décadas de colonização acadêmica pelos Estados Unidos e esvaziou nossa capacidade de perguntar pela composição étnica e racial das universidades nas várias regiões do mundo, que o modelo norte-americano de ação afirmativa passa a ser o único ponto de referência e comparação para nossas propostas de intervenção no Brasil. É importante lembrar, portanto, que ações afirmativas muito mais radicais e extensas que as norte-americanas foram implementadas em diversos países do mundo ao longo do século XX. Os mais variados tipos de pactos nacionais selados durante o século possibilitaram uma ocupação compartilhada das instituições superiores de ensino e pesquisa.

Na União Soviética, ainda que sob a hegemonia da nação russa, as universidades e as Academias de Ciências tiveram necessariamente que refletir uma composição étnica plurinacional para cobrir os assuntos de interesse das inúmeras repúblicas que compunham aquele pacto supranacional. Também no caso da República Popular da China, a hegemonia comunista dos Han implicou que nas universidades e nas Academias de Ciências chinesas os grupos étnicos diversos, como os manchus, uigur, miao e tantos outros, encontrassem lugar de expressão. Na Indonésia, mesmo sendo chamada pelos especialistas da região como o maior império javanês de toda a história, essa hegemonia de Java admite a inclusão no meio acadêmico, de professores e pesquisadores de Sunda, Sulawesi, Bali, Batak, Minangkabau e demais nações do arquipélago. Na Índia, o mesmo perfil plural se manifesta no acesso ao ensino superior, justamente pelo caráter radicalmente plurilingüístico e regionalizado do país: as universidades e as academias devem compor um quadro em que as línguas e as histórias locais sejam a base da pesquisa e da formação de novos universitários. Dito de outro modo, as universidades na Índia apresentam o mesmo perfil lingüístico e étnico predominante na região em que estão localizadas. Também os países africanos que possuem redes universitárias etnicamente plurais, adaptadas às regiões, às línguas e às nações dominantes nas cidades em que estão instaladas.

Finalmente, as universidades dos países europeus, dos Estados Unidos, do Canadá, da Austrália e da Nova Zelândia são cada dia mais plurais, étnica e racialmente, tanto no corpo discente como no corpo docente. As universidades desses países pretendem, de fato, ter dentro de si o mundo em miniatura e para tanto chegam a reservar cotas para a contratação de professores e pesquisadores estrangeiros oriundos de qualquer país do planeta. Conforme disse o historiador brasileiro Luís Felipe Alencastro em uma entrevista no ano 2001, ele tem mais alunos negros em Paris (onde a população negra é consideravelmente menor que em qualquer capital de estado brasileira) que jamais teve quando ensinava na Universidade Estadual de Campinas.

Diante desse panorama de tanta diversidade de pactos que garantam a pluralidade no interior da academia, atrevo-me a sugerir que, dadas as dimensões geográfica e populacional e a diversidade racial e étnica do Brasil, talvez nossas universidades estejam entre as que mais praticam segregação racial em todo o mundo. O corpo docente de nossas universidades públicas é quase inteiramente branco; nossas instituições de pesquisa, como o Museu Nacional, Manguinhos, COPE, IMPA, Museu Goeldi e semelhantes, são também praticamente brancas. E as instituições que gerenciam a ciência e o ensino superior no país (CNPq, CAPES, SESU, FINEP) são também compostas quase inteiramente de técnicos e docente brancos. Concretamente, não tenho conhecimento de nenhum país do mundo que tenha essa composição, não somente pluriétnica, mas também polarizada racialmente, e em que o contingente de brancos, de pouco mais de 50% da população, tenha tal preponderância no mundo acadêmico a ponto de barrar (in)conscientemente o outro grupo racial majoritário (que representa 47% da população) fora do sistema universitário, deixando-o com menos de 1% entre professores e pesquisadores e menos de 10% entre os estudantes. E isso, mais de um século após a abolição da escravidão. Frente a um quadro como esse, cotas de 20%, durante apenas dez anos e restritas aos cursos de graduação parecem uma migalha, tal a proporção do problema.

Na contracorrente desse processo crônico de exclusão, a UnB reserva 500 vagas anuais para estudantes estrangeiros, 90% deles africanos, que entram sem vestibular. Vejamos a contradição: a UnB decide que é importante, para sua missão de centro internacional de saber e ensino, formar jovens negros africanos que contribuirão para o desenvolvimento dos seus países, reservando para tal fim 450 vagas; contudo, até o ano de 2002, ainda não se engajara na luta por contribuir para a formação de uma geração de jovens negros brasileiros!

Enfim, esperamos que esse pequeno giro pelas academias dos cinco continentes exponha, por contraste, a urgência da nossa situação: para que saltemos apenas de 1% para 10% de professores e pesquisadores negros em nossas universidades (e assim começarmos a parecer de fato uma democracia racial do saber), teremos que esperar entre 20 e 30 anos, se iniciarmos agora um sistema de ação afirmativa contínua e responsável. Se nos negarmos a implementar cotas para negros nos nossos vestibulares, poderemos facilmente conviver mais 100 anos com o incômodo mérito de sermos uma das academias étnica e racialmente mais excludentes do mundo.

### Ações afirmativas em andamento no Brasil

As reações frente a esses números dramáticos dos estudos do IPEA, do IBGE, do MEC, das universidades e da ONU começaram a se concretizar em termos de ações afirmativas na área do executivo nacional a partir do ano de 2001. O novo consenso para políticas públicas no Brasil é de que medidas universalistas por si só não garantirão a erradicação da desigualdade racial e a exclusão crônicas sofridas pelos negros. Esse impulso por uma mudança de rumo nas políticas públicas se concretizou nas Propostas coletadas no Relatório do Ministério da Justiça pelo Comitê Nacional para a participação brasileira na III Conferência Mundial das Nações Unidas contra o Racismo, Discriminação Racial, Xenofobia e Intolerância Correlata e enviadas a Durban, África do Sul, em agosto de 2001. No documento oficial lê-se claramente a seguinte proposta:

"Adoção de cotas ou outras medidas afirmativas que promovam o acesso de negros às universidades públicas".

A ação afirmativa tem como defensor ilustre o próprio presidente do Supremo Tribunal Federal, Ministro Marco Aurélio de Mello, que a considera constitucional: "Precisamos deixar de lado a postura contemplativa e partir para atos concretos. O único modo de se corrigir desigualdades é colocar a lei a favor daquele que é tratado de modo desigual". E ainda: "Não basta não discriminar. É preciso viabilizar as mesmas oportunidades" (*Correio Braziliense, 20 de dezembro de 2001).*

Eis algumas das medidas de ação afirmativa já tomadas, em vários âmbitos:

a) O Ministério da Justiça aprovou uma portaria a partir da qual será observado, no preenchimento de cargos de direção e assessoramento superior - DAS, requisito que garanta, até o final do ano de 2002, a cota de 20% dos cargos para afrodescendentes, 20% para mulheres e 5% para pessoas portadoras de deficiência física.

   Nas licitações e concorrências públicas promovidas pelo Ministério deverá ser observado, como critério adicional, a preferência por fornecedores que comprovem a adoção de políticas de ação afirmativa equivalentes.

   Ainda, nas contratações de empresas prestadoras de serviços, bem como de técnicos e consultores no âmbito dos projetos desenvolvidos em parceria com organismos internacionais será exigida a observância das mesmas metas para os cargos de DAS: 20% para afrodescendentes, 20% para mulheres e até 5% para portadores de deficiência dentro de uma escala crescente de números de empregados das empresas.

b) O Ministério do Desenvolvimento Agrário também passou portarias para que sejam privilegiadas, nas contratações, licitações e contratos de compra de equipamentos, aquelas empresas que pratiquem ações afirmativas, também na implementação de cotas de 20% de pessoal contratado afrodescendente.

c) O Ministro Marco Aurélio Mello, Presidente do Supremo Tribunal Federal, lançou no dia 31 de dezembro de 2001 o primeiro edital de licitação do órgão que prevê cotas para negros. O STF contratará 17 jornalistas e exige que a empresa contratada recrute e selecione 20% das vagas para profissionais negros que tenham o diploma de jornalismo.

d) As duas universidades estaduais do Rio de Janeiro, a Universidade do Estado do Rio de Janeiro (UERJ) e a Universidade Estadual Norte-Fluminense (UENF), mudaram as regras de ingresso do vestibular a partir do ano de 2002 segundo duas leis, uma do Governador do Estado e outra da Assembléia Legislativa Estadual: no contingente dos candidatos aprovados devem estar incluídos 50% de estudantes egressos de escola pública e 40% de negros, vindos de escola pública ou de particulares.[10]

e) A Universidade do Estado da Bahia (UNEB) aprovou a adoção de cotas de 40% das suas vagas para afrodescendentes egressos da escola pública na graduação e na pós-graduação. Esta medida é extensiva a todos os 21 núcleos da UNEB disseminados por todas as regiões do estado.

f) A Universidade do Estado do Mato Grosso iniciou, em julho de 2001, a implementação do Terceiro Grau Indígena, no Campus de Barra do Bugres. O programa reserva 200 vagas do curso superior exclusivamente para índios brasileiros: 180 para índios do estado do Mato Grosso e 20 vagas para índios do resto do Brasil, e oferece três Licenciaturas Plenas, com a finalidade de formar professores para ensinar no primeiro e segundo graus para os indígenas.

g) A Universidade Estadual do Paraná iniciou, em 2002, um programa de reserva de 3 vagas para índios em todos os cursos, em todos os seus *campi*.

h) O Itamaraty implementou em 2003 um programa de dotação de 20 bolsas de estudo para estudantes afrodescendentes que se candidatem ao concurso Rio Branco.

i) A Universidade do Estado de Santa Catarina (UDESC) abriu cotas de 100 vagas com bolsas para normalistas negras ingressarem em um curso especial de Pedagogia.

---

10. Esta lei foi alterada em 2004 e restringiu a porcentagem de cotas para 40% apenas, com corte de renda familiar de até R$ 300,00 por pessoa.

Resumindo e atualizando o quadro de ações afirmativas nas universidades, em 2003, cotas para negros foram aprovadas na Universidade de Brasília, na Universidade Federal do Paraná, na Universidade Federal de Alagoas e na Universidade Estadual do Mato Grosso do Sul. Em 2004, na Universidade Federal da Bahia, na Universidade Federal de São Paulo, também conhecida como Escola Paulista de Medicina, na Universidade de Londrina, na Universidade Estadual de Minas Gerais e na Universidade Estadual de Pernambuco. Em 2005, na Universidade Estadual de Mato Grosso.

### Sistemática de implantação das cotas para negros na UnB

Admitindo, como já o fizeram o Executivo e as universidades estaduais acima mencionadas, a necessidade de definir um plano de metas que conduzam à igualdade racial no Brasil, propomos dar início a um processo de ação afirmativa que contemple, como medida de impacto, a reserva de 20% das vagas da Universidade de Brasília para estudantes negros (Essa medida passou a vigir a partir do primeiro semestre letivo de 2004, valendo tanto para o vestibular comum como para o Programa de Avaliação Seriada - PAS).[11] As cotas serão implementadas por um período definido inicialmente de 10 anos, após o que se fará uma discussão exaustiva sobre seu impacto no alcance das metas de integração esperadas. Ressaltamos pois que se trata de uma medida emergencial destinada a acelerar a formação de uma elite acadêmica negra capaz de contribuir na formulação de novas políticas públicas que visem eliminar definitivamente o problema da desigualdade e da exclusão racial no Brasil.

Os alunos que pleitearem a entrada por cotas farão a mesma prova do vestibular e do PAS que os outros e terão que ser aprovados como qualquer candidato, alcançando a pontuação prevista para a aprovação. Deste modo, o sistema de cotas não significa introduzir candidatos desqualificados na universidade, pois o vestibular continuará sendo competitivo como sempre. A única diferença é que os candidatos que se consideram qualificados a aspirar a esse benefício identificar-se-ão como negros no ato da inscrição e, depois de corrigidas suas provas, serão classificados separadamente, sendo aprovados os melhores classificados dentre os que alcançaram a nota de aprovação, até o preenchimento das vagas a eles destinadas. Obviamente, se em algum curso, menos de 20% dos candidatos

---

11. Apesar de aprovadas no primeiro semestre de 2003, as cotas não começaram no 2º semestre daquele ano e sim no primeiro de 2004).

negros forem aprovados no vestibular, as vagas das cotas sobrantes retornarão ao conjunto de vagas gerais do vestibular. Não será uma obrigação, portanto, que se preencham os 20% de vagas destinadas a negros em todos os vestibulares.

Para que não reste dúvida:

- os alunos negros terão que ser aprovados, alcançando a nota mínima definida pela UnB;
- a redação continuará sendo eliminatória;
- as habilidades específicas continuarão sendo eliminatórias;
- os alunos negros que entrarem pelas cotas freqüentarão as mesmas turmas que os demais alunos, cursarão as mesmas disciplinas, serão avaliados pelos professores com os mesmos critérios usados para avaliar os alunos que não entraram pelas cotas e necessitarão do mesmo número de créditos que os demais para se formar.

Descartada está, portanto, a possibilidade de um diploma de segunda categoria para negros: se um estudante negro que entrar por esse tipo de ação afirmativa chegar a se formar, é porque terá cumprido satisfatoriamente todas as exigências acadêmicas definidas institucionalmente pelo curso que escolheu, independente de sua identificação racial.

Esta solução visa combinar critérios de mérito com a justiça da reparação. O critério de mérito é obedecido no fato de que todo estudante que termina o segundo grau está habilitado legalmente a ingressar no ensino superior. A massa de secundaristas que não entram na universidade é formada pela incapacidade do Estado de fornecer educação superior para todos.

Uma pergunta comum se refere a como vamos saber quem qualifica, como negro, para ingressar pelas cotas. Alega-se que há uma infinidade de nomes para a cor das pessoas no Brasil e argumenta-se que tal prática impediria definir o contingente negro alvo das cotas; ou que brancos de má fé se aproveitariam do mecanismo para ingressar na UnB, supostamente competindo com menos concorrentes. Quanto à indefinição da classificação, os limites desse argumento foram expostos nitidamente por uma das maiores pesquisas sobre classificação racial já feita até hoje no Brasil, a da Folha de São Paulo, de 1995, reunidas no livro *Racismo Cordial*. Sim, de fato apareceram 148 nomes para as cores dos não-brancos (pretos e pardos), porém essa variedade de nomes foi utilizada por apenas 6% dos entrevistados; 94% das pessoas se ativeram aos 5 termos da classificação do IBGE. Idêntico resultado já havia surgido na Pesquisa Nacional por Amostra de Domicílio (PNAD), realizada pelo IBGE em 1976: registrou-se 135 nomes para cor, porém, de novo, 94% das respostas se concentraram nos cinco nomes oficiais. Também Delcele Queiroz chegou a uma constatação quase idêntica ao comparar as respostas ao questionário aplicado nas cinco universidades federais no ano 2000: ainda que os calouros tenham utilizado mais de quarenta nomes em uma só universidade (no caso, a UFPR), consistentemente, em todas as cinco universidades, 96% das respostas se concentraram em quatro ou cinco ou, no máximo, em sete termos. Dito de outro modo, todos os estudos disponíveis indicam que a maioria das pessoas não possui dúvidas, nem se envergonha de se identificar explicitamente quanto à posição que ocupa no esquema de classificação racial brasileiro. Em geral, o que fazem os defensores da mestiçagem cordial é sobrevalorizar a presença dessa variedade de nomes e silenciar sistematicamente a baixa porcentagem das pessoas que os utilizam quando perguntadas formalmente por sua classificação racial.

Quanto à segunda pergunta, concernente aos perigos da imprecisão ou da fraude, trata-se de uma preocupação legítima e muito comum, e nossa postura frente ao tema é inequívoca: as cotas de 20% serão reservadas para o contingente de candidatos negros. Assim, toda pessoa que se considera negro na nossa sociedade poderá inscrever-se pelas cotas; em outras palavras, os candidatos deverão estar dispostos a assumir o ônus social de serem identificados como negros.

Devemos admitir que não vamos conseguir eliminar um certo grau de incerteza e ambigüidade do sistema brasileiro de classificação racial e podemos até partir do princípio de que não será fácil impedir (sobretudo inicialmente) que algumas pessoas que nunca sofreram discriminação racial entrem na universidade através das cotas. Uma atitude positiva frente a essa situação é pensar que a possibilidade de cometer uma injustiça menor não deve impedir-nos de promover uma justiça maior: mesmo que 10% (um número a meu ver alto) dos que entrarem não mereçam essa oportunidade histórica de reparação, ainda assim colocaremos em cada vestibular em que abrirmos 400 vagas, merecidamente, 340 estudantes negros que de outro modo ficariam de fora do ensino superior. Falamos aqui do grau de imprecisão e de fluidez do nosso sistema racial que pode afetar até, involuntariamente, alguns casos de auto-identificação. Por outro lado, caso algum candidato que se reconhece como branco e que é socialmente tratado como tal decida fraudar o sistema e se inscrever como negro (discriminando assim duplamente os jovens negros no momento exato em que a sociedade procura compensá-los pelas desvantagens que já sofreram), a comunidade universitária saberá posicionar-se diante do problema.

Outro questionamento freqüente é por que não chegar à raiz do problema e concentrar esforços exclusivamente na melhoria do ensino fundamental. Lembremos que as pesquisas do IPEA mostram que, se o fizermos, conseguiremos colocar alunos pobres na UnB, mas serão, em sua maioria, alunos pobres brancos — os pobres negros continuarão de fora. A evidência mais contundente que temos de que isso é verdade é o próprio Centro do Estudante Universitário (CEU) da UnB. Nele se concentram aproximadamente 400 dos alunos de mais baixa renda da UnB (deixando de lado a notória minoria de alunos de melhor renda que se recusam a deixar suas instalações). Segundo observação recente de dois alunos negros que lá residem, não há mais que 10 alunos negros brasileiros morando atualmente no CEU. Esse dado é um sério indício de que da massa de secundaristas pobres, formados na escola pública, ingressam majoritariamente os brancos na hora de prestarem o vestibular.[12]

Ainda outra questão que se coloca é saber se os alunos negros conseguirão acompanhar os cursos adequadamente. Não podemos prever o que sucederá, mas é preciso lembrar que a preparação dos estudantes que entram na universidade através do mecanismo atual do vestibular e do PAS é extremamente desigual. Em alguns cursos de baixa demanda há uma grande disparidade nas provas, neles entrando desde alunos com pontuação apenas próxima da nota mínima até aqueles que se situam entre os melhores do vestibular. De modo análogo, é possível que a inserção dos alunos negros seja muito diferenciada, a depender do curso em que entrem. Basta dizer que o ponto de corte do vestibular para Medicina chega a 400; o de vários cursos de alta demanda chega a 200; enquanto o de Letras chega a 2 e o das Artes às vezes chega a ser negativo. Ou seja, já convivemos com diferenças consideráveis de rendimento no vestibular.

Vale ponderar também se não há uma dose de preconceito embutido nessa dúvida quanto à capacidade dos alunos negros, em geral egressos de escolas deficientes, de se adaptarem às exigências de excelência da universidade. Basta lembrar que a maioria dos alunos que passaram pela UnB, mesmo entrando pelo vestibular, não contavam com o suposto capital cultural acumulado pelos alunos brancos e exigido

12. Dados recentes, de abril de 2005, confirmam que os alunos cotistas estão entre os de mais baixa renda entre os que entraram na UnB nos dois últimos vestibulares.

para a manutenção nos cursos. No entanto, com esforço, dedicação e inteligência superaram as dificuldades ao longo da graduação e concluíram seus cursos com desempenhos similares aos dos alunos brancos.

Acrescente-se a isso uma outra variável de alto consenso entre os alunos, ainda que pouco discutida nos colegiados da instituição: os calouros entram na universidade com uma péssima absorção do segundo grau e é justamente por isso que na maioria dos cursos cujos conteúdos deveriam começar baseando-se nesse conhecimento prévio, existem disciplinas destinadas quase exclusivamente a suprir essas lacunas.

O que nos parece importante, de fato, é não separar a proposta de cotas da realidade atual do vestibular, como se este fosse pautado por um padrão fixo de mérito, o que certamente não é o caso. Basta lembrar que existem cursos de alta demanda com notas de corte altíssimas, porém que não são de alta exigência nas matérias específicas quando comparados com outros reconhecidamente difíceis de acompanhar. Cursos como Direito, Jornalismo, Publicidade, Administração, por exemplo, são difíceis de entrar, mas são relativamente fáceis de concluir. Por outro lado, cursos como Matemática e Física são fáceis de se entrar, porque têm uma nota de corte muito baixa, mas são difíceis de se concluir.

Ao avaliar a importância das cotas, portanto, não devemos esquecer também das altas taxas de evasão com que convivemos atualmente na UnB (em muitos cursos, já chegaram a 75%) e questionar o seu significado social, de incluir quem não fica e excluir quem poderia ficar. Esse desperdício constante de vagas (fenômeno presente não só na UnB, mas em muitas outras universidades federais) ocorre justamente por não haver uma correlação direta entre a nota de corte e o desempenho durante o curso. Uma pesquisa realizada pela Faculdade de Educação da USP em 2003 revelou que não há nenhuma relação entre a colocação dos alunos no vestibular e seu rendimento durante o curso: uma alta pontuação no vestibular não garante melhores notas nas disciplinas cursadas. Também o CESPE da UnB fez pesquisa idêntica no 2º semestre de 2003, chegando à mesma conclusão da Faculdade de Educação da USP.

Há que analisar profundamente estas porcentagens de evasão para colocar em devida proporção o impacto que as cotas podem causar no suposto universalismo dos nossos padrões atuais de mérito e de permanência. E, finalmente, enfatizamos que não dispomos de nenhum estudo que faça uma correlação objetiva entre a aprovação no vestibular e o desempenho durante o curso. Em resumo, o vestibular é um mecanismo de avaliação e seleção não de todo justo, que opera com um alto grau de imprecisão, provavelmente, bem maior que de 20%. De ser assim, uma porcentagem de 20% de cotas não deverá causar um impacto muito significativo em um sistema que já incorpora desigualdades tão extremas internamente, todas elas subsumidas na ideologia do mérito e do universalismo.

Não podemos esquecer, ao pensar os mecanismos atuais de acesso, que o que decide a aprovação ou a reprovação no vestibular é uma margem milimétrica na pontuação: para cada aluno que entra, existem dezenas de outros igualmente preparados que ficam de fora, não por terem menor capacidade, formação ou rendimento, mas simplesmente pelo escassíssimo número de vagas disponíveis. Enfim, milhares de secundaristas de idêntico mérito poderiam perfeitamente freqüentar o curso superior – entre eles se encontram a maior parte dos estudantes negros que tentam entrar. Na maioria dos casos, esse milésimo extra que aprova é oferecido, a preço de ouro, pela indústria dos cursinhos. Nenhum mistério, portanto, para entender quem é a maioria dos estudantes da UnB: nem gênios nem incapazes; simplesmente, jovens brancos e (conseqüentemente) com maior poder aquisitivo.

O argumento anterior nos conduz à resposta principal a esta questão: ninguém pode *a priori* julgar que o rendimento acadêmico da UnB sofrerá algum abalo antes que seja dada a uma geração de alunos negros (uma geração composta de um contingente nacional de dois milhões de pessoas) a chance de freqüentar seus cursos.

Uma cota de 20% é uma cifra ainda conservadora, se considerada com a porcentagem de 40% que se tornou lei, no ano 2002, nas duas universidades estaduais do Rio de Janeiro (UERJ e UENF) e, na Universidade do Estado da Bahia, que estendeu as cotas inclusive para toda a pós-graduação. Ainda assim, 20% de vagas representa um passo inicial, pequeno mas firme, nessa meta de integração entre negros e brancos nos cargos de maior influência social e como parte do processo de reparação do enorme débito da sociedade brasileira para com os negros. Além da dívida com a população negra do Distrito Federal, portanto, temos uma dívida com todos os negros do país pelo lugar que ocupamos no cenário nacional.

A UnB, no momento presente, é uma universidade basicamente branca e esse perfil monocromático não mudará instantaneamente após o primeiro vestibular com essa nova medida. Esse percentual de 20% permitirá uma absorção lenta e gradual dos negros brasileiros para que seja possível acompanhar de um modo responsável a sua inserção nesse meio do qual sempre foi excluído e permitirá inclusive intervir a tempo diante de qualquer conflito que porventura venha surgir como conseqüência da mudança do perfil racial da nossa comunidade acadêmica.

É imprescindível deixar bem claro que a adoção de um sistema de cotas de 20% não converterá a UnB imediatamente numa universidade racialmente mista, com 20% de estudantes negros. As cotas serão uma medida emergencial para que se alcance uma integração entre brancos e negros minimamente razoável (pois 20% ainda estará a baixo da média da população negra brasileira, que é de 45%). Eis uma simulação dessa integração lenta e gradual, tomando como referência os números aproximados de 2.000 vagas por vestibular e pelo PAS e o contingente discente atual de 20.000 alunos. Não tomaremos em conta o pequeno contingente de estudantes negros atualmente cursando a UnB, visto que ele não causa impacto quase nenhum no perfil racial geral da universidade.

| | |
|---|---|
| 1° Semestre de 2004 | 400 alunos negros em 20.000 (2%) |
| 2° Semestre de 2004 | 800 alunos negros em 20.000 (4%) |
| 1° Semestre de 2005 | 1.200 alunos negros em 20.000 (6%) |
| 2° Semestre de 2005 | 1.600 alunos negros em 20.000 (8%) |
| 1° Semestre de 2006 | 2.000 alunos negros em 20.000 (10%) |
| 2° Semestre de 2006 | 2.400 alunos negros em 20.00 (12%) |
| 1° Semestre de 2007 | 2.800 alunos negros em 20.000 (14%) |
| 2° Semestre de 2007 | 3.200 alunos negros em 20.000 (16%) |
| 1° Semestre de 2008 | 3.600 alunos negros em 20.000 (18%) |
| 2° Semestre de 2008 | 4.000 alunos negros em 20.000 (20%) |

Esse quadro nos permite visualizar a novidade dessa absorção. Após o primeiro semestre de cotas, apenas algumas turmas dos cursos terão alunos negros; a partir do segundo semestre deverão surgir as primeiras turmas mistas, que crescerão nos próximos semestres. Somente após 5 anos de ação afirmativa através de cotas a UnB terá pelo menos 20% de alunos negros em todos os estágios do fluxo curricular dos seus cursos e terá formado também a primeira geração de estudantes negros, em toda a história do Brasil, que completaram o terceiro grau numa universidade pública através de uma política de reparação. O início do 11° semestre será um bom momento para se avaliar, com dados muito mais seguros e completos, o impacto da passagem de uma universidade branca para uma universidade racialmente integrada. Uma vez assimilada essa avaliação, todo o processo deverá ser repetido com as novas turmas, para formar uma nova geração de universitários negros e ao mesmo tempo para acompanhar a inserção, no mercado de trabalho e nos cargos públicos, dessa primeira geração de negros egressos da UnB através de ação afirmativa sistemática.

Evidentemente, esse percentual de 20% poderá não ser preenchido ao longo de todos os semestres, sobretudo nos cursos de maior demanda, caso não apareçam candidatos qualificados o suficiente para serem aprovados no vestibular e no PAS. Isso dependerá em boa medida do impacto que as cotas façam no próprio estímulo dos estudantes negros secundaristas para prestar o vestibular. O mais provável é que a abertura de cotas atue positivamente sobre a auto-estima da população negra e o contingente de candidatos negros cresça consideravelmente. Estudantes negros também de outros estados da nação, que até agora têm se intimidado diante da elitização do nosso vestibular, tentarão suas chances através do sistema de cotas. Eis porque acreditamos que esses 20% de vagas sejam disputados intensamente.

Além do evidente impacto no imaginário da nossa sociedade, essa mudança dos critérios de acesso à universidade provocará também um impacto de dimensões consideráveis sobre o conhecimento reproduzido e gerado na UnB. A presença, nas salas de aula, de um número mínimo de estudantes negros e indígenas (e a médio prazo, esperamos, também de professores negros e indígenas), oferecerá uma excelente oportunidade para se revisar e ampliar as teorias e os conteúdos quase que exclusivamente ocidentalizantes e eurocêntricos que são passados na maioria das disciplinas da universidade. Será dada à UnB uma oportunidade de ser mais uma vez vanguarda na abertura de novos temas de estudos e de uma ampliação das abordagens já estabelecidas. Isso configurará evidentemente um grande desafio para professores e alunos que, uma vez enfrentado, implicará num ganho imenso para todos.

A experiência negra e indígena impregnará intelectualmente disciplinas diversas dos cursos de História, Letras, Lingüística, Geografia, Serviço Social, Antropologia, Sociologia, Comunicação, Artes Visuais, Artes Cênicas, Música, Filosofia, Psicologia, Saúde Pública, entre tantas outras. Ou seja, junto com a presença física desses alunos entrará também um olhar não-branco sobre inúmeras dimensões do conhecimento humano que reproduzimos na UnB sob uma ótica predominantemente européia. Novas especializações, áreas de pesquisa, disciplinas e até cursos de pós-graduação haverão de surgir como resultado dessa nova convivência interétnica e inter-racial.

Além do impacto no pensamento acadêmico, as cotas poderão provocar igualmente uma mudança muito positiva na convivência acadêmica atual. É fundamental que jovens brancos, negros e indígenas acompanhem juntos seus cursos e possam misturar suas biografias individuais, até agora tão distantes, uns aprendendo com os outros a lidar com o abismo social que foi colocado entre eles na presente geração de brasileiros. Ao invés das projeções mútuas e dos temores à distância, os estudantes brancos e negros terão que enfrentar concretamente suas diferenças e inventar mecanismos de diálogo necessários para a cooperação que deles se espera se queremos de fato integrar nossa sociedade já altamente segregada. Esse vínculo afetivo é um dos melhores antídotos contra a indiferença dos brancos frente à discriminação sofrida pelos negros e indígenas e também contra o ressentimento que possa surgir nos negros e indígenas em relação aos brancos, detentores de privilégios frente a eles. Temos que apostar na formação de uma geração verdadeiramente mista do ponto de vista étnico e racial para consolidar novas políticas públicas que revertam o ciclo de segregação atualmente instalado no Brasil e que possam servir de exemplo sincero, e não meramente ideológico, de uma democracia racial.

Em médio prazo, a presença de estudantes negros em cursos do terceiro grau incidirá muito positivamente na reversão do ciclo perverso da discriminação nas escolas de segundo grau, em que a maioria dos professores é também branca. Ao formarmos mais universitários negros, daremos aos estudantes adolescentes negros a possibilidade de interagirem com professores negros, cuja imagem positiva reforçará a sua própria auto-imagem, em geral muito baixa devido ao processo de inferiorização a que são submetidos. Assim, mais estudantes secundaristas negros desejarão chegar aonde seus professores chegaram: à universidade.

Insistimos em que não é possível prever todos os problemas nem controlar todas as mudanças que as cotas provocarão na atual comunidade acadêmica da UnB. Toda sociedade viva é cambiante e esta intervenção na composição racial do corpo discente provocará novas dinâmicas, muitas delas ainda imprevisíveis. Por exemplo, uma das razões da proposta de cotas é garantir a qualificação de um número mínimo de negros em cursos onde eles estão atualmente sub-representados. Assim sendo, é legítimo perguntar o que fazer com os poucos cursos, como Letras, Artes Cênicas e Serviço Social, que já absorvem mais de 20% de estudantes negros. Primeiramente, lembremos que ainda não temos um acompanhamento histórico da inserção de negros nesses cursos, de modo que não podemos prever a continuidade, neles, desse alto número atual de negros. Uma solução seria acionar as cotas somente naqueles cursos em que não se alcançou historicamente o percentual de 20% de aprovações desejado; e não acioná-las nos casos em que um número maior de estudantes negros conseguir entrar pela concorrência geral.

Não nos parece adequada essa solução porque, ao invés de impor aos estudantes negros a marca da reparação, devemos nortear-nos primeiramente por um princípio fundamental, que é o da adesão voluntária às regras de ação afirmativa. Temos que garantir o direito de todo e qualquer estudante negro de não querer entrar pelas cotas. Deste modo, aqueles que assim o preferirem, poderão prestar o vestibular pela concorrência geral. Caso a tendência atual continue, esses cursos continuarão apresentando o perfil de alta presença negra; se a tendência mudar, o excedente dos 20% das cotas terá se deslocado para outros cursos, provavelmente de hegemonia branca consolidada ao longo do tempo. Se este for o caso, a aparente perda da presença expressiva em alguns cursos se converterá em um ganho, deslocado, na presença negra em espaços acadêmicos até agora bloqueados.

Pensamos, então, que é mais apropriado começar o programa garantindo os 20% das cotas para todos os cursos. Será somente após um número mínimo de semestres de acompanhamento que poderemos começar a avaliar o impacto das cotas na reacomodação das preferências por cursos, tanto de brancos como de negros e de como as mudanças introduzidas no acesso poderão influenciar e alterar o quadro atual do prestígio relativo das distintas carreiras acadêmicas da universidade.

Não está demais esclarecer que as porcentagens atuais de brancos e negros nos cursos da UnB são apenas uma das fontes em que nos apoiamos para propor um montante de 20% de cotas. Essas estatísticas dos cursos indicam apenas a exclusão praticada nestes últimos dois ou três anos. Não faz sentido, para a nossa proposta, tentar calcular o número exato de estudantes negros que foram excluídos das universidades durante décadas em todo o Brasil para definir com precisão o número de anos e de vagas que seriam necessários para efetuar uma reparação completa da discriminação racial brasileira no ensino superior. Afinal, trata-se de iniciar um processo de integração racial de modo responsável, o que implica pensar numa escala factível de inclusão, adaptada às condições atuais do contingente de estudantes secundaristas negros, principalmente brasilienses, e da própria UnB.

Finalmente, resta responder a uma pergunta muito freqüente, qual seja, por que não contamos com dados mais precisos acerca do contingente de estudantes negros em condições de ingressar na universidade? Dito com os termos daqueles que temem pela queda da qualidade acadêmica se introduzirmos as cotas: quão preparados estão os 2.100.000 secundaristas negros do Brasil comparados com os 3.600.000 secundaristas brancos ainda em idade de tentar o ingresso ao ensino superior (em média, aqueles com idade até 34 anos)? Se nos faltam dados agregados mais completos, isto se deve justamente à recusa dos professores universitários, até agora, em introduzir o quesito cor nos formulários de inscrição para os vestibulares. Esta recusa em mapear a composição racial dos candidatos é uma herança, por parte da universidade, da ideologia da segurança nacional da ditadura militar e tem prejudicado terrivelmente os negros (estudantes e ativistas) que ficaram sem dados empíricos aceitos pela comunidade acadêmica para denunciar a exclusão a que foram e ainda são submetidos.

Lembremos: o Presidente Garrastazu Médici ordenou a retirada do quesito cor do censo do IBGE de 1970 e essa atitude foi corroborada pelo Presidente Geisel. Contudo, apesar do mapeamento racial do país haver sido reintroduzido no censo do IBGE de 1980, as universidades não acompanharam esse movimento de redemocratização do conhecimento sobre nossa realidade racial; e há que reconhecer, essa recusa resultou em vantagem para o contingente branco da nossa academia. Enquanto conseguiram silenciar as porcentagens (sempre baixas, podemos deduzir agora sem dificuldade) de estudantes negros nos seus cursos, puderam livrar-se de qualquer responsabilidade diante dos negros e agir como se não existisse um diferencial racial na concorrência pelo ingresso no ensino superior; enfim, puderam sustentar com mais comodidade o suposto universalismo dos critérios de excelência acadêmica.

Felizmente, nossas universidades estão aceitando pouco a pouco a importância de se conhecer esses dados e nos últimos cinco anos o quesito cor tem sido computado na Universidade Federal da Bahia (UFBA), na Universidade Federal do Rio de Janeiro (UFRJ) e na Universidade de São Paulo (USP). Os poucos dados coletados, somente no curto espaço de tempo em que esse referencial começou a ser registrado, apontam claramente para a existência de um contingente de estudantes negros em perfeitas condições de acompanhar os cursos a que concorreram e em que não entraram. Informações passadas por professores do Pré-Vestibular para Negros e Carentes do Rio de Janeiro (PVNC), referentes aos últimos dois vestibulares da UFRJ, mostram que, enquanto a nota de aprovação para Medicina era de 100 pontos, muitos alunos do PVNC alcançaram a marca de 120 (satisfatória, portanto, para ingressar no curso); contudo, foram superados por alunos brancos de cursinhos e colégios caros, como o Santo Inácio e o São Caetano, que fizeram 150 pontos. Paralelamente, a pesquisa de Delcele Queiroz sobre o vestibular da UFBA para o ano de 2001 confirma o mesmo quadro: de 40 estudantes negros que concorreram para Medicina, 16 passaram na primeira etapa do vestibular e 4 apenas conseguiram ingressar no curso; o que indica que 12 estudantes negros, aptos a cursar Medicina, ficaram de fora da universidade exclusivamente devido ao baixo número de vagas oferecidas.

O exemplo da Medicina é emblemático da motivação atual dos secundaristas negros, por tratar-se de um dos cursos mais difíceis de entrar e também um dos que mais os tem excluído sempre. Fica cada dia mais claro que, se não há ainda médicos negros no Brasil, não é por falta de jovens negros preparados para fazer o curso de Medicina e sim devido à desigualdade brutal que sustenta o nosso sistema atual de ingresso às universidades.

Uma vez implantado o sistema de cotas, deverá ser formada uma Coordenação administrativa específica, preferencialmente junto ao Decanato de Graduação, para a implementação, acompanhamento e eventuais correções de rumos e critérios formais acerca do sistema de cotas para alunos negros na UnB. As informações obtidas com esse acompanhamento servirão também de material para análises, pesquisas e reflexões sobre o problema da inclusão do negro na nossa universidade e no Brasil em geral. As próprias reações da comunidade ao Programa e os posicionamentos dos candidatos na hora de se definirem como legítimos beneficiados pelo sistema poderão indicar a intensidade do problema e a radicalidade da intervenção necessária para enfrentá-lo. Desde já, contamos somente com o perfil trazido pelas pesquisas realizadas em vários pontos do país. Uma vez iniciado esse Programa, teremos na UnB um laboratório próprio para oferecer nossa leitura particular dessa realidade inaceitável que pretendemos melhorar.

### Por que cotas diante das alternativas de inclusão

Tal é o predicamento com que nos deparamos, enquanto membros de uma universidade pública vocacionada para pensar e oferecer propostas de solução para os grandes problemas nacionais:

- os negros, que representam 47% da população do país, somam apenas 2% da população universitária brasileira; os brancos e amarelos, que representam 52% da população, detêm 98% das vagas atuais do ensino superior;
- na UnB, 99% dos professores são brancos e em torno de 90% dos alunos são brancos.

Já contamos com um contingente suficiente de negros preparados para cursar nossas universidades, porém que não conseguem vencer a competição desleal com os brancos de melhor renda que pagam cursinhos mais poderosos.

Temos que construir uma academia que reflita a diversidade racial e étnica da nossa nação, para melhor pensar as soluções urgentes de que necessitamos para os graves problemas da nossa sociedade.

Eis o dilema. Se apostarmos apenas na melhoria da escola pública que temos agora, teremos que esperar 32 anos para alcançar uma igualdade escolar entre brancos e negros. Temos então que intervir imediatamente no sistema de reprodução desta desigualdade, sob pena de sermos coniventes com a condenação de uma geração inteira de jovens negros à exclusão e à desigualdade. Vejamos as alternativas ao sistema de cotas que podemos acionar.

Se abrirmos cotas para os estudantes de baixa renda, de fato ajudaremos indiretamente a muitos indivíduos negros. Contudo, os dados de que dispomos nos alertam para o fato de que os brancos pobres já contam com uma vantagem de escolaridade frente aos negros. Se abrirmos cotas para pobres, portanto, independente de sua cor, na verdade estaremos contribuindo para a reprodução ou até mesmo a intensificação da desigualdade dentro desse segmento dos pobres brasileiros. No ponto diferencial em que o branco pobre está em melhores condições, abrir-se-á ainda mais a vantagem dessa parcela da população, que poderá utilizar esse novo capital cultural na busca de uma melhor posição no mercado de trabalho. Se fizermos isso, estaremos no mínimo postergando ou até mesmo piorando a desigualdade racial brasileira. Ou seja, faremos uma ação afirmativa de classe às expensas de continuar discriminando os negros, cientes de que o fazemos. Tal é a dificuldade que muitos de nós temos em compreender este problema (por tanto tempo silenciado ou insuficientemente discutido), que chegamos a pensar em propor, 114 anos após a abolição da escravidão, que os negros continuem pagando o ônus de uma mínima redistribuição de privilégios entre os brancos!

Se reservarmos cotas para os estudantes egressos da escola pública, como propõem alguns, provavelmente não melhoraremos a desigualdade racial no ensino superior no Brasil, por vários motivos. A boa fé que fundamenta essa proposta está em pensar que, se a escola pública passar a ter prioridade no ingresso à universidade, então a classe média colocará de novo seus filhos na escola pública e pressionará o estado para que esta melhore de qualidade. E se ela melhorar, os negros serão indiretamente beneficiados, já que em sua maioria estudam na escola pública. Contudo, faltam alguns elementos nessa simulação para avaliar com realismo as suas conseqüências. Primeiro, é preciso lembrar que os estudantes negros estão perdendo, na disputa milimétrica pelas poucas vagas existentes na universidade pública, não apenas para os estudantes brancos egressos da escola particular, mas também para os estudantes brancos da escola pública (os quais, lembremos, ainda têm uma maior riqueza familiar e um maior capital, cultural e de autoconfiança, que eles).

Então, se abrirmos cotas para os egressos da escola pública, a esta ingressarão os brancos mais ricos que, ao deixar de pagar a escola particular, contarão com um recurso econômico ainda extra para investir na preparação complementar de seus filhos brancos. Conseqüência: a competição por uma vaga na UnB será ainda mais desleal para o estudante negro: os brancos mais ricos deslocarão os brancos mais pobres, que por sua vez obviamente deslocarão os negros ainda mais pobres e discriminados. E há que pensar ainda que a escola pública não é homogênea. As melhores escolas públicas estão localizadas justamente nas regiões em que vivem os estudantes brancos pertencentes às classes mais ricas, que ainda poderão contar com um capital extra para contratar cursinhos de reforço.

Raciocínio um pouco parecido devemos ter em relação à opção por, ao invés das cotas, concentrar todos os esforços em apoiar os cursinhos pré-vestibulares para negros (e) carentes. Primeiramente, lembremos mais uma vez: até os carentes brancos contam com vantagem (o seu capital racial) em relação aos carentes negros (que são portadores de *stress* racial). Mas as dificuldades dos negros não param aí. No momento em que as universidades sinalizarem a preferência de suas políticas de democratização do acesso pelo apoio aos cursinhos, poderão provocar um efeito contrário ao desejado, qual seja, o de acirrar ainda mais o diferencial econômico como decisivo para passar no vestibular. As universidades, malgrado sua intenção, aquecerão o mercado dos cursinhos, que oferecerão novos serviços aos brancos para que eles sejam capazes de vencer a melhoria da preparação que será oferecida aos negros! E lembremos que essa competição frontal com o mercado capitalista dos cursinhos, se for implantada de um modo realmente conseqüente por parte das universidades, irá custar caríssimo para os cofres públicos, pois os salários dos professores dos cursinhos de ricos são altíssimos: muito mais barato e efetivo será simplesmente implantar de imediato um sistema de cotas.

Sem ser pessimista e sim realista, é óbvio que os cursinhos contribuirão para aumentar o número de estudantes negros na universidade. Todavia, não poderemos garantir nem quando nem quantos jovens negros finalmente entrarão em Medicina, Direito, Jornalismo, Odontologia, Administração e demais cursos de demanda alta. Por tudo isso, uma alternativa mais coerente e responsável da Universidade poderia ser abrir cotas e simultaneamente apoiar cursinhos preparatórios de reforço para ajudar a que os alunos negros que entrarem nos cursos mais difíceis possam acompanhá-los da melhor forma possível. Assim investiremos de fato na inclusão dos negros, em médio prazo, nos postos de destaque e decisão da nação. Essa discussão nos exige mais uma vez pensar o quadro geral da sociedade brasileira, sobretudo para entender o que se costuma definir como o "problema social dos negros".

Lembremos que em 1888, ano da abolição da escravatura, os brancos (e aqueles não-brancos que se incorporaram ao seu grupo) detinham o controle sobre todas as áreas de decisão e influência na sociedade: eram os proprietários das terras e dos meios de produção; controlavam o comércio interno e externo, a alta burocracia, o judiciário, o exército e a polícia; detinham o poder político e dominavam as profissões liberais, como Medicina e Engenharia. E esse controle de quase todos os espaços jamais saiu de suas mãos. Quanto aos negros, estavam confinados às atividades de baixo prestígio e de difícil acumulação de riqueza, como as tarefas agrícolas e os trabalhos manuais de menor qualificação. Nas primeiras décadas do século vinte, aqueles pequenos nichos de trabalho qualificado que os negros haviam adquirido foram deles retirados e transferidos para os imigrantes europeus, numa política deliberada de embranquecer todos os espaços de poder e importância no país. Já na década de trinta foram criadas e consolidadas mais instituições de ensino superior, pelos brancos e para os brancos: novas redes do ensino, da pesquisa e da expansão e melhoria das profissões liberais foram formadas e reproduzidas desde então, sempre entre os brancos.

Por tudo isso, a sociedade brasileira tem funcionado, ao longo de mais de cem anos, como um sistema que se auto-regula de modo a reproduzir constantemente a mesma desigualdade racial. Apesar da rigidez dos estamentos no Brasil, vimos no século vinte alguns momentos de mobilidade social; já a nossa mobilidade racial, porém, tem sido extremamente restrita. Em suma: a desigualdade social foi construída em cima da desigualdade racial, que foi naturalizada por efeito de um discurso ideológico legitimador que fechou as portas para a exposição de conflitos, facilitando a reprodução da nossa crônica desigualdade sócio-racial, em que a cor emblemática da ascensão social é a branca e a cor emblemática da exclusão e do fracasso é a negra.

Assim, quando afirmamos que o estudante negro perde para o estudante branco no vestibular porque não pode pagar o mesmo cursinho preparatório, é comum muitas pessoas interpretarem que a diferença entre os dois é puramente econômica (diga-se: social) e não racial. Contudo, é preciso lembrar que o estudante negro não pode pagar o mesmo cursinho, não porque esteja "socialmente" incapacitado a alcançar esse nível de renda, mas porque seus pais negros herdaram a discriminação racial no mercado de trabalho sofrida pelos seus avós e bisavós, os quais sempre foram preteridos pelos brancos nas melhores posições.

Dizer então que o problema dos estudantes negros é apenas um problema "social" seria supor duas coisas: a) que as causas objetivas que geraram a desigualdade presente entre brancos pobres e negros pobres frente aos brancos ricos sejam todas do mesmo tipo; b) que os brancos e negros pobres estariam lutando entre si em igualdade de condições pela mesma ascensão social. A segunda suposição é desmontada inteiramente pela evidência, citada anteriormente, de que o negro ganha 16% menos que o branco em situações equivalentes, o que significa que seu problema social de pobreza e desvantagem é causado também pela discriminação racial que sofre. Na verdade, é perfeitamente plausível afirmar que, no Brasil, a renda familiar é uma variável importante, senão decisiva, para definir quem entra e quem não entra na universidade. Poderíamos então sintetizar o processo de acumulação do *stress* racial sofrido pelos negros brasileiros em *stress* socioeconômico e finalmente em *stress* educacional do seguinte modo: a desvantagem racial sofrida pelos estudantes negros em termos de uma pior distribuição de renda dá aos brancos vantagens sobre eles na hora da disputa por vagas no vestibular.

Tomemos a USP como exemplo da magnitude do problema com que nos enfrentamos agora (evidentemente, raciocínio análogo poderia ser desenvolvido tomando como caso qualquer outra das nossas universidades públicas mais expressivas e concorridas, como a UFRJ, a UnB, a UFMG, entre outras). A USP passou de ser uma instituição, nos anos 30 e 40, de alguns poucos milhares de estudantes brancos (com uns pouquíssimos negros entre eles) para chegar ao ano de 2002 com um contingente impressionante de uns 60 mil estudantes, em sua esmagadora maioria brancos, mantendo praticamente o mesmo percentual mínimo de presença de estudantes negros. E foi justamente porque não incluiu um número mais expressivo de negros entre os seus estudantes que conseguiu mantê-los, ao longo desses 60 anos, ausentes do seu corpo docente e de pesquisadores, também brancos em sua quase totalidade.

A situação racial da nossa academia, vista a partir do exemplo da USP, se apresenta ainda mais grave quando pensamos que a manutenção do mesmo percentual baixo de negros naquela instituição não teve a mesma conseqüência, digamos, nos anos 60 do que tem agora: a própria massa de brancos formados na USP, em números absolutos, teve um efeito ainda mais negativo no contingente de jovens negros a nível nacional, porque uma boa parte desses bacharéis (e depois mestres e doutores) se distribuíram pelo país e ocuparam postos de docência e pesquisa nas demais universidades públicas, consolidando e reproduzindo assim o mesmo padrão de exclusão que havia sido iniciado nas primeiras universidades nos anos 30. O problema atual da exclusão dos negros da universidade se tornou tão difícil de resolver precisamente porque não houve uma política consciente de integração racial nos momentos iniciais da criação da nossa rede de instituições públicas de ensino superior.

Chega a ser desesperadora a situação dos jovens negros que querem entrar agora na universidade pública brasileira. Do contingente de 3.600.000 secundaristas brancos, pelo menos 2.400.000 entrarão no curso superior; ou seja, 64% do contingente; e dos 2.100.000 secundaristas negros, apenas 100.000 entrarão no curso superior; ou seja 2,1%. Imaginemos as centenas de milhares de negros perfeitamente qualificados que não conseguirão alcançar o curso superior no final do presente ano. Isso significa que, com todos os problemas, o ensino médio ainda prepara uma massa considerável de jovens negros; é o sistema de ingresso ao ensino superior que os barra de um modo absolutamente desleal. Com a recente expansão das faculdades privadas, os secundaristas brancos com menos recursos, que não conseguem entrar nas universidades públicas, estão conseguindo entrar, ainda que com mais dificuldade, no terceiro grau, mesmo que em faculdades de má qualidade. Enquanto isso, milhares de secundaristas negros, que têm uma preparação análoga à de uma grande parte dos brancos que freqüentaram a escola pública, são mais pobres que os brancos pobres e por isso têm menos chance de competir no vestibular e a maioria deles terá que ficar de fora até das piores faculdades particulares.

O único modo de deter e começar a reverter o processo crônico de desvantagem dos negros no Brasil é recompensá-los conscientemente, sobretudo naqueles espaços em que essa ação compensatória tenha maior poder de multiplicação. Eis porque a implementação de um sistema temporário de cotas se torna inevitável. Na medida em que não poderemos reverter inteiramente esta questão em curto prazo, podemos pelo menos dar o primeiro passo, qual seja, incluir negros na reduzida elite pensante do país.

### Vagas para índios na UnB e cursos de terceiro grau indígena

Raciocínio análogo ao da exclusão dos negros pode ser desenvolvido em relação à exclusão dos povos indígenas da nossa academia. Em que pese a simpatia que goza a causa indígena entre os nossos intelectuais e professores, e mesmo contando o Brasil com uma comunidade de antropólogos das mais expressivas em todo o Sul do mundo, as universidades federais muito pouco têm feito para abrir as suas portas aos jovens índios que buscam ingressar ou ampliar a sua formação acadêmica. Trata-se de uma exclusão tão dolorosa como a dos negros, porém neste caso muito mais fácil de resolver, visto que o contingente de indígenas brasileiros em condições de cursar o terceiro grau é baixíssimo. Uma média de 20 vagas por ano, distribuídas segundo suas necessidades específicas (número que não comprometeria absolutamente em nada o contingente de 4.000 alunos que ingressam anualmente na UnB), já provocará uma pequena revolução na capacitação dos índios no momento de reivindicar seus direitos frente à sociedade brasileira e melhorar suas condições específicas de vida.

Não é nada difícil nem oneroso formular um sistema de convênios com instituições pertinentes, como a FUNAI, o MEC, as organizações políticas indígenas e as próprias comunidades indígenas para implementar algumas bolsas que permitam sua permanência e assegurar vagas nos cursos que escolherem e iniciar imediatamente um movimento de reparação, após cinco séculos de massacre das comunidades indígenas brasileiras. Esse processo de reparação histórica já começou a ser feito, conforme veremos a seguir, em algumas universidades estaduais, que se lançaram à frente das universidades federais nessa política de inclusão e ação afirmativa.

Uma boa ilustração da inconsciência das universidades face à questão indígena é o fato de que os primeiros quatro índios brasileiros que neste momento se preparam para ser médicos somente conseguiram ingressar numa Escola de Medicina de Cuba! Imaginemos a situação: é uma faculdade cubana, que não dispõe nem minimamente dos recursos com que contam universidades como a USP, a Unicamp, a UFRJ ou a UnB, que está ajudando o Brasil a saldar a sua dívida de inclusão acadêmica de cinco séculos para com os índios brasileiros!

É igualmente constrangedor para as nossas universidades federais (e em especial para as do Sudeste e do Sul que lideram a docência e a pesquisa, oferecem o maior número de vagas e contam com os principais Departamentos de Antropologia do país) que o primeiro curso de terceiro grau para formação de professores indígenas tenha sido iniciado por uma universidade estadual nova, de menor poder e mais carente de recursos de docência e vagas (a Universidade Estadual do Mato Grosso) e o segundo, por uma federal igualmente jovem, carente e distante das esferas do poder (a Universidade Federal de Roraima).

Podemos avaliar melhor a dimensão dessa rejeição acadêmica branca para com os índios se contrastarmos o Brasil com os demais países da América Latina. No México existem muitos índios com curso superior, incluindo docentes. Se pensarmos na Antropologia, disciplina emblemática dos estudos das minorias étnicas e raciais, existem antropólogos indígenas no México, no Equador, no Peru, na Colômbia, no Chile e até na Argentina. Até poucos anos atrás não havia nenhum antropólogo indígena no Brasil. Se ampliarmos esse quadro, podemos avaliar quão anacrônica é a posição da classe acadêmica brasileira em termos de inclusão étnica: existem estudantes e professores indígenas nos Estados Unidos, no Canadá, na Austrália, na Nova Zelândia. O diálogo intercultural já faz parte da vida universitária em todas as regiões do mundo, exceto no Brasil.

A primeira vez, após um século de formação de universidades, que uma dúzia de indígenas pôde ter acesso ao ensino superior público, gratuito e sem nenhuma restrição de escolha da carreira, foi com a proposta de cotas para negros e índios da UnB. Até agora, em junho de 2005, a UnB é a única federal que recebe estudantes indígenas sem nenhuma limitação de curso. E a demanda indígena cresce a cada ano, é expressiva em relação à sua população e sua alta mobilização denuncia o grande entusiasmo que têm pela educação superior.

Dois são os caminhos principais de inclusão indígena no curso superior: ou através do modelo da UnB, de abrir vagas para indígenas em todos os cursos regulares ofertados, do mesmo modo que fazemos com a inclusão dos negros; ou abrindo cursos de terceiro grau planejados e adaptados exclusivamente para atender às necessidades e especificidades dos índios. Esse segundo modelo de curso, que chamamos genericamente de intercultural, implica um desafio maior que a mera abertura de vagas: significa mudar a natureza eurocêntrica do saber acadêmico que se reproduz nas universidades brasileiras. Vêm crescendo as experiências de cursos superiores interculturais já instalados ou em processo de instalação no Brasil.

É muito expressivo o aumento do número de estudantes indígenas em cursos de nível superior nos últimos anos. De 1997 para 2005, o número destes estudantes saltou de aproximadamente 100 para 2.000. Estima-se que somente no primeiro semestre de 2005 estejam ingressando cerca de 600 indígenas nas universidades, particulares em sua maioria. O número de secundaristas formados e interessados em fazer um curso superior já passa de 2000. Essa exclusão é um escândalo de proporções mundiais se pensamos que apenas as universidades públicas oferecem mais de 100.000 vagas anuais nos seus vestibulares; logo, essa demanda poderia ser absorvida inteiramente, de uma só vez, bastando para isso que os índios ingressassem apenas nas vagas dos estudantes que abandonam os seus cursos, cifra que todos os anos é maior que 2000.

A procura por formação superior geralmente se apresenta vinculada às necessidades da coletividade, ou seja, está comprometida com os projetos de autonomia dos povos, comunidades e organizações indígenas, para o que necessitam agora de quadros profissionais que dominem as bases do saber dos brancos. Outro sinal desta perspectiva coletiva é que o ingresso de estudantes indígenas em cursos superiores depende da indicação de lideranças, comunidades ou organizações. Atendendo a este tipo de demanda, a UnB, a primeira federal a criar um sistema de vagas especiais para indígenas, realizará, em 2005, vestibular para o ingresso de indígenas especificamente nos cursos da área de saúde (Medicina, Farmácia, Enfermagem e Biologia).

A primeira necessidade identificada é a oferta de cursos específicos para indígenas, como é o caso das Licenciaturas destinadas à formação de professores para o magistério na Educação Básica. A experiência pioneira nesta área, o Projeto 3° Grau Indígena promovido pela Universidade do Estado do Mato Grosso (UNEMAT), no campus de Barra do Bugres, iniciou-se em julho de 2001 e sua primeira turma, composta por 200 alunos pertencentes a 36 etnias de vindos de 11 estados, formará em 2006. No vestibular de 2005, a UNEMAT abriu mais 100 vagas para indígenas do Estado de Mato Grosso, de forma que hoje o curso conta com 300 alunos de 43 etnias. A segunda iniciativa no país, o Curso de Licenciatura Intercultural Indígena do Núcleo Insikiran de Formação Superior Indígena da Universidade Federal de Roraima – UFRR, iniciou-se em julho de 2003 com 60 alunos das etnias Macuxi, Taurepang, Wapichana, Waiwai, e Yekuana, e hoje conta com 120 alunos, e outros 60 aprovados em vestibular ingressarão em julho de 2005. Estão previstos para iniciar ainda em 2005 o Curso de Licenciatura Indígena da Universidade Estadual do Mato Grosso do Sul (UEMS), o Curso de Formação Intercultural de Professores da Universidade Federal de Minas Gerais (UFMG) e o Curso de Licenciatura para Professores Indígenas do Alto Solimões da Organização Geral dos Professores Ticuna Bilíngües na Universidade do Estado do Amazonas (UEA). Outras propostas de licenciaturas específicas para povos indígenas estão sendo pensadas, articuladas e construídas em diferentes regiões do país, como em Goiás, pela UFG, no Acre e em Pernambuco, entre outras. Esperamos, finalmente, que outras federais públicas poderosas, como a UFRJ, a UFRGS, a USP, a Unicamp, e as federais em áreas estratégicas para as nações indígenas, como a UFAM e a UFPA ampliem a medida tomada pela UnB em 2003.

### Retomada da dimensão utópica da UnB

A Universidade de Brasília é chamada agora a liderar essa ação compensatória devido também à sua vocação utópica fundante, de ser a universidade da Capital da República e por tal motivo funcionar como integradora de todas as regiões do país. É de se esperar, pois, que seja capaz de iniciar esse processo e agir de um modo consciente, responsável e acima de tudo generoso, servindo de modelo nacional para uma guinada histórica na tentativa de reverter a trajetória de injustiças contra a população negra e indígena que marca os quinhentos e cinco anos da história do Brasil.

CAPÍTULO II

# A universidade como espaço de exclusão racial

## Aplicando o censo racial na UnB

Uma dimensão importante da luta pelas cotas para negros e índios nas universidades públicas tem sido a coleta de dados quantitativos fidedignos sobre o perfil socioeconômico e racial dos estudantes, para que fique demonstrada, até para os professores mais incrédulos e reacionários às cotas, aquela realidade que pode ser constatada a olho nu por qualquer um: que a esmagadora maioria dos estudantes, em todos os cursos, é de brancos; e que os negros estão sub-representados em relação à sua presença proporcional nos estados e no país como um todo. Justamente devido à contundência demonstrativa da pesquisa empírica, nossas universidades federais ainda resistem ferozmente à aplicação de censos étnico-raciais. Em 1998, a professora Delcele Queiroz, da Universidade Estadual da Bahia, solicitou a introdução do quesito cor nos formulários da Universidade Federal da Bahia e recebeu de volta das autoridades a indagação de se não estava querendo estimular o preconceito racial no meio universitário baiano, definido pelos interpelados literalmente como "barroco-mestiço". Finalmente, a Reitoria aceitou introduzir o quesito cor, passando a ser a primeira universidade brasileira a acumular dados sistemáticos sobre a situação racial dos estudantes. Em 1999, também a UNEB aceitou introduzir o quesito cor nos seus formulários, colocando assim a Bahia na vanguarda absoluta no meio acadêmico brasileiro no que tange ao conhecimento da sua composição étnica e racial específica.

No ano 2000, Delcele Queiroz coordenou uma pesquisa comparativa para conhecer a realidade étnico-racial de cinco universidades federais brasileiras, localizadas em regiões diferentes do país. As universidades escolhidas foram: a Universidade Federal da Bahia (UFBA), a Universidade Federal do Maranhão (UFMA), a Universidade de Brasília (UnB), a Universidade Federal do Rio de Janeiro (UFRJ) e a Universidade Federal do Paraná. Um mesmo questionário foi aplicado em fevereiro de 2000 nessas universidades, entre os estudantes que faziam sua matrícula de ingresso no primeiro semestre de 2000.

Essa pesquisa comparativa pode ser considerada, sem favor nenhum, um marco importantíssimo na fundamentação da necessidade de ações afirmativas de corte racial no Brasil e significou uma ação concreta inteiramente sintonizada com o espírito da Declaração da III Conferência Mundial de Durban. Os resultados foram apresentados no livro *O Negro na Universidade*, organizado por Delcele Queiroz (2002), obra que já é um marco nessa área de estudos. Em um artigo de síntese, a coordenadora compara as tabulações feitas nas cinco universidades e conclui que o mesmo padrão de exclusão dos negros se repete em todas elas.

Coube-me coordenar a aplicação do questionário na UnB e oferecer uma análise crítica dos resultados. Dado o ineditismo de todo o empreendimento (primeiro censo étnico-racial nas universidades, primeira proposta de cotas colocada em debate em uma universidade federal) aproveitei a ocasião para oferecer um modelo de interpretação das categorias de identificação racial no Distrito Federal, sobretudo da categoria pardo, sem dúvida alguma a mais ambivalente de todas. Mais ainda, esbocei também uma agenda de trabalho para uma etnografia dos casos de racismo sofridos por estudantes negros no interior das universidades públicas. Seria o caso, mais adiante, de empreender um estudo longo e exaustivo, a escala nacional, dos casos de racismo, como dados complementares aos censos étnico-raciais nas universidades.

Das cinco universidades onde foi aplicado o questionário sobre o perfil racial dos estudantes de graduação, a UnB foi a universidade que obteve o número mais baixo de respostas, se a compararmos com a média de retorno das outras quatro. Na verdade, a média de retorno de questionários ficou em torno de 32%, muito menos que a metade do número de questionários obtidos em todas as outras e apenas um quarto, em números absolutos, das respostas obtidas na UFRJ. Infelizmente, em vários cursos não foi possível tabular as relações porque a percentagem de preenchimento de questionários foi inferior a 30%, proporção mínima para se operar com os parâmetros comparativos de análise. Tal fato limitou a comparação interna e o contraste do perfil de exclusão racial da UnB com o das outras quatro universidades.

Para a aplicação do questionário, contei com a colaboração de 3 alunos negros de graduação e um aluno já com o mestrado finalizado que se autodenominava pardo. Considero muito provável que tenha havido uma resistência quase consciente a esse questionário por parte de funcionários técnico-administrativos e também de alguns professores que participaram da etapa do registro dos alunos. Houve incidentes em alguns postos avançados do Decanato de Ensino de Graduação, na forma de alguns mal-entendidos. Não se permitiu que os estudantes os preenchessem conjuntamente com os demais formulários, o que teria facilitado o processo e estimulado uma resposta mais fácil à pesquisa. Foi estipulado que os aplicadores dos questionários deveriam abordar os estudantes do lado de fora dos postos avançados do Departamento de Assuntos Acadêmicos e, ainda assim, somente depois que eles tivessem preenchido todos os formulários obrigatórios para o registro na UnB. Os funcionários não aceitaram receber os formulários diretamente e solicitaram de nós o fornecimento de caixas de coleta separadas para os mesmos. Além disso, alguns funcionários informaram aos calouros que se registravam que o nosso questionário não deveria ser preenchido naquele momento, mas deveriam levá-los consigo e devolvê-los na primeira semana do semestre, no dia da matrícula (quase um mês depois de havê-los recebido). Essa determinação teve também um efeito desmobilizador e desestimulante e certamente influenciou na baixa resposta à nossa solicitação.

Se a questão racial está presente e silenciada no meio universitário, a presença de um questionário dirigido justamente ao tema incomodou autoridades por razões também conjunturais. Talvez o questionário indicasse, na avaliação de alguns membros da administração da UnB, mais um lance no clima tenso que se vivia desde agosto de 1998, devido à reprovação, altamente conflituada, de um doutorando negro do Departamento de Antropologia da UnB. Penso que uma menção, ainda que breve, desse episódio, faz-se necessária para colocar em perspectiva a dificuldade de aplicação do questionário na UnB e poderá também funcionar, acredito, como exemplo das dificuldades vividas pelos poucos estudantes negros que chegam à pós-graduação no Brasil.

Resumindo uma longa história, Arivaldo Lima Alves, o primeiro estudante negro a ingressar no Programa de Doutorado em Antropologia da UnB em 20 anos, foi reprovado em uma matéria obrigatória logo no final do primeiro semestre do curso. Em 20 anos nenhum aluno havia sido reprovado nessa matéria. O "Caso Ari", como é chamado pelos que o conhecem, eclodiu em agosto de 1998, quando ele recorreu da reprovação, em várias instâncias da universidade. Os sucessivos indeferimentos ao seu pedido de revisão de menção provocaram uma crise sem precedentes na história do Programa.[13]

---

13. Rita Segato era Coordenadora da Pós-Graduação, e eu, o orientador de Arivaldo. Ambos questionamos abertamente a tentativa do Departamento de Antropologia de abafar o caso na expectativa de que o estudante desistisse da revisão e abandonasse o curso de doutorado.

O "Caso Ari" pode ser considerado uma espécie de drama racial emblemático da nossa cultura acadêmica branqueada. A luta de Arivaldo Lima Alves por permanecer no Programa de Pós-Graduação em Antropologia da UnB implicou em uma árdua luta burocrática e processual para ter direito a quatro pedidos de revisão de menção; deslocamento temporário e imprevisto da UnB para a Unicamp, onde cursou uma disciplina equivalente à da UnB em que havia sido reprovado, na esperança de conseguir uma revalidação caso a revisão não lhe fosse concedida. Implicou também a mobilização do movimento negro local; a solidariedade de parte expressiva dos seus colegas da Pós-graduação; o envolvimento do Escritório Zumbi dos Palmares de advogados negros; intensa guerra protocolar e de procedimentos com o Departamento de Antropologia; contratação de advogado para defendê-lo diante da Reitoria; e até o apoio formal da Secretaria de Direitos Humanos do Ministério da Justiça. Após dois anos de um grave conflito institucional, Arivaldo Alves conseguiu finalmente que o Conselho de Ensino, Pesquisa e Extensão (CEPE) da UnB, órgão colegiado superior de deliberações acadêmicas da universidade, obrigasse o Departamento a mudar a sua nota e lhe concedesse os créditos de aprovação na matéria.[14] A partir daí, pôde continuar no Programa até terminar seu doutorado em 2003.

Na verdade, a proposta de cotas da UnB foi uma resposta política que Rita Segato e eu demos à reprovação injusta de Arivaldo Lima Alves. No auge do caso, em novembro de 1999, quando não víamos ainda um modo de que se fizesse justiça a Arivaldo Alves e em que fosse possível sensibilizar a comunidade de antropólogos brasileiros para o escândalo que se passava na UnB, decidimos apresentar a proposta de cotas deslocando, então, o problema de uma crise apenas departamental para uma crise mais geral das universidades brasileiras: o nosso crônico racismo acadêmico.[15]

Se a aplicação do questionário teve seus problemas e tensões, é igualmente significativo, de um ponto de vista analítico sobre a inserção do negro na universidade brasileira, registrar o clima ainda mais tenso que circundou o Seminário que realizamos na UnB, em dezembro de 2000, para apresentação dos dados da presente pesquisa, com

---

14. O próprio Arivaldo Lima relatou e teorizou sobre o seu caso em um longo ensaio publicado na revista Afro-Ásia (Alves 2001). Outras leituras do Caso Ari já foram oferecidas por Carvalho (2002b), Santos (2002), Pereira (2004) e Siqueira (2004) Ver também o documentário sobre as cotas na UnB, que inclui uma fala do próprio Arivaldo (Siqueira & Carvalho 2005)..

15. Acaba de surgir, pela primeira vez, um debate antropológico aberto sobre as cotas, no último volume da Revista *Horizontes Antropológicos*, da UFRGS, já no prelo. Ver os textos de Rita Segato e meu, em que teorizamos sobre as relações entre o Caso Ari, a proposta de cotas da UnB e a própria Associação Brasileira de Antropologia (Segato 2005 e Carvalho 2005).

a presença de Jocélio Teles, então Coordenador do Programa "A Cor da Bahia", da Universidade Federal da Bahia, e Delcele Queiroz, coordenadora da pesquisa comparativa. Além do caráter científico propriamente dito do evento, deve ser registrado o seu significado histórico mais amplo. Essa foi, até onde sei, a primeira vez que se discutiu o perfil racial da Universidade de Brasília, nos seus quarenta anos de existência. E essa discussão se deu logo após o término oficial da longa crise gerada pela reprovação de Arivaldo Lima Alves e já quando nossa proposta de cotas era debatida no campus, com apoio majoritário de estudantes e nenhum envolvimento por parte da Reitoria. Apesar do conflito ter ficado restrito quase exclusivamente ao âmbito interno da instituição, a mera menção do tema racial ainda trazia reverberações quase imediatas e constrangedoras desse caso. Numa insólita contigüidade com as tabelas apresentadas e analisadas por Delcele Queiroz, que demonstraram inequivocamente a baixa participação de negros nos cursos da UnB, também a divulgação do evento em que essa exclusão seria apresentada à comunidade universitária foi problemática.[16]

### O perfil racial do Distrito Federal

No caso da UnB, a pesquisa inaugura a formação de uma base quantitativa sólida para se estabelecer o perfil racial dos estudantes. A principal referência para análise, até agora, tinha sido a mera constatação, a olho nu, da baixa presença de negros na universidade. É queixa freqüente dos poucos estudantes negros brasileiros que andam pelo campus o fato de serem facilmente confundidos, aos olhos dos brancos, sejam eles alunos, professores ou funcionários, com africanos! Essa confusão já confirma a presença de um imaginário de exclusão introjetado pelos estudantes brancos.

Na pesquisa que aplicamos, uma primeira conclusão que se impõe é a posição de extrema brancura da UnB no espectro racial brasileiro. Em todos os cursos escolhidos como termos de comparação, a UnB mostra o pior perfil de exclusão racial das cinco universidades federais: enquanto em todas as outras existem pelo menos traços da presença negra em alguns de seus cursos, na Universidade de Brasília simplesmente não entraram negros nos cursos de alto prestígio. Em Direito e Arquitetura, cursos tradicionalmente de elite, a média de brancos se aproxima dos 80% e em Medicina, 90%. Um *stress* racial considerável para uma região em que os brancos, segundo o IBGE, são minoria, contando apenas 46,5% da população.

---

16. As autoridades do Departamento censuraram a circulação do cartaz com a logomarca do Programa. O Seminário intitulava-se: "Desigualdades Raciais no Ensino Superior: A Cor na UnB".

Outro elemento que precisa ser pensado dentro do contexto específico do Distrito Federal é a categoria "pardo", categoria racial oficial predominante na capital. Se ela já traz consigo uma ambigüidade em quase todos os estados, ela é particularmente complexa no Distrito Federal. Sempre se supõe que há uma boa parte de negros embutida na categoria "pardo". Para muitos analistas, ela expressaria a tentativa de alguns negros de fugirem do estigma racial máximo e se acomodarem num caminho que conduza ao branqueamento.[17] Isso seria notório, por exemplo, na Bahia, em Pernambuco, no Maranhão, no Rio de Janeiro, em São Paulo e em Minas Gerais. Algo que têm em comum esses estados é que eles plasmaram um quadro de estereótipos raciais que data da colônia, ou pelo menos da segunda metade do século dezoito, no caso de Minas. Mesmo que essas classificações sejam dinâmicas, sempre há uma inércia histórica, próxima do que convencionamos chamar de tradição. Ou seja, ainda que a inserção social do mulato tenha mudado, essa figura é constitutiva do quadro racial do Rio e da Bahia, por exemplo, e nessas cidades o pardo poderia ser a ele assimilado.

Indo mais longe, a categoria "pardo" no Norte do país só pode ser entendida no contexto complexo da figura do caboclo, o não-branco-da-elite que também se distingue socialmente do negro, porém que pode ser visto pelo negro, numa lógica de sentimentos ambivalentes, como um branco pobre. Já no caso de Brasília, o específico é o caráter transplantado das categorias raciais num espaço de tempo muito curto. É a essa curta história que sugiro recorrer na tentativa de formular um quadro conceitual para a compreensão das diferenças raciais locais. Minha hipótese básica é de que, em Brasília, a categoria parda se vincula a uma identidade de origem, ou regional. Lembremos que em 1956 instalou-se no canteiro de obras da Nova Capital um contingente de trabalhadores oriundos das regiões mais pobres do Sudeste, do Nordeste e do Norte do país. Os então batizados de candangos eram, em sua maioria, os hoje pardos e os antigos mulatos do IBGE - sertanejos de Minas, Goiás, Bahia e do Nordeste.

Em 1960, ao inaugurar-se a capital, Brasília herdou o quadro racial da velha capital, Rio de Janeiro. E no Rio de Janeiro dos anos 50 a oposição entre brancos e pretos era nítida na administração pública: a elite profissional do Estado era branca, alguns cargos intermediários admitiam mulatos e os postos humildes do funcionalismo eram ocupados por negros. Afinal, o branqueamento já havia operado na Capital

17. Esse seria um argumento análogo ao de Carl Degler, ao definir o mulato como uma "válvula de escape" do sistema (Degler 1971).

Federal carioca por três gerações seguidas desde 1889. Em tal sistema de relações, ao mulato interessava "ascender" na escala da brancura social e por isso valia, na prática, contra as intenções da ideologia da democracia racial de Gilberto Freyre, uma realidade bastante polar de brancos e não-brancos (pretos e pardos). Duas obras recentes, de Lúcia Müller e Jerry Dávila, descrevem muito bem o dramático branqueamento que operou no sistema escolar carioca nas três primeiras décadas do século vinte. Naquele período, as professoras negras, antes numerosas, praticamente desapareceram do sistema público de ensino, como resultado de uma política de eugenia racial tão explícita quanto a que existia nos Estados Unidos na mesma época.[18]

Essa mesma polarização instalou-se em Brasília no tocante ao funcionalismo público. As Escolas de Samba da Asa Norte e do Cruzeiro congregam, até hoje, o contingente negro inserido, desde o início da transferência, na administração federal, enquanto os brancos mantêm o seu circuito de relações no Plano Piloto, no Lago Sul e no Parkway desde que fundaram a Casa do Candango em 1961, iniciando assim redes simétricas de cooperação e convivência. Nesse contexto de transferência da capital, os pardos eram principalmente os que chegaram com a atividade produtiva e comercial vindos não do Rio de Janeiro, que enviou brancos e negros, mas de Goiás, do interior de Minas, do Norte e do Nordeste. O Plano Piloto, os Lagos Sul e Norte, o Parkway e o Cruzeiro exibem ainda a polarização inicial entre brancos e pretos, enquanto as demais cidades satélites, como Taguatinga e Ceilândia, abrigam os pardos, isto é, os brasilienses que não chegaram através do Estado.

Esta hipótese, que procura articular argumentos históricos, sociológicos, econômicos e raciais, encontra eco no censo do Distrito Federal; há 46,5% de brancos, 50,6% de pardos e apenas 3% de pretos. Aqui, denominar-se pardo é um modo de expressar uma adesão a uma condição histórico-geográfica específica. Parece indicar tanto uma recusa de pertença quanto uma afirmação de origem e de posicionamento psico-político-social na geopolítica de distância e segregação tão marcadas em Brasília. Há mais não-brancos em Brasília do que brancos, mesmo com a ideologia do branqueamento ativada como sempre. Essa porcentagem reflete o desenvolvimento histórico da cidade, que não cresce mais no setor que depende diretamente da administração do Estado, e sim pelo comércio e a indústria de construção civil.

---

18. Ver Müller (1999) e Dávila (2003). O projeto de eugenia norte-americano foi recentemente historiado com extremo detalhe por Edwin Black (2003).

Devemos continuar guiando-nos por essa classificação, contudo, pois ela aponta para um enegrecimento de origem da população, fenômeno ideológico nada trivial. Dito em outros termos, pessoas que em Goiás, na Bahia e no Piauí fariam parte do contingente de brancos, mudam de condição quando se identificam como habitantes do Distrito Federal. Ao se inserirem (e serem inseridos) na categoria de pardos, tomam partido por uma história alternativa em relação à saga fundadora dos brancos, ligados à estrutura administrativa e gerencial do estado brasileiro, e dos negros, associados a uma tradição de cultura popular e modo de vida fortemente aparentado com as camadas populares do Rio de Janeiro.

E como isso incide na composição racial do corpo discente da UnB? Primeiramente, é um fato que a localização do Campus Universitário Darcy Ribeiro é inevitavelmente racializada: está no Plano Piloto, espaço de brancos. Em segundo lugar, a elitização de classe só vem corroborar o álibi da categoria pardo, predominante no Distrito Federal. Em várias ocasiões fiz a minha estatística particular sobre o perfil racial das minhas turmas de Introdução à Antropologia. Numa sala com quarenta, às vezes cinqüenta alunos, perguntava quantos deles se consideravam brancos e, para minha surpresa, apenas uma meia-dúzia ou menos levantava a mão: muitos que eu classificaria de brancos não se aceitavam como tal - a origem (pessoal ou familiar) nordestina, nortista, goiana ou sertaneja em geral; a localização residencial nas cidades satélites; a renda familiar e um certo capital simbólico regional; a inserção dos pais no mercado de trabalho, em geral no setor de serviços, condicionava uma não-identificação com o espaço da UnB, irredutivelmente branco aos olhos desses alunos que se vêm como pardos.

Que o Distrito Federal apresente essa porcentagem tão alta de pardos apenas reforça um quadro de *stress* racial geral da população brasileira, da qual Brasília pode ser vista como um microcosmo. Esses fatores de auto-identificação para fora da "normalidade racial" cujo padrão é a brancura socialmente definida, deve incidir ferozmente sobre as intenções de seguir cursos na UnB. Se Medicina, Direito, Relações Internacionais, Jornalismo e Odontologia são cursos reconhecidamente brancos ao longo de décadas, a auto-exclusão do vestibular para essas carreiras profissionais por parte de pardos e pretos deve ultrapassar em muito qualquer avaliação racional e objetiva das chances reais que possa ter um estudante pardo ou preto de competir com um branco por uma vaga nessas áreas.

Assim, os resultados do questionário ajudam-nos a equacionar a variável racial na composição do corpo discente da UnB. Porém, a recíproca também pode chegar a ser verdadeira: em boa medida, a hierarquia socioeconômica do Distrito Federal, quando hipostasiada em termos de identidade racial, incide sobre os impulsos vocacionais e confirma o estereótipo de brancura das carreiras de alto prestígio. Por exemplo, no discurso social dominante, Direito na UnB é um curso de alunos brancos, com professores brancos, cuja imagem projetada do sucesso profissional se inscreve no Supremo Tribunal Federal, onde todos os Ministros são brancos. Em idêntico modo, Relações Internacionais é um espaço de interação acadêmica entre alunos e professores brancos que apenas reflete a elitização praticada no Itamaraty, onde 99% dos diplomatas são brancos. Idêntico perfil de brancura se observa na Associação Médica e no contingente de jornalistas.

### Quem são os pardos das cotas?

Há uma espécie de inércia reflexiva que nos faz pensar nas relações raciais entre brancos, pretos e pardos a partir de um único ponto de vista; como se a meta da análise fosse encontrar um algoritmo que representasse todo o universo de relações construídas por essas três categorias de seres racialmente marcados e automarcados. A solução algorítmica mais comumente usada e certamente atraente seria a de um contínuo de cor que representa simultaneamente a graduação do *stress* racial, ou a passagem da maior vantagem racial à menor vantagem racial. Estaríamos, na verdade, representando graficamente a política das sociedades pigmentocráticas, muito bem formulada recentemente pelo intelectual caribenho Carlos Moore.[19] Nesse contínuo, tanto o preto quanto o pardo têm o branco como referência; e o branco discrimina o preto mais que o pardo. Esse universo de relações vividas na prática social foi tabelado em uma escala nacional por Carlos Hasenbalg e Nelson Valle Silva quando formularam a síntese da PNAD (Pesquisa Nacional por Amostra de Domicílio) de 1976 ao afirmar que, apesar do contínuo e das três posições serem bem marcadas na resposta dos brasileiros às pesquisas por domicílio, o sistema se comporta, em uma outra dimensão, de um modo polar, porque o contraste maior entre os que têm vantagens raciais e desvantagens raciais no Brasil é entre os brancos de um lado e os pretos e pardos de outro, podendo ser considerados, para efeito de interpretação da discriminação racial no Brasil, como não-brancos (Hasenbalg 1979).

É esta herança, fundamental, das tabulações de Hasenbalg e Valle e Silva que chega até agora em todas as formulações atuais de ações afirmativas: tentar corrigir a

19. Ver Carlos Moore (2004).

desigualdade dominante do nosso sistema, expressa em termos dessa oposição entre brancos e não brancos. Dito em outros termos, a absorção do contínuo racial pela polaridade entre brancos e não-brancos implicou em colocar os pardos sempre do lado dos não-brancos, isto é, juntá-los aos pretos. Essa absorção metodológica questionou a teoria de Carl Degler, de que o mulato (pardo) conseguiria atenuar a discriminação racial distinguindo-se do preto. As vicissitudes desses modelos não apresentaram maiores problemas enquanto as regiões de referência para a discussão sobre ação afirmativa (e logo, sobre racismo) foram as capitais litorâneas do país, de alto contingente de negros, como Salvador, Recife, Maceió, São Luís, Rio de Janeiro, além de outras do Sul também de forte polarização racial (Belo Horizonte, São Paulo, Curitiba, Florianópolis e Porto Alegre). Nessas regiões, uma elite branca se distingue ferozmente do contingente não-branco e aceita pouca negociação com uma identidade autônoma de um mulato (pardo). Foi justamente nessas regiões que viveram e pesquisaram praticamente todos os formuladores das teorias de relações raciais no Brasil: Nina Rodrigues no Maranhão e na Bahia, Sílvio Romero em Sergipe e no Rio de Janeiro, Luís Costa Pinto no Rio de Janeiro, Guerreiro Ramos na Bahia e no Rio de Janeiro, Thales de Azevedo na Bahia, e todos os demais, em São Paulo: Roger Bastide, Octavio Ianni, Florestan Fernandes, Fernando Henrique Cardoso, até os seus atuais continuadores.

Enfim, o discurso sobre relações raciais no Brasil foi formulado em três regiões bem definidas: o Nordeste litorâneo, Rio de Janeiro e São Paulo. A partir da vivência nesses lugares, projetaram-se os modelos formulados para os demais 90% de territórios habitados, com todas suas complexidades históricas, regionais, econômicas e, obviamente, raciais, com brancos, negros, caboclos, sertanejos, índios, índios, bugres, cafuzos etc. Um novo problema se apresenta quando saímos dessas regiões de territórios mais marcados simbolicamente pelo contínuo de cor pigmentocrático e chegamos ao Centro-Oeste e ao sertão do Norte-Nordeste, onde a figura do pardo se torna majoritária e onde o raciocínio do *continuum* pigmentocrático deve necessariamente ser confrontado com uma análise de classe igualmente sensível às características da região.

Retornando à pesquisa por amostra que apliquei na UnB, duas coisas ressaltam: a super-representação de brancos em todos os cursos (argumento principal para a necessidade de cotas) e a super-representação de pessoas que se auto-identificam como pardas. Ou seja, os números parecem dizer que a UnB é mais negra que o que podemos constatar a olho nu. Enfim, há muita gente no Distrito Federal que é branca socialmente, porém que recusa essa categoria e prefere apresentar-se como parda.

Esse comportamento não é inteiramente consistente com a teoria do branqueamento formulada nas regiões litorâneas. É um pressuposto básico desta teoria que nenhum não-branco deixaria passar uma oportunidade de tornar-se branco socialmente. Esse axioma faz sentido em uma região de alta concentração visível de negros expostos a um racismo sem tréguas, como Salvador, Recife, Rio de Janeiro, São Luís e Belo Horizonte. Em um contexto de tamanho *stress* racial sem saída, o mulato de Degler, que não vive muito melhor que um negro, não perderia uma oportunidade para branquear-se.

No caso do Distrito Federal (região que carrega pelo menos parcialmente o *ethos* racial do Centro-Oeste), é preciso admitir que ocorreu uma mobilidade social considerável nos estratos sociais médios. Não-brancos pobres (caboclos, sertanejos, mulatos, bugres) conseguiram reunir um capital e ter acesso a bens e serviços a eles inacessíveis em seus locais de origem. Além disso, a elite branca deveu conceder esses nichos de vantagem em troca do controle de outras áreas da vida social que julgou prioritária (o poder político e o status de classe, por exemplo). Fixando-nos especificamente na história de Brasília, dada a urgência do empreendimento de construção e a ausência de uma estrutura social e racial na região prévia ao projeto, certos nichos econômicos foram deixados nas mãos de pardos não-metropolitanos.

É possível que uma lógica semelhante tenha ocorrido em outras regiões do Centro-Oeste, dado o seu caráter de segunda fronteira, com menor pressão quando comparada com a barreira racial intensa constitutiva da primeira fronteira gerada na costa durante o Brasil Colônia no auge do regime escravista e no seu declínio altamente racista no final do século XIX.

Enfim, são várias as hipóteses que nos atrevemos a formular aqui. Uma delas seria a de que os pardos que aqui chegaram talvez tenham sido menos pressionados pela pequena elite branca recém-transplantada do Rio de Janeiro. Mas isso não significa que não tivessem sido racistas contra os negros em suas regiões de origem e nem que deixaram de sê-lo no Distrito Federal. Uma menor tensão frente aos brancos metropolitanos permitiu uma certa construção de identidade menos dependente do modelo litorâneo de branqueamento. Daqui surge uma segunda hipótese, que incide diretamente sobre quem deve ser o beneficiário das cotas: desidentificação não significa necessariamente discriminação. Insistamos: parece existir uma parcela considerável de pardos no Distrito Federal que não são discriminados pelos brancos como os negros são; e que dada inclusive a sua condição social, de classe média, poderiam fazer parte do contingente branco, mas que optam por não fazê-lo. A terceira hipótese, desta conseqüente, é de que, nestes casos, a categoria racial pardo é um idioma de diferença de classe ou de estamento social. Tentarei explicar melhor essa hipótese através de um contra-exemplo.

É comum afirmarmos que a condição de periferia urbana, em várias cidades brasileiras, é uma condição racializada: ser da periferia é ser negro, mesmo para quem é de pele mais clara. São este casos que se encaixariam na lógica da polaridade brancos e não-brancos e onde as cotas para negros poderiam alcançar os pardos, quase tão discriminados quanto eles. Regressando à terceira hipótese, o censo racial da UnB nos conduz a pensar que ser pardo não é necessariamente ser negro – logo, não devemos estabelecer uma associação entre a condição de pardo e a condição de periferia. Acertamos quando associamos a condição de um negro com a condição de pobre; porém, não há uma correlação direta entre ser pardo e ser pobre, ou mesmo discriminado.

Sintetizando esse longo e complexo programa de trabalho, fica clara a existência de uma faixa de pardos pobres, próximos dos negros (invariavelmente pobres); e uma faixa de pardos de classe média (e mesmo de alguns ricos) distantes dos negros objetivamente e assimiláveis aos brancos metropolitanos, porém que deles se distanciam subjetivamente.

Enfim, pensando em políticas públicas, com sua exigência de realismo e objetividade, podemos resumir: existem pardos-brancos e pardos-negros. E a quem dirigiremos as cotas da UnB, neste caso? Elas foram pensadas para negros, isto é, para o contingente de não-brancos que são objetivamente discriminados na sociedade brasileira em conseqüência de sua condição fenotípica. As cotas foram dirigidas para os negros baseadas no princípio de que os dois contingentes, pretos e pardos, englobam a gama de discriminados fenotipicamente no Brasil. Enfim, buscam compensar a desigualdade sofrida pelos pardos que são também pretos aos olhos dos brancos racistas. Contudo, sabemos agora que, no caso do Distrito Federal, (e certamente em várias regiões do Centro-Oeste e no sertão do Norte e do Nordeste), existem pardos que são brancos em seu confronto com os negros (e que não são brancos frente aos brancos da elite), isto é, que não sofrem o mesmo tipo de discriminação fenotípica sofrida pelos negros. Obviamente, as cotas não foram pensadas para esses pardos-brancos e sim para os pardos-negros.

O que fazer para resolver o problema dos beneficiários? Enquanto o IBGE não propõe outro sistema de classificação racial (e pelo sistema atual não podemos deixar os pardos de fora, pois há uma parcela deles que são vítimas de discriminação racial), sugiro que criemos as condições institucionais para que haja um confronto aberto entre os negros que se definem como pardos (os pardos-negros) e os pardos que não sofrem discriminação racial (os pardos-brancos, na periferia dos negros). Talvez esse confronto possibilite um reconhecimento, aceito pelas três categorias raciais, de que a UnB é na prática ainda muito mais branca do que o censo pôde indicar.

Pensando finalmente na meta de cotas raciais para todas as universidades federais, é provável que esta desconstrução (e mesmo desmascaramento, em um certo sentido) da categoria pardo como se fosse um eufemismo para negro, deva se estender a todas as universidades federais do Centro-Oeste (Universidade Federal de Goiás, de Tocantins, do Mato Grosso, do Mato Grosso do Sul, de Rondônia). Será através desse exame crítico que poderemos argumentar, como agora o faço para o caso da UnB, que a Unitins, a UFG, a UFMT, não apresentam a brancura escandalosa das universidades do Sudeste e do Sul (como a USP, a UFRJ, a Unicamp, a UFMG), mas também ainda são muito mais brancas do que parecem. E já que se trata de pensar em cotas raciais, que sejamos capazes de pensar localmente (ou regionalmente) em aplicá-las. No nosso caso, parece inevitável equacionar adequadamente as realidades das várias dimensões de discriminação racial e as propostas de igualdade racial que contemplem com precisão um universo racial de três categorias principais e não de duas, como as teorias vigentes nas Ciências Sociais procuram generalizar para todo o país.

Como em muitos outros domínios da vida social, para entender a exclusão racial na academia, faz-se necessário imbricar radicalmente a análise quantitativa com a análise qualitativa. Eis porque acredito que esse detalhamento do contexto racial maior em que se inseriu nossa pesquisa pode ajudar a compreender o estranhamento que se sente nos corredores da UnB – e em alguns corredores mais que em outros – ao vermos passar um dos raros estudantes negros que nela estudam. E não há de ser então por acaso que um desses raros estudantes negros foi protagonista de um drama que julgo emblemático do que resolvi chamar de ação negativa praticada na academia brasileira e que tão bem aparece na análise das respostas ao questionário que aplicamos.

Finalmente, vale lembrar que um levantamento preliminar sobre a situação racial na UnB foi realizado por Carlos Rogério Menezes na sua monografia final de graduação em Antropologia, defendida em 1995.[20] Menezes já apontava para a baixa presença de negros entre os professores e os estudantes da UnB e confirma uma ex-

20. Menezes (1995).

pectativa sociologicamente previsível para o Brasil, a saber, que a presença negra só é mais significativa entre os funcionários técnico-administrativos.

## Narrando o racismo universitário

Generalizando uma tendência e salvando as poucas exceções, acredito que a academia tem uma responsabilidade direta na reprodução do imobilismo diante do racismo universitário pelo fato de que muitos dos discursos que negam o racismo e que produziram a ideologia do convívio inter-racial harmônico no Brasil foram produzidos por acadêmicos, no interior das instituições acadêmicas (em aulas, conferências, encontros das comunidades científicas etc.). Ou seja, afirmar que a academia não tem sido ativa, ou que tenha se omitido a opinar sobre discriminação racial, é contar a história pela metade: pelo contrário, ela tem contribuído para a reprodução da exclusão racial no Brasil simplesmente por desestimular a disseminação dos argumentos anti-racistas, seja por impedi-los de vir a público, seja por combatê-los através de subterfúgios a cada vez que são colocados na arena institucional.

Podemos ler então esses conflitos experimentados pelos poucos estudantes negros universitários no pano de fundo de uma estrutura de relações políticas de convivência construída em cima da seguinte realidade concreta de relações raciais: a) as evidências são irrefutáveis de que os negros têm sido excluído sistematicamente do ensino superior no Brasil por mais de cem anos; b) os acadêmicos brasileiros jamais aceitaram discutir essa questão e a maioria esmagadora dos estudos sobre discriminação racial no Brasil deixa de fora o que se passa no interior dos campi universitários; c) quando a questão é posta abertamente, reagem com veemência e às vezes até com violência contra ela, não admitindo sequer a hipótese de que exista racismo na academia.

O fato de o racismo ser um crime inafiançável acrescenta mais um problema à etnografia da discriminação racial no Brasil, ao dificultar a caracterização de um conflito como racismo; isto ocorre por duas razões: a) é extremamente difícil reunir todas as evidências capazes de convencer nossos atuais juízes, 99% dos quais são brancos que raramente se deparam com negros na condição de seus pares sociais; b) diante da dificuldade das evidências, o acusador, ou seja, a própria vítima, corre o risco de se tornar o réu, sendo processado pelo acusado, ou possível algoz do negro, por danos morais, calúnia e difamação. Daí porque a maioria dos incidentes de discriminação acaba por dissolver-se em fragmentos de histórias e não geram um confronto público no qual a comunidade universitária pudesse se confrontar com suas práticas de exclusão racial. Em um depoimento recente, a atriz Zezeh Barbosa contou, em resposta à pergunta sobre cotas para negros nas universidades (proposta que apóia) o seguinte: "Não basta entrar na faculdade. No meu caso o preconceito aconteceu lá dentro (ela cursou Artes Dramáticas na USP). Eu lembro que na época eu tive que brigar com o Diretor da Escola por preconceito mesmo. Ele tentou me bloquear em algumas coisas, foi horrível, tive que ir à Reitoria" (*Tablado*, pág. 8, 12-16 de outubro de 2001). Também Jocimar Araújo, que pertencia ao escritório Zumbi dos Palmares, em um Seminário realizado na UnB em dezembro de 2000, mencionou um caso de discriminação racial sofrido por uma aluna negra de pós-graduação da UFRJ, comparando-o com o Caso Ari, com o qual ele também havia se solidarizado no ano final de sua vida.

Estamos atualmente mergulhados no debate da ação afirmativa – que poderia ser definida como o ato consciente e decidido de reconhecer as injustiças históricas cometidas contra os negros e apoiá-los explicitamente na direção do crescimento pessoal e profissional através de oportunidades diferenciadas para que recuperem os séculos de exploração e tratamento desigual a que foram submetidos no Brasil.[21] Olhando o acontecido com Arivaldo Lima, Zezeh Barbosa e tantos outros a partir desse novo valor, qual seja, a compensação histórica, além das ponderações acerca de terem sido ou não vítimas de racismo (afirmação que, se insuficientemente sustentada legalmente, pode colocá-los na absurda e perigosa posição de serem processados por quem os discriminou), abre-se também a possibilidade de interpelarem suas respectivas instituições por terem sido vítimas do que chamo de "ação negativa".

Proponho a utilização do termo ação negativa para retirar da ação afirmativa sua dimensão de eufemismo e recobrar a literalidade conjuntural do seu significado. Se a ação afirmativa surgiu para definir algo de novo, foi justamente para contrapor-se à situação vigente contra os negros até uma geração atrás, qual fosse, a de vítimas sistemáticas de ação negativa por parte dos brancos. Sobretudo em um país como o Brasil, que se jacta ideologicamente de não praticar o padrão de segregação racial característico dos Estados Unidos e da África do Sul, o termo racismo é facilmente tergiversado de modo a tornar-se extremamente difícil sua aplicação, na medida em que está associado a um incidente singular de abuso verbal ou físico a uma pessoa negra. Sua singularidade é justamente o álibi para que seja minimizado como algo da

21. Naquele momento, encontrava-me plenamente envolvido com os debates pela implementação das cotas UnB (Carvalho 1999, 2000a, 2000b e 2001a e 2001b).

ordem da paranóia, do mal-entendido, ou da mera intenção jocosa. Mais ainda, essa atitude racista brasileira parece quase sempre semanticamente amorfa, definindo-se quase que exclusivamente pelo paroxismo da discriminação aparentemente sem projeto ou precedentes.

Por outro lado, a idéia de ação negativa aponta mais claramente para o *stress* racial sistemático e consistente sofrido no cotidiano pelos pretos e pardos em sua convivência nos espaços sociais subentendidos (às vezes abertamente) como brancos no Brasil. É preciso avançar ainda em outro ponto: racismo acadêmico não deve ser entendido como um conceito apenas jurídico. Não devemos aceitar que o conceito de racismo seja expropriado pelo idioma jurídico, pois isso pode esvaziar o conteúdo político do termo.

Pensando de novo em nossos poucos universitários negros mencionados anteriormente, no momento em que galgaram uma posição acima do previsível para a sua condição racial e de classe, e que poderiam então pretender fazer parte de uma elite até agora quase que inteiramente branca, ao invés de serem estimulados ou apoiados pelo seu mérito incomum, foram desestimulados e rejeitados através de ações negativas concretas e sistemáticas, tendo sido empurrados para fora do convívio privilegiado em que acabavam de ingressar.

Para avançar nesta discussão teríamos que delinear o que é específico da ação negativa no meio acadêmico, o que implica contrastar a irrupção do elemento negro num ambiente que joga abertamente com os sentimentos da vaidade, da arrogância e da pretensão de pertencimento a uma comunidade de eleitos - no caso brasileiro, um ambiente inequivocamente branco. Julgo até provável que um negro possa neutralizar ações negativas mais facilmente no mundo da produção, do comércio e do serviço público direto, onde há momentos de relaxamento de tensão e das hierarquias, produzidos pelo humor, por exemplo. Apesar da tensão racial latente na nossa convivência pública, vários elementos da personalidade individual podem jogar, nesses casos, um papel de gerenciamento ou controle da convivência inter-racial.

O meio universitário, por outro lado, é marcado pelo autocontrole e a dissimulação das intenções. A dimensão competitiva é explícita em suas metas e mais contida em suas manifestações que em outras esferas da vida social, como no mundo do esporte, da iniciativa privada, da mídia etc. Assim, um professor pode minar a autoestima de um aluno de um modo quase definitivo com um mínimo de ênfase e sequer deixando rastro ou consciência externa de sua ação. E um pequeno conflito ou mero desentendimento no interior dessa hierarquia – às vezes uma única frase – pode facilmente produzir efeitos devastadores, dada a natureza extremamente delicada, incerta e instável que é a relação de um aprendiz com um objeto de conhecimento.

A aventura intelectual plena prometida pelo ambiente acadêmico demanda uma crença em si próprio, uma segurança para aventurar-se num terreno permeado de dúvidas, opacidades e possibilidades de fracasso. O saber acadêmico exerce um profundo efeito inibitório na maioria das pessoas em geral. O que dizer então do seu efeito nos negros, já marcados por uma trajetória prévia de rejeição e de sentimentos de inadequação social e estranhamento territorial em espaços de classe média ou elitizados. Acrescentemos a isso o fato de que a convivência na academia é marcada por uma setorização radical do poder (compensada obviamente pela rotatividade de cargos e posições, porém que não suaviza o impacto conjuntural do seu exercício) e por uma concentração da avaliação em relações interpessoais, tendendo, na pós-graduação, à interação predominantemente dialógica, quando não de aberta intimidade e até mesmo de cumplicidade.

Na medida em que se avança na hierarquia específica de cada carreira acadêmica, essa pressão dialógica aumenta na escolha de assistentes de pesquisa, de participantes de projetos especiais, nas entrevistas para a pós-graduação, para orientação, para apresentação de trabalhos etc. O jovem negro em geral entra nessa estrutura em uma dupla condição fragilizadora, de irrelevância e de carência. Primeiro, experimenta a sensação de irrelevância, porque uma grande parte da sabedoria prática que adquiriu para sobreviver ao mundo exterior até passar no vestibular perde importância diante do caráter rarefeito do código acadêmico, avesso às convenções comunicativas próprias do vulgo "lá fora". Nesse sentido, a maioria dos estudantes negros compartilha o *stress* de exclusão que atinge os estudantes brancos de baixa renda e moradores da periferia.

Em segundo lugar, sofre uma crescente sensação de carência pela falta de um capital simbólico específico que às vezes serve de etiqueta e de senha de entrada e que, mesmo não contando diretamente como critério de desempenho curricular, abre portas de acesso aos espaços setorizados de privilégio e poder: certos filmes, livros, histórias, viagens, lugares, são marcadores de classe que quem teve que trabalhar durante o secundário não pôde adquirir. E se o estudante pobre é negro, essa carência se soma a outros signos de inadequação que carrega, o principal deles sendo a própria "aparência", banida dos anúncios de jornal, mas não da cabeça dos empregadores e dos membros das comissões avaliadoras. Nossa academia, num país que quando interessa à elite é descrito como mestiço, se imagina européia, seus heróis são homens e mulheres brancos, loiros, de olhos azuis, cujas fotos estão nos quadros, livros e cartazes. Tudo são imagens evocadoras do Ocidente branco: as bibliotecas, os auditórios, as línguas de prestígio, os lugares mitificados das biografias dos grandes acadêmicos etc. Para o universitário negro, ao *stress* de classe, soma-se o *stress* racial.

Mais pesado se torna o jogo inter-racial quando se enfrentam os rituais de promoção da imagem pessoal, em seminários, conferências e outras discussões fora de aula: as poses, as exibições de conhecimento, os enfrentamentos sub-reptícios que permitem o cultivo do lado perverso da academia – em lugar da arte, o artifício (algumas vezes vazio, outras de todo falso) –, que pode deslocar os parâmetros legítimos de avaliação para dar passagem a tentativas de sedução e competição desleal entre os estudantes diante das oportunidades apresentadas.

Outras inibições e desvantagens decorrem destas. Na medida em que a reação ao estereótipo racial é automática, o professor não se questiona por que todos os seus escassos alunos negros se sentam na última fileira das cadeiras; por que eles nunca "ouvem direito" quando ele explica e os força a repetir suas observações; por que automaticamente conta com que não entenderam bem a matéria e antecipa que sua exposição não estará entre as melhores. E por que seus colegas brancos também partem do mesmo princípio de que os negros não têm a mesma competência que eles? Assim surgem as fugas da sala de aula, as inadaptações, os mal-entendidos, os climas de desconforto e as reações psicossomáticas comuns entre os estudantes negros universitários: voz baixa, mutismo, afasia, embaraço, dislexia freqüente, irritação excessiva... conjunto de sintomas que desembocam muitas vezes no trancamento de matérias, desistências e finalmente em abandonos de cursos. A tudo isso os professores brancos assistem indiferentes; ou quando chegam a perceber algum caso particular, não têm elementos analíticos socializados para equacionar a crise do aluno negro.

Não possuo informação adequada sobre o clima racial nas Ciências Exatas e de como se dá a inserção do negro na vida de laboratório, mas certamente o mundo das Ciências Humanas e Sociais, no Brasil, é deveras refinado em seus mecanismos de exclusão racial e de classe. De outro modo não se explicaria tão facilmente a aparente normalidade de uma reunião da Associação Nacional de Pós-Graduação em Ciências Sociais (ANPOCS) ou da Associação Brasileira de Antropologia (ABA), de mais de mil acadêmicos, onde o número de negros presentes podem ser contados, até recentemente, com os dedos de uma mão.

Finalmente, insisto na importância de historiar minuciosamente os casos concretos de discriminação de universitários negros precisamente para ilustrar o que tem sido até agora a reação da academia à questão do racismo no seu meio: o silêncio. Não sabemos quantos Casos Ari já não sucederam em nossas universidades e foram todos convenientemente abafados. Os incidentes se repetem freqüentemente, porém deles fica em geral apenas pequenos fragmentos de relato, geralmente de terceira mão, retirados do seu contexto maior e divulgados quando já não mais carregam consigo a chama de um foco de conflito em que se possa intervir. Por isso, acabam sucumbindo à estratégia de amnésia imposta pelos brancos, que não querem enfrentar essa realidade de injustiça para não ter que assumir posições públicas. Eis uma lista de doze incidentes, típicos e ao mesmo tempo corriqueiros na sua alta previsibilidade, sobre os quais possuo informação fidedigna e suficiente:

- O primeiro aluno negro a entrar, após vinte anos, em um Programa de Doutorado em Antropologia é o primeiro a ser reprovado em uma matéria obrigatória em vinte anos, em circunstâncias inaceitáveis. Após dois anos de luta, o Conselho Acadêmico da universidade obriga o Departamento a aprová-lo na matéria devido à irregularidade da reprovação.
- Um aluno negro não encontra coragem para fazer o exame de seleção para o mestrado no mesmo Departamento em que se formou porque foi agredido por um professor em uma reunião de colegiado.
- Outro aluno negro e pobre também é agredido pelo mesmo professor no corredor do Departamento e igualmente desiste de tentar o mestrado.
- Uma aluna negra, no último semestre do curso, já redigindo a monografia final, é abandonada pela sua orientadora, que a decreta incapaz e, consequentemente, um caso perdido aos seus olhos; enquanto sai à cata de algum outro professor que aceite orientá-la, atrasa em um semestre sua formatura.
- Um aluno negro que aparentemente dormia em sala de aula é expulso pelo professor da área de Ciências Sociais e, ao regressar na aula seguinte, é de novo expulso; recusa-se a sair, por não entender o que se passa e o professor chama dois seguranças do campus para que "retirem esse elemento da sala". Os colegas do estudante solicitam à Chefia do Departamento um posicionamento sobre o ocorrido e uma punição ao professor. O colegiado de professores, porém, recusa-se a debater o assunto como uma manobra para deixar o colega impune.

- Uma estudante negra de Salvador entra no Doutorado de Ciências Sociais em uma universidade federal do Sul do país. Como no caso de seu conterrâneo Arivaldo Alves, é reprovada na matéria de sua provável orientadora logo no primeiro semestre, simplesmente por discordar da teoria do autor preferido da professora, que lhe retira a orientação. Todos os colegas do Programa se unem à professora e nenhum aceita orientá-la. Após um único semestre de curso, ela é forçada a abandonar o doutorado de Sociologia.
- Um professor da área de Letras emite o seguinte juízo, alto e bom som, em plena sala de aula em que está presente um aluno negro: "todos sabemos que os negros são intelectualmente inferiores, mas isso não constitui razão para que os tratemos mal";
- Cinco estudantes negros conversam do lado de fora do Centro Comunitário, durante uma festa, quando vinte seguranças exigem em tom agressivo que se retirem do local. Quando os estudantes reclamam do abuso, vem o chefe da segurança e acusa um dos estudantes negros de ter roubado cerveja... em um local em que estavam presentes centenas de estudantes brancos.
- Um professor da área de Física candidata-se a um concurso público em uma universidade federal do Sudeste e liga primeiro para o Chefe do Departamento em questão, alertando-o para o fato de ser negro e solicitando que confirme se sua cor não será um problema para o Departamento, caso contrário cancelará sua viagem à capital onde deverá fazer o concurso;
- Um professor negro da área de Artes é aprovado em um concurso. Os anos passam e nada de ser chamado. Quando finalmente questiona o Departamento, recebe a resposta de que "não estão mais interessados na sua contratação". Por um triz perde a oportunidade de ingressar na carreira docente daquela universidade.
- Um estudante negro acaba de defender seu Doutorado em Teologia e está recebendo os cumprimentos da banca examinadora e da platéia. Um dos seus examinadores, professor do curso em que acaba de se doutorar, aproxima-se para saudá-lo e lhe diz o seguinte, em voz baixa, mirando-lhe os olhos: "Tudo bem, você terminou seu doutorado, mas aqui você não entra".
- Um aluno negro é o único de sua cor numa turma de trinta em um curso novo da área de Engenharia; um professor caminha com a turma em direção ao restaurante e diz, apontando o aluno negro: "há um corpo estranho entre nós".

Por trás de cada um desses doze incidentes estão doze biografias traumáticas e doze histórias carregadas de tensão racial, potencialmente explosivas como foi o Caso Ari. Fazendo o papel do advogado do diabo, alguém poderia dizer que talvez os negros (e eu também, ao relatá-los) estejam lendo esses casos exclusivamente através da matriz de relações raciais, esquecendo que é perfeitamente possível que outros fatores sociais e pessoais tenham jogado um papel predominante nesses conflitos. Mantida tal possibilidade, porém, permanece o fato de que a questão do negro aparece como uma coincidência que é sempre reiterada. E é justamente o questionamento da presença central do conflito racial, dada a possibilidade de outros fatores, que levou a academia, até hoje, a não conseguir intervir para reverter o escandaloso quadro de exclusão do negro em seu meio. Melhor seria admitir francamente o fator de discriminação, pois essas mesmas "coincidências" não sucedem com os universitários brancos na mesma medida: todas as evidências reunidas até agora indicam que a academia brasileira de hoje não é lugar para negro. Com sua frase abertamente racista, "Há um corpo estranho entre nós", o professor de Engenharia parece ter verbalizado, sem saber ou querer, o que a academia pratica silenciosamente o tempo todo.

Narrar minuciosa e exaustivamente os incidentes de discriminação racial é o único modo de gerar um clima de discussão que estimule a formulação de propostas concretas de inclusão dos negros no meio acadêmico brasileiro. Estou convencido, além disso, de que é a estratégia do silêncio que gera maior rancor e maior ressentimento. Se a academia brasileira não pode ainda lidar bem com esse problema é justamente porque se tem negado a registrar a sua própria conduta diante da exclusão racial que tem praticado. Aqueles dentre nós que considerem injusta a exclusão racial vigente em nossas instituições, devem expô-la para avaliar suas proporções e combatê-la com as armas em que nos especializamos: a investigação racional dos fatos e a construção de modelos teóricos e conceituais que os tornem inteligíveis. Somente assim seremos capazes de oferecer subsídios para a formulação de políticas públicas que promovam a igualdade de oportunidade e a cidadania para todos.

CAPÍTULO III

# O impacto das cotas no mundo acadêmico e na ideologia da mestiçagem

### O silêncio sobre o racismo no meio acadêmico brasileiro

A luta pelas cotas para negros no ensino superior brasileiro tem aberto inúmeras questões sobre as relações raciais no Brasil que haviam sido silenciadas quase totalmente ao longo de todo o século vinte. Entre tantas questões, revela-se agora o quanto nossa classe acadêmica esteve impune pela exclusão racial que se instalou no nosso meio desde a consolidação das primeiras universidades públicas na década de trinta. É a essa impunidade e a esse silenciamento crônicos que dou o nome de racismo acadêmico.

Discutir cotas é repensar e avaliar a função social da universidade pública. Gerida por meio de verbas do Estado, a universidade deveria formar lideranças que representassem a diversidade étnica e racial do país. Nada mais claro, portanto, que tivéssemos brancos, negros e índios nos quadros discente, docente e de pesquisa na nossa academia. Contudo, em um país de 47% de população de negros (pretos e pardos segundo o IBGE), o contingente de estudantes negros não passa de 10% e o de docentes é menor que 1%. Deve-se perguntar como foi possível que um grau de exclusão racial tão escandaloso não tenha suscitado, até agora, praticamente nenhuma discussão ou incômodo por parte dos acadêmicos brancos brasileiros (entre os quais me incluo), sobretudo na nossa elite de Ciências Humanas e Sociais. Como resposta a esse desafio, tentarei construir um marco conceitual mais amplo, ainda que preliminar e sujeito a correções, para uma análise do racismo acadêmico brasileiro. Para encerrar, teço algumas considerações sobre o impacto das ações afirmativas nas Ciências Humanas e Sociais no Brasil.

Uma parte das resistências às ações afirmativas que hoje observamos no Brasil se deve à ignorância e à desinformação, resultados do silêncio que a academia branca impôs a si mesma e à sociedade, durante mais de um século, sobre a sua realidade interna de exclusão racial. Poderosos e eficientes mecanismos de disfarce e de silenciamento do racismo foram acionados constantemente no interior da academia. Somente agora, com a discussão das cotas, começa a abrir-se um pouco a cortina do racismo acadêmico propriamente dito. Já é hora, portanto, de perguntar: por que, após tanto tempo, temos universidades ainda tão brancas? Isto não é resultado de uma prática racista que está na sociedade apenas: resulta de um esforço sistemático (mesmo que quase nunca verbalizado) feito pelos próprios acadêmicos. E uma parte considerável desse esforço deveu-se à produção das Ciências Sociais, encarregadas que foram de produzir um modelo de relações raciais no país que o colocassem em vantagem com relação aos Estados Unidos e à África do Sul e fora do risco de um questionamento internacional análogo ao que sofreram esses países. Escusado dizer, esse segmento de cientistas sociais é composto quase que exclusivamente de pessoas brancas e quem pagou o preço desse discurso positivo (e falso) foram os negros e os índios, que ficaram até hoje fora das universidades.

Temos discutido nos últimos anos o acesso de secundaristas negros à universidade pelo vestibular, e, para tanto, procuramos conhecer a porcentagem dos estudantes negros que hoje existem nas universidades e relacioná-la com a porcentagem de negros nos estados.[22] Nesse sentido, estamos situando o problema de um modo que se poderia chamar de conformista: concedemos a exclusão presente até agora e solicitamos um primeiro passo em direção a uma lenta inclusão a perder de vista, para dez, vinte, cinqüenta anos. Vista sob esse prisma, a proposta de cotas para o vestibular, que por si mesma já tanto incomoda à maioria dos professores, é ainda uma proposta conservadora. Julgo importante fazer essa ressalva porque as cotas já assaltam de tal modo a tranqüilidade da elite branca da universidade que não podemos deter o ímpeto da discussão por causa da reação da academia à possibilidade da inclusão racial. Mais ainda, sustento que só conseguiremos entender porque há tão poucos negros na universidade hoje se analisarmos a pirâmide do mundo acadêmico pelo topo e não só pela base. O foco da reprodução ou da mudança do sistema não está no perfil racial dos calouros, mas dos professores – somos nós, afinal de contas, que temos autonomia para gerir o sistema universitário brasileiro.

---

22. Uma fundamentação mais extensa dos argumentos específicos em favor das cotas pode ser encontrada na nossa Proposta de Cotas para a Universidade de Brasília (Carvalho & Segato 2002), destinada ao ingresso de negros e índios na graduação.

A média de estudantes negros no total do país é de aproximadamente 2% de pretos e 8% de pardos. Os negros estão concentrados nos cursos chamados de baixa demanda; além disso, estão concentrados nas faculdades particulares de menor prestígio. Um exemplo claro disso é a Universidade Católica de Salvador (UCSAL), conhecida na Bahia como "a universidade negra". Criada há quarenta anos, ela cresceu a partir dos anos 70 absorvendo os estudantes negros que não conseguiam entrar na Universidade Federal da Bahia (UFBA), a universidade de referência no estado. Assim, apesar de todo o esforço e empenho de seus professores, ela encarna a dupla discriminação da população universitária negra brasileira: justamente os estudantes negros mais pobres estudam em uma faculdade com menos recursos para a pesquisa e ainda têm que pagar pelos estudos! Todavia, que não reste dúvida: a maioria dos professores da UCSAL faz um enorme esforço por cumprir com seu papel de formação e de produção de conhecimento. Julgo importante ressaltar aqui que já vivemos no Brasil, praticamente, e ainda que sem o aparato legal que existiu na África do Sul, dimensões claras de segregação no mundo acadêmico, a ponto de uma instituição de ensino superior ser chamada de "universidade negra"... o que indica, implicitamente, a existência de "universidades brancas".

Falta-nos agora completar esse quadro fazendo a seguinte pergunta: e mesmo as "universidades negras", quantos professores negros absorveram para ensinar os seus alunos negros? A ausência de professores negros faz incidir sobre os alunos negros, pobres e ainda sobreonerados financeiramente, uma terceira dimensão de discriminação: a injustiça simbólica de carecer de figuras modelares de identificação que os ajudem a construir uma auto-imagem positiva e suficientemente forte para resistir aos embates do meio acadêmico racista em que têm que se mover.

Se pararmos um pouco de pensar nos estudantes e pensarmos nos professores que, em última instância, votarão nos Conselhos Acadêmicos as propostas de inclusão racial, descobriremos que em torno de 99% deles são brancos. A primeira realidade que devemos ter em mente é que é ainda muito mais alta a porcentagem de professores brancos do que a de alunos brancos nas universidades. Além disso, não temos razão para continuar naturalizando o processo de entrada dos professores, como se os concursos por que passaram todos os docentes que hoje ensinam nas universidades públicas fossem imunes à crítica, mesmo do ponto de vista do que chamamos de meritocracia. Muito pelo contrário, a história da academia brasileira no século 20 também foi uma história de obstáculo ao ingresso de ilustres intelectuais negros nas grandes universidades do país. Vejamos alguns casos.

Em primeiro lugar, lembremos o caso emblemático de Guerreiro Ramos, um dos grandes cientistas sociais brasileiros do século 20. Guerreiro Ramos foi aluno e formado na primeira turma de Filosofia da Universidade do Brasil (hoje UFRJ) em 1950. Contudo, ele não foi absorvido como professor da UFRJ. Assumiu o lugar que poderia ter sido seu um professor totalmente inexpressivo, somente lembrado na história por sua associação negativa com a biografia de Guerreiro Ramos. Sua exclusão teve graves conseqüências para a comunidade negra. Se ele tivesse entrado no sistema universitário, naquele momento em que ele se consolidava, certamente teria trazido mais negros para o ensino superior e energizado o debate sobre a exclusão racial na elite brasileira a partir de dentro, do lugar em que ela se reproduz. Guerreiro Ramos desenvolveu sua carreira universitária nos Estados Unidos e chegou a publicar obras em espanhol que ainda não foram traduzidas ao português. No final da vida, em uma entrevista concedida a Lucia Lippi de Oliveira, indicou sem rodeios que foi vítima também de perseguição racial na Universidade do Brasil e acusou o Brasil de ser "o país mais racista do mundo" (Oliveira, 1995, p. 174).

Poucos anos depois, outro ilustre pesquisador negro, Edison Carneiro, também ficou de fora da universidade pública. Apesar de toda a sua rica trajetória intelectual, nos anos 50, candidatou-se a substituir Arthur Ramos, na vaga de Antropologia, também na Universidade do Brasil. Dramaticamente, não conseguiu ser professor da UFRJ, mesmo tendo sido presidente do Instituto Nacional do Folclore. O jornal *Quilombo*, lançado em 1948 sob a direção de Abdias do Nascimento, nos transmite a impressão de um *dejá vu*, como se meio século simplesmente não tivesse feito nenhum impacto significativo na exclusão racial no Brasil. É fato que estamos em melhor situação do que estávamos alguns anos atrás, mas por outro lado, há algo de estático, uma inércia quase irremovível na realidade racial brasileira. Ao ler os números do jornal, de 1948 a 1950, é como se estivéssemos lendo o Brasil de hoje com fotos antigas. Em dois dos seus números os articulistas fazem uma biografia de Édison Carneiro, com sua foto tendo ao fundo a sua grande biblioteca especializada em assuntos negros, ressaltando: "Atualmente Édison Carneiro prepara uma tese para concorrer à cadeira de Antropologia da Faculdade Nacional de Filosofia, vaga com a morte de seu mestre e amigo Arthur Ramos".

Com esse currículo, sem sombra de dúvida, não havia na Universidade do Brasil muitos que a ele se equiparassem. Toda a intelectualidade negra daquele momento estava afinada com a importância da presença de Édison Carneiro na principal universidade do país: uma imagem, um modelo de um acadêmico negro agora no lugar que lhe correspondia e que certamente traria jovens estudantes negros para o seu meio. As notícias repetiram-se nos números 7 e 8 do *Quilombo*. A expectativa crescia, a ponto de aparecer no número 9 um artigo novo, intitulado "Notório saber", onde relatam mais uma vez, com um desenho de Édison Carneiro: "Conforme já tivemos ocasião de noticiar, o escritor Édison Carneiro inscreveu-se no concurso para a cadeira de Antropologia da Faculdade Nacional de Filosofia, vaga com a morte de seu mestre e amigo Arthur Ramos". Em seguida abordam um problema surgido com sua titulação para o concurso, confirmam que foi aceita a sua inscrição como notório saber e informam que ele está preparando um texto, *A dinâmica do folclore*, justamente um dos seus livros mais lidos e conhecidos: "o Quilombo sente-se orgulhoso com o acontecimento e envia a Édison Carneiro seus votos de sucesso no prelo em que se lançou." Sabemos o que aconteceu: ele foi reprovado e não pôde impactar a universidade da capital com seu saber e sua rica biografia de intelectual negro.

Podemos citar ainda o caso de Clóvis Moura, há pouco falecido, que foi um dos mais importantes pesquisadores da história da resistência negra no Brasil. Apesar de autor de uma obra tão vasta e importante, Clóvis Moura, que por várias décadas desenvolveu sua carreira intelectual em São Paulo, não conseguiu inserir-se como docente regular nas universidades públicas paulistas, o que certamente limitou a sua capacidade de formar novos quadros de pesquisadores negros e de contar com melhores condições para desenvolver suas pesquisas e também de alcançar o reconhecimento devido por sua excepcional trajetória. Sobre ele pairou sempre o estigma, colocado pelos acadêmicos brancos conservadores, como um modo de desautorizá-lo, de que era um "militante" mais que um acadêmico... como se algum acadêmico branco, mulato índio ou negro, não o fosse.

Admitamos que nossa academia não foi apenas neutra em relação aos três intelectuais negros acima mencionados. Na contra-corrente da ação afirmativa, hoje tão discutida, o fato de que eles não puderam participar da história da nossa vida universitária deve ser lida como uma ação negativa, entendida como uma reação à possibilidade de uma integração do negro em cargos de prestígio social e econômico no país. Regressarei mais adiante a esse conceito de ação negativa.

### O censo racial inexistente na academia brasileira

A falta de dados sistemáticos sobre a composição racial dos docentes e pesquisadores é algo que deve tornar-se matéria de reflexão. Como podem nossos pesquisadores teorizar sobre as relações raciais na sociedade brasileira se desconhecem e se recusam a analisar as relações raciais das quais eles fazem parte e que eles mesmos ajudam a reproduzir? Tenho procurado reunir, com a ajuda de vários colegas, dados para a configuração de um quadro da situação dos docentes negros no ensino superior.

Eis uma amostra de um censo racial ainda aproximado que compilei dos professores de algumas universidades brasileiras, resultado de contagens diretas realizadas por colegas docentes negros nas suas respectivas instituições a partir de provocações que tenho feito em debates públicos nessas universidades. Deixo claro que há uma margem de erro nesses números; para compensá-la, coloquei um número ligeiramente maior de negros do que o encontrado até agora:[23]

| Nome da universidade | professores | professores negros |
|---|---|---|
| Universidade de Brasília (UnB) | 1.500 | 15 |
| Universidade Federal de São Carlos (UFSCar) | 570 | 3 |
| Universidade Federal do Rio Grande do Sul (UFRGS) | 2.000 | 3 (um deles africano) |
| Universidade Federal de Goiânia (UFG) | 1.170 | 15 |
| Universidade Federal de Minas Gerais (UFMG) | 2.700 | 20 |
| Universidade Federal do Pará | 2200 | 18 |
| Pontifícia Universidade Católica de Minas Gerais (PUC-MG) | 1.700 | 17 |
| Universidade Federal de Santa Catarina | 1.700 | 17 |
| Universidade Federal Fluminense (UFF) | 2.861 | 39 |
| Universidade Estadual do Rio de Janeiro (UERJ) | 2.300 | 30 |
| Universidade Estadual de Campinas (Unicamp) | 1.761 | 4 |
| Universidade de São Paulo (USP) | 4.705 | 5 |
| Universidade Federal do Rio de Janeiro (UFRJ) | 3.200 | 20 |

Sobre a USP, certamente a universidade mais poderosa do país, vale observar que na Faculdade de Filosofia, Letras e Ciências Humanas, há apenas três professores negros entre 504, sendo um deles africano.[24] No caso da UFRJ, informações passadas

23. Para a sistematização deste censo contei com a ajuda inestimável dos professores Valter Roberto Silvério, José Carlos dos Anjos, Dora Bertulio, Joaze Bernardino, Nelson Inocêncio, Nilma Gomes, Leda Martins, Zélia Amador de Deus, Raimundo Jorge, Benilda Regina, Kabengele Munanga, Moema De Poli, André Brandão, Marcelo Tragtenberg e Regina Vasconcelos Antônio. Fiz uma análise mais detalhada deste censo em uma entrevista à Agência Carta Maior em fevereiro de 2006 (Carvalho 2006).

24. Essas cifras me foram passadas, em abril do ano 2000, pelo Prof. João Batista Borges Pereira, ex-Diretor da FFLCH.

por professores e servidores ligados ao SINTUFRJ indicam que o Centro de Ciências da Saúde (CCS), a maior unidade acadêmica da universidade, conta com aproximadamente 800 professores, dos quais apenas três são negros.

Um dado recente que me foi passado por colegas da UERJ aponta para um aspecto ainda pior da já altíssima exclusão racial na nossa classe docente: dos 30 professores negros da UERJ, pelo menos metade se concentra apenas em duas unidades acadêmicas, estigmatizadas como de menor prestígio: o Departamento de Educação Física e o Centro de Formação de Professores de São Gonçalo. Restariam, portanto, apenas 15 professores negros no meio das centenas de docentes das unidades mais poderosas. Alguns colegas acreditam que esse mesmo padrão de distribuição deve operar em outras universidades públicas.

Diante dessa média de menos de 1% de professores negros nas universidades, duas perguntas podem ser formuladas: como sabemos que esse número de 1% foi um crescimento em comparação com os anos 60? E se nos anos 60 havia mais docentes negros? Minha hipótese é de que o número de professores universitários negros diminuiu nos últimos trinta anos.

Se olharmos o sistema acadêmico de cima da hierarquia para baixo e centrarmos nossa análise em qualquer uma das universidades públicas acima citadas, poderemos imaginar o peso que recai sobre cada um dos professores negros que sejam conscientes de seu papel como membros da comunidade negra brasileira. Por exemplo, no momento em que um professor ou professora especializados em África, em cultura afro-brasileira, em relações raciais, ou em temas afins se aposentarem, provavelmente diminuirão, na sua universidade, as discussões sobre cultura negra e sobre questões raciais, caso ele ou ela não consigam influenciar a colocação de um sucessor negro ou negra para continuar o seu trabalho. Um exemplo concreto e notável: que eu saiba, quando o falecido Milton Santos se aposentou na USP, sua vaga não foi preenchida por outro professor negro; pelo contrário, a Geografia tornou-se ainda mais branca a partir de então.

Podemos assegurar com confiança que a cada vez que entrou um professor negro nas áreas de Ciências Humanas e Sociais, linhas de pesquisa e interesses de conhecimento sobre a questão negra foram abertos ou ampliados. E é justamente por causa desse baixo número de docentes negros que ainda agora, após cem anos de vida acadêmica, muitas questões cruciais da nossa sociedade continuam sem ser discutidas com propriedade. Conseqüentemente, os concursos para docentes preenchidos quase que exclusivamente por candidatos brancos já não podem ser vistos apenas como resultado de decisões racionais, baseada em padrões de avaliação inteiramente impessoais dos membros das bancas. Os concursos são na verdade o resultado de uma complexa equação que envolve variáveis como: a política acadêmica (pressões externas e internas, de cunho ideológico ou meramente de poder, em favor de determinados candidatos); as redes de relações dentro da comunidade acadêmica (linhas de pesquisa, filiações teóricas, campos de atuação); além, é claro, do desempenho e da trajetória acadêmica (artigos e livros publicados, experiência em pesquisa), cuja relevância varia de acordo com o perfil do candidato desejado (pesquisador sênior, ou pesquisador júnior e etc.). Enfim, que fique claro que os concursos para professores não são regidos (apenas) pela impessoalidade.

Diante desses dados alarmantes, perguntamo-nos se o Ministério da Educação não deveria investigar os concursos realizados e procurar saber se as vagas públicas estão sendo alocadas dentro de algum critério de interesse social (incluindo a pluralidade racial), e se, por exemplo, uma faculdade que conta com quinhentos professores brancos e três negros, já não está na hora de começar a integrar racialmente o seu quadro docente, independente da capacidade específica dos membros das bancas para avaliar os candidatos segundo critérios pretensamente universalistas de mérito científico.

Eis duas hipóteses sobre porque provavelmente trinta anos atrás havia uma proporção maior de professores negros nas nossas faculdades. Em primeiro lugar, o falecido Milton Santos e outros ilustres professores negros ainda atuantes estudaram em uma época de boa escola pública. Em segundo, a elite acadêmica era muito menor no Brasil dos anos 50 e 60, as próprias redes de poder acadêmico estavam menos saturadas e por isso alguns negros puderam concorrer em condições mais igualitárias com seus colegas brancos.

Já os jovens negros doutores de agora são em boa medida egressos de uma escola pública menos apoiada pelo estado, concorrem com um número muito maior de doutores brancos e ainda têm de superar dois entraves: as eventuais deficiências de capital cultural específico e idiossincrático segundo a universidade em que pretendem ensinar e segundo a disciplina em que se especializaram; e as barreiras de recomendação, na medida em que não pertencem a essa fechadíssima rede acadêmica já consolidada. Uma tese recente, de Maria Solange Pereira Ribeiro, defendida na Faculdade de Educação da USP, vem confirmar essa intuição: a autora descobriu que desde o ano de 1980 não houve mais ampliação da presença de professores negros nas universidades públicas paulistas. Solange Ribeiro conta que em uma das quatro universidades por ela pesquisadas encontrou apenas cinco negros entre dois mil professores (0,25% de docentes negros!).[25]

Para citar um exemplo recente, um recém-doutor negro participou de um concurso em uma das universidades mais importantes do país, disputando uma das três vagas em um departamento que conta com apenas um professor negro entre 25. O candidato negro teve que concorrer com 23 candidatos brancos e ficou – surpresa! – em quarto lugar. A relevância social da sua presença poderia ter sido o fator de desempate a seu favor em um universo altamente segregado e que ampliará ainda mais seu grau de segregação (agora serão 28 professores brancos e um negro), provavelmente por um lustro, já que vagas novas são cada vez mais escassas. É esse tipo de inconsciência racial que pode manifestar-se indefinidamente à sombra da ideologia freyreana dos brancos sem cor que discutirei a seguir.

Se pensarmos que até a África do Sul já está integrada racialmente, é preciso fazer uma simulação do número de anos que serão necessários para reverter minimamente essa desigualdade racial extrema que caracterizou o nosso corpo docente. Pensemos no caso da USP, o mais extremo dos extremos. Atualmente, ela conta com apenas 0,4% de professores negros, após setenta anos de investimento contínuo e de ampliação do número de vagas. Se usarmos a tese de Solange Ribeiro como referência e fizermos uma simulação otimista (de que a situação racial não piorou nas últimas décadas), podemos inferir que serão necessários um mínimo de vinte anos para que essa porcentagem passe de 0,4% a 0,6% - um salto relativo, ainda que irrisório, de 100% no número de professores negros. Se não houver uma aceleração nesse ritmo de inclusão proporcional, somente daqui a 60 anos a porcentagem de docentes negros na Universidade de São Paulo poderá chegar a 1%! Imagine o leitor, a partir daí, quantos séculos serão necessários para chegarmos a um patamar minimamente digno de integração racial no nosso sistema acadêmico como um todo.

Universidades como a USP e a UFRJ, justamente as mais antigas e as que mais controlam o discurso das Ciências Humanas e Sociais no Brasil, são as que mais resistem a adotar qualquer medida de ação afirmativa, mesmo que seja apenas no início da carreira acadêmica, isto é, no vestibular. Provavelmente o leitor há de

25. Ver a tese de Ribeiro (2001). Também o trabalho de Moema De Poli Teixeira confirma esse mesmo quadro de dificuldade e exclusão em um ambiente universitário carioca similar ao descrito por Ribeiro (Teixeira 2003).

concluir, como já o fiz, que sem algum sistema urgente de cotas, sequer faz sentido projetar alguma meta concebível, em termos do tempo da história do nosso país enquanto uma nação multiétnica e multirracial, de integração étnica e racial completa nessas instituições. O racismo passará a ser, infelizmente, uma das marcas distintivas, do norte ao sul do país, das nossas melhores universidades públicas.

Eis uma breve síntese histórica da consolidação da rede racista na nossa academia. A Universidade Federal do Rio de Janeiro (UFRJ) foi criada em 1924, como uma instituição exclusiva da elite branqueada do então Distrito Federal. Dez anos após, foi criada a poderosa Universidade de São Paulo (USP), também como uma instituição inteiramente branca. Essas universidades mais antigas (incluindo, entre outras, a UFPR e a UFRGS) ajudaram a formar a segunda geração de professores universitários e com eles consolidar o quadro docente branco de várias outras universidades públicas. O mesmo processo se deu com a fundação da Universidade de Brasília em 1960: foi formada com muitos professores brancos oriundos principalmente do eixo Rio - São Paulo (USP e UFRJ). Por sua vez, a UnB formou novos mestres e doutores que foram absorvidos por outras universidade federais e estaduais. Oitenta anos depois, temos um quadro universitário gigantesco e que reproduz essencialmente as características da rede original construída na UFRJ e na USP: o *ethos* branco da academia brasileira, cuja história de exclusão racial ainda está por ser relatada.

Ainda uma pequena ilustração deste apartheid universitário *avant la lettre*. Que o leitor consulte o livro do Professor Ernesto de Souza Campos, *História da Universidade de São Paulo*, publicado em 1954 e republicado em 2004 por ocasião dos 70 anos da USP. Em centenas de pessoas registradas em mais de 30 fotografias sobre todas as áreas de pesquisa e ensino conduzidos naquela universidade, não é possível divisar uma única pessoa inequivocamente não-branca.

Assim foi formado no Brasil um dos maiores sistemas de instituições acadêmicas do Terceiro Mundo, nos programas de graduação, de pós-graduação e nos institutos de pesquisa, todos quase inteiramente brancos em sua composição docente. Dos pesquisadores do CNPq com bolsa de produtividade em pesquisa, 99% deles são brancos. A mesma proporção de exclusão racial extrema é encontrada entre os pesquisadores da CAPES; da COPPE, no Rio de Janeiro; do Instituto de Matemática Pura e Aplicada (IMPA); de Manguinhos; do Museu Nacional do Rio de Janeiro; da Fundação Getúlio Vargas; do Museu Goeldi – enfim, em todos os chamados "centros de excelência", encontramos o mesmo perfil racial homogêneo e excludente. A rede de pesquisa é uma espécie de supra-rede da elite da rede de professores universitários que vão indicando seus "melhores talentos" (por sua vez recrutados da rede dos estudantes de pós-graduação) para irem formando os centros de pesquisa. A imagem que faço é de um edifício da academia (docência e pesquisa) que foi construído nos anos 60 e 70 e que está agora inteiramente ocupado por brancos. Há uma fila de brancos dando volta no quarteirão à espera para entrar no primeiro apartamento que vagar. E os negros? Vão entrar no final desta fila? Se tal for o caso, dificilmente entrarão no sistema, pois não haverá vagas disponíveis para eles pelo menos por alguns séculos.

Aparentemente, o Estado brasileiro, respeitoso da autonomia universitária, ainda não sabe com detalhe desse perfil racial dramático, porque esse mesmo estado é controlado quase exclusivamente por membros da elite branca que construiu a nossa academia. E nossa academia não se vê racializada, ou melhor, não se quer ver. No que me diz respeito, encontro enorme dificuldade, desde já alguns anos, em discutir esse tema com a maioria dos colegas brancos, que não se vêem partícipes de um mundo racialmente excludente: crêem apenas que vivem no mundo do saber, do mérito, da ciência, da verdade – em um mundo sem cor, afinal, ainda que exclusivamente branco.

Minha sugestão, portanto (e que é complementar à proposta de cotas que encaminhei para a graduação na UnB), é de centrarmos nossos esforços na pirâmide do poder acadêmico. Procuremos saber, em primeiro lugar, se já existem negros em condições de ocupar esses cargos, pergunta ainda difícil de responder por ausência de dados de pesquisa. Se já existem negros, podemos utilizar instantaneamente um sistema de preferência: a partir de agora, o MEC deve, em qualquer concurso nas federais, intervir na prática de seleção através de uma campanha de conscientização racial nas universidades, para que não se reproduza a assustadora proporção de quinhentos professores brancos e três negros em uma única faculdade. Negros que tiverem doutorado já poderão entrar na carreira docente; os que tiverem mestrado, entrarão no doutorado pelo sistema de preferência, cujos princípios detalharei mais adiante. Se estamos certos de que o sistema é absolutamente excludente, e se queremos de fato ser conseqüentes com nossa consciência, devemos intervir em todos os níveis da hierarquia acadêmica, sempre que possível. Caso contrário, estaríamos excluindo os negros que já têm o curso superior, justamente agora que pretendemos começar a incluir secundaristas negros por meio do vestibular.

Conforme indiquei anteriormente, uma questão central a ser atacada é a suposta ausência de cor da elite brasileira. Se chegarmos a uma reunião dos Comitês de Avaliação dos órgãos de financiamento (às vezes com centenas de pesquisadores) e perguntarmos pela cor das pessoas ali reunidas, provavelmente receberemos como resposta que nenhuma delas tem cor. Muitos pesquisadores poderão considerar a pergunta, inclusive, imprópria, deselegante e mal-educada: aqui não há brancos nem negros, trata-se de uma comunidade de pares. Insistamos um pouco e indaguemos em seguida como foi construída a comunidade de pares. Responderão: esta é uma questão de história, que coincidentemente não nos interessa; só sabemos que agora somos pares.

### A voz negra em prol das ações afirmativas

Discutimos até aqui o problema da falta de representação da comunidade negra no complexo de ensino superior e pesquisa no Brasil. Vejamos agora como são distribuídos os financiamentos de quadros acadêmicos preparados para silenciar o discurso anti-racista. Segundo informações de vários pós-graduandos das áreas de Ciências Sociais, é muito comum, nas seleções em algumas universidades federais, que as bancas procurem estudantes que queiram trabalhar na linha de pensamento de autores como Gilberto Freyre e Sérgio Buarque de Holanda, entre outros ideólogos da hierarquia racial conciliadora. Assim são formados constantemente novos freyreanos e buarqueanos que discorrerão sobre aspectos "desconhecidos" ou farão novas releituras celebratórias das teses canônicas das duas obras centrais desses autores sobre a construção racial do Brasil, tornando-as sempre presentes na consciência discursiva da elite intelectual brasileira.

Enfatizemos: a ideologia da democracia racial sobreviveu por tantas décadas, não exclusivamente pelo seu potencial argumentativo inicial, mas também, e principalmente, porque houve verbas públicas para reproduzir os quadros intelectuais que a disseminam: bolsas de estudo e verbas para pesquisas de mestrandos, doutorandos e de professores que se disponham a escrever sobre o assunto. Insistamos pois em que a obra de Gilberto Freyre, por exemplo, centrada na negação do discurso anti-racista, sobrevive também por um esforço de Estado. Interessa à elite branca que controla o Estado disseminar na população (sobretudo entre os jovens) a idéia de um país racialmente integrado e pacificado, apesar de todas as evidências (inclusive oficiais e divulgadas pelo próprio Estado) em contrário. Vale lembrar que os autores que assinam esses inúmeros ensaios publicados constantemente com a finalidade de celebrar e manter vivo o modelo freyreano de relações raciais no Brasil são invariavelmente brancos. Não conheço um único intelectual ou acadêmico negro vivo que tenha escrito a favor das teorias de integração racial propostas por Gilberto Freyre.

Na verdade, as elites brancas brasileiras fizeram mais que apenas calar os dados sobre a desigualdade racial no Brasil: elas contribuíram para a sua reprodução. Por outro lado, os intelectuais negros tentaram, ao longo de todo o século vinte, denunciar a realidade de exclusão racial e encaminhar propostas de apoio estatal à população negra. Todas as vezes que o fizeram, porém, seu discurso foi silenciado ou retirado do circuito hegemônico de comunicação do país. No momento presente, em que propomos ações afirmativas no ensino superior, devemos resgatar as reivindicações históricas da intelectualidade negra, até mesmo para desfazer uma idéia simplista de que estamos apenas "copiando o modelo norte-americano de ações afirmativas". O jornal *Quilombo,* por exemplo, colocava, desde o seu primeiro número de 1948, uma série de cinco propostas, na coluna chamada Nosso Programa, a terceira das quais dizia o seguinte:

"Lutar para que, enquanto não for gratuito o ensino em todos os graus, sejam admitidos estudantes negros, como pensionistas do Estado, em todos os estabelecimentos particulares e oficiais de ensino secundário e superior do país, inclusive nos estabelecimentos militares."

Vemos aqui que Abdias do Nascimento propunha um programa similar ao que mantêm atualmente algumas ONG's dedicadas aos pré-vestibulares para negros com algumas universidades vocacionais: um programa de bolsas de apoio aos estudantes negros que ingressarem na universidade. Vale a pena recuperar também as propostas constantes do documento denominado *Por uma Política de Combate ao Racismo e à Desigualdade Racial*, entregue ao então Presidente da República Fernando Henrique Cardoso por ocasião da histórica Marcha Zumbi dos Palmares contra o Racismo, pela Cidadania e pela Vida, realizada no dia 20 de novembro de 1995 em Brasília. O último item do Programa de Superação do Racismo na área de Educação demanda do estado:

"Desenvolvimento de ações afirmativas para o acesso dos negros aos cursos profissionalizantes, à universidade e às áreas de tecnologia de ponta".

O que estamos fazendo, atualmente, é dar continuidade a essa série histórica de propostas e reivindicações de ações afirmativas para a educação superior, formuladas pela comunidade negra brasileira.

Ao resgatar essas propostas, vale a pena lançar um olhar crítico sobre a área de estudos em Ciências Sociais denominada de "pensamento social brasileiro", campo discursivo saturado de freyreanismo e inteiramente racializado, porém que não se assume como tal. Nos encontros das associações acadêmicas de Ciências Sociais, autores brancos que monopolizam a área supostamente falam em nome de todos e, mesmo admitindo "um certo grau de racismo", decretam a existência de uma integração racial no Brasil, surgida por conciliação de conflitos ou mesmo por uma porosidade nas identidades raciais. Autores negros, de circulação bloqueada e ainda acusados pelos autores brancos de militantes, questionam frontalmente essa idéia de integração racial e narram uma história de segregação, exclusão e violência racial. Contudo, até o momento, os autores negros não conseguiram ser aceitos como vozes legítimas nessa área de estudos altamente prestigiada pela academia.

### As vantagens da brancura sem cor

O argumento estabilizado por Gilberto Freyre ainda não foi suficientemente desmascarado pela elite branca brasileira, principalmente porque ela não está interessada em seu desmascaramento, e sim na sua perpetuação. Os argumentos freyreanos são a vitória do sofisma sobre os dados empíricos, da difusão da apologia do falso sobre a denúncia censurada do verdadeiro. Freyre propôs-se a montar um argumento que fosse uma resposta ao clamor do movimento negro, desde os anos trinta, contra a discriminação racial e as péssimas condições de vida da população negra.

Enquanto a população negra vivia na mais absoluta miséria e desamparo, com baixíssimos índices de escolaridade, moradia, saúde e emprego, Freyre insistia em que nenhuma raça era inferior a outra e por isso a nossa mestiçagem não era um problema e sim uma vantagem. Com esse argumento, ele conseguiu desviar inteiramente o debate da denúncia contra o racismo social imperante, que incidia concretamente sobre a dificuldade de ascensão dos negros, feita, entre outros, pela Frente Negra Brasileira. Ao invés disso, enfatizou uma discussão de tipo humanista que colocava, de um lado, os vilões do século 19 que sustentavam a superioridade da raça ariana (Gobineau, Nina Rodrigues, Euclides da Cunha); e do outro, os iluminados pela Antropologia de Franz Boas, como o próprio Freyre, que enfatizavam a inexistência da desigualdade entre as raças. Freyre desautorizou desse modo a formação de um discurso que denunciasse o massacre específico dos negros brasileiros. Assim, nos anos 30, mais de quarenta anos após a abolição que havia deixado os negros à míngua, Freyre procurou responder aos argumentos racistas levantados nos anos 80 do século XIX e com isso desviou a atenção de um outro discurso levantado pelos negros seus contemporâneos: a sua péssima situação concreta de vida.

Insistamos em que a ideologia freyreana implica também em uma desautorização de identidade: aquele que detém todo o poder econômico e social ainda se atreve a desautorizar a identidade com que o discriminado se apresenta. E por que essa necessidade de desautorizar? Porque é vantajoso para o branco que o negro não se apresente como negro. E com a mestiçagem proposta por Freyre, o branco inclusive se salva de ter que se responsabilizar pelos privilégios que adquiriu ilicitamente pela sua branquitude.

Todos nós, brancos, nos beneficiamos cotidianamente, e de um modo ilícito, por vivermos em uma sociedade racista. São inúmeros privilégios, pequenos, médios e grandes, que nos ajudam a manter vantagem e concentrar mais recursos. Na medida em que o racismo brasileiro opera no cotidiano, nós brancos somos diariamente favorecidos com algum capital (social, econômico, cultural) que foi distribuído desigualmente segundo critérios raciais: do tempo menor de espera para ser atendido no espaço público a uma carta de recomendação, a um contato importante no mundo do trabalho, a um reforço psicológico da imagem pessoal, ou a uma nova fonte de renda. Ser branco no Brasil é levar vantagem diária sobre os negros. Mesmo não existindo raças no sentido biológico do termo, a representação social da diferença é racializada fenotipicamente – basta olhar para a televisão, das novelas à publicidade.

Temos que definir o racismo brasileiro não pela adesão a um credo de superioridade racial, mas pelo efeito continuado dos discursos que celebraram a mestiçagem e silenciaram a afirmação da condição de negro no Brasil. Nesse sentido, quando Gilberto Freyre defendeu a morenidade e repudiou a presença no Brasil de ideologias de negritude, ele, branco, utilizou-se de sua grande influência para impedir que os negros afirmassem sua identidade de negros. E por que o fez? Porque o discurso da negritude deslocaria a discussão de uma celebração abstrata da interpenetração das culturas para uma denúncia veemente das condições de vida precárias e sempre desiguais, enfrentadas pela população negra no país da suposta democracia racial.

A doutrina da democracia racial foi um decreto de um autor de ensaios contra todas as evidências dos dados oficiais sobre as condições de vida obtidos por sucessivos recenseamentos ao longo do século XX. Tomemos, por exemplo, a tabela exibida no celebrado livro *O Negro no Rio de Janeiro*, de Luís da Costa Pinto sobre a escolaridade de brancos, pretos e pardos no Brasil em 1950, resultado das pesquisas realizadas sob os auspícios da UNESCO: no ensino médio, 91% eram brancos, 7,32% pardos e 1,62% eram pretos. Quanto ao ensino superior, a situação foi descrita por Costa Pinto por "quase monopólio": 95% de brancos, 4,23% de pardos e 0,5% de pretos. Além disso, 96,37% dos portadores de diploma de curso superior eram brancos (Pinto 1998:158-159). É estarrecedor pensar que, após cinqüenta anos de expansão constante do número de vagas para alunos e professores, continuamos praticamente com o mesmo perfil de exclusão dos anos 40. O mais significativo, porém, foi a indiferença de inúmeros cientistas sociais brancos que, mesmo conhecendo esses números, continuaram argumentando em favor de uma positividade brasileira no tema das relações raciais. Vale a pena igualmente ressaltar a tabela apresentada no livro de Clóvis Moura, *O Negro. De Bom Escravo a Mau.Cidadão?*, referente ao censo de 1950, que revela a existência de apenas 1% de profissionais negros no Brasil naquela época (Moura 1977:49).

Enquanto isso, em 1954, Gilberto Freyre escrevia para a ONU contra o racismo na África do Sul, colocando o Brasil como exemplo mundial de relações raciais harmônicas (Freyre 2003). A esquizofrenia da elite branca brasileira alcançou naquele momento uma dimensão quase inacreditável: nossos intelectuais davam-se ao luxo de criticar a África do Sul e os Estados Unidos pelo racismo, ao mesmo tempo em que eram coniventes, de um modo absolutamente consciente, com o nosso racismo interno. Ainda para ilustrar, com uma voz mais autorizada, o que tem sido o racismo do Brasil republicano, eis uma frase de Florestan Fernandes, retirada da homenagem que prestou na Câmara Federal a José Correia Leite, intelectual socialista que foi um dos fundadores da Frente Negra Brasileira e do jornal negro Clarim da Alvorada nos anos trinta, exatamente na mesma época em que o modelo de falsa conciliação racial plasmado por Gilberto Freyre em *Casa Grande & Senzala* começou a ser promovido em todos os espaços de influência do país: "A vida do negro em São Paulo, desde 1888, tornou-se medonha. Como pesquisador, ao trabalhar com os dados recolhidos sobre esse período, tive muitas vezes de parar meu trabalho para chorar porque não era possível aceitar as realidades descritas naquela documentação, sem forte reação emocional e sem revolta moral" (Fernandes 1989:111).

Essa mesma esquizofrenia do modelo de Gilberto Freyre pode ser encontrada também em Darcy Ribeiro, apesar das diferenças de posição entre os dois autores com relação à política de classe no Brasil. Darcy pesquisou e conviveu com os índios nos anos 50 e esteve inclusive presente no Primeiro Congresso do Negro Brasileiro em 1950. Ainda assim, mesmo havendo apoiado o resgate da memória de Zumbi dos Palmares, decidiu mais tarde exaltar a nossa "latinidade", a qual supostamente corre perigo na Europa. Já no final da vida insistiu de novo na bandeira freyreana de que "mestiço é que é bom".[26]

Sem deixar de reconhecer a posição contestadora de Darcy Ribeiro, há pelo menos uma ambivalência ideológica em sua postura frente ao nosso conflito racial que não me permite identificá-lo como um intelectual consistentemente anti-racista. Por um lado, teve a coragem de decretar morte à Princesa Isabel, em um artigo de jornal escrito no dia 13 de maio de 1988 e de ajudar a reviver a figura de Zumbi dos Palmares. Por outro lado, insistia em celebrar uma suposta morenidade como se fosse uma raça superior, cujos primeiros sinais identificava nos jovens de classe média da Zona Sul do Rio de Janeiro, bronzeados pelo sol da praia carioca. Sentia-se orgulhoso, também, de ter sido convidado pela Itália para expor sua teoria do Brasil como uma nova Roma, (imagem em que é possível divisar uma afinidade entre latinidade, Europa e, evidentemente, um imaginário racial não-negro e não-índio – enfim, geopoliticamente branco).[27] O mais grave, porém, em minha visão, foi sua ação de revitalizar a figura de Gilberto Freyre, no início dos anos oitenta (e com ele, a nefasta ideologia da democracia racial), justamente quando sua influência na academia havia finalmente diminuído.

A escolha de Darcy Ribeiro foi extremamente conservadora, do ponto de vista da luta pela igualdade racial, se pensarmos que ele acabava de regressar do exílio e a ditadura militar censurava todo e qualquer discurso anti-racista. Escolheu recuperar Freyre ao invés de recuperar um Guerreiro Ramos, por exemplo, ou um Abdias do Nascimento (ambos, inclusive, ainda no exílio, por serem intelectuais negros que denunciaram politicamente o racismo brasileiro). Enfim, dois intelectuais que denunciaram abertamente as conseqüências negativas, para a população negra brasileira, das ideologias da mestiçagem e da morenidade, justamente o que Darcy Ribeiro quis celebrar recorrendo inclusive ao auxílio autoral e midiático de Freyre.

Outro mistificador poderoso, nessa mesma linha, foi Jorge Amado, com sua celebração exotizante da mestiçagem afro-brasileira da qual saltam dois tipos amplamente

---

26. Eis uma frase de uma das últimas entrevistas de Darcy Ribeiro: "nós temos a aventura de fazer o gênero humano novo, a mestiçagem na carne e no espírito. Mestiço é que é bom" (1996:104).

27. Uma frase do livro *O Povo Brasileiro* que bem sintetiza a posição ambivalente de Darcy, de reconhecer o nosso racismo e ao mesmo tempo querer salvar a nossa sociedade racista: "Isso significa que, apesar de tudo, somos uma província da civilização ocidental. Uma nova Roma, uma matriz ativa da civilização neolatina. Melhor que as outras, porque lavada em sangue negro e em sangue índio, cujo papel, doravante, menos que absorver europeidades, será ensinar o mundo a viver mais alegre e mais feliz" (Ribeiro 1995:265).

definidos: a mulata sedutora e o negro bonachão. Por que o mestiço é interessante? Qual é a vantagem da mulher mulata sobre a negra ou a branca? A idéia da mulata serviu apenas para alimentar a fantasia de alguns homens brancos, o que sempre provocou enorme sofrimento na comunidade negra. A inflexão de gênero impõe-se centralmente na discussão de ações afirmativas, sobretudo na pós-graduação, porque estamos pensando nas estudantes negras que entrarão em um mundo universitário doente desses estereótipos sexistas-racistas, que atuam com grande intensidade e que podem afetar a sua auto-estima como intelectuais.

Gilberto Freyre e Jorge Amado (e também Darcy Ribeiro, apesar de denunciar o racismo) são veementes na proibição da negritude, colocando-se deste modo explicitamente contra o desejo e a decisão de uma coletividade de negros. Propõem (ou ordenam, retoricamente) que sejamos todos morenos. Os três brancos-sem-cor Gilberto Freyre, Jorge Amado e Darcy Ribeiro, defendem a morenidade como se os dois contingentes, brancos e negros, fossem afetados igualmente por essa mudança de identificação. O que está por trás dessa proposta? Para o branco, que tem o privilégio de usufruir as benesses de uma sociedade racista, nada sucederá – ao invés de um branco com privilégios teremos um moreno com privilégios. Já o negro, que tem um crédito a receber do branco por tudo que perdeu devido ao racismo (ou à condição de negro), não poderá mais demandar nenhuma reparação, pois será moreno – portanto, igual ao branco! Na morenidade, o negro perderá o seu crédito reivindicatório por um século de discriminação e desigualdade e o branco terá sua dívida automaticamente cancelada. Os dois contingentes agora morenos viverão sem conflito: o moreno ex-branco dentro da universidade e o moreno ex-negro fora da universidade.

Outro engano disseminado há quase um século por essa ideologia racial é a defesa de uma suposta excepcionalidade da nação brasileira através da mestiçagem: enquanto os Estados Unidos e a África do Sul são os países dos estoques raciais separados, o Brasil apresentaria a originalidade, a solução única da mistura benigna, da pluralidade de identidades raciais em convívio harmônico. O que fazem esses ideólogos é escamotear informação do nosso público. Não há nada de singular nessa celebração brasileira da mestiçagem. Cuba, Santo Domingo, Venezuela, Colômbia, Porto Rico, entre outros países do Caribe, construíram essa mesma auto-imagem de mestiços felizes frente à violência da segregação racial norte-americana. Ao invés de insistir nessa celebração enganadora da mestiçagem, deveríamos comparar o grau de integração racial do Brasil com o alcançado por esses outros países ditos mestiços do mundo afro-americano:

número de médicos negros, juízes negros, professores universitários negros etc. Escusado dizer que sairíamos perdendo em comparação com todos esses países no que tange à participação de negros nos postos chave e decisórios do país.

Voltando aos três ideólogos da mestiçagem, a mera formulação, para o Brasil, do desejo de que "mestiço é que é bom", já é um ato racista, porque desautoriza e desrespeita a auto-representação de uma comunidade de milhões de pessoas que querem se ver como negras. Em primeiro lugar, por que ser mestiço seria melhor do que ser negro? Pensando ainda mais longe, a preferência pela mestiçagem é uma preferência racista. A questão não é que as pessoas sejam loiras, negras ou de aspecto asiático quando supostamente deviam ser misturadas; a questão é que elas não devem discriminar as outras por serem do modo como lhes tocou vir ao mundo, e que lhes apetece ser. Ou seja, trata-se de combater a discriminação racial e as injustiças dela derivadas e não de prescrever aparências ou combinações genéticas quaisquer. Desviar o tema para uma hierarquia de cores "sem raça" no topo da qual estaria uma abstrata cor "misturada" é ser conivente com a injustiça racial generalizada no Brasil. Chegando mais próximo do momento presente, os resultados da PNAD de 1976 apontaram para uma sociedade com desigualdades raciais terríveis; contudo, inúmeros cientistas sociais, recusando-se a incorporar esses resultados em seus trabalhos, continuaram insistindo na multipolaridade brasileira. Mesmo admitindo a necessidade de respeitar a auto-identificação racial multipolar, o problema do racismo e da exclusão racial na academia continua exigindo uma resposta dos cientistas sociais que ainda não veio.

Mais recentemente, quando os novos dados do IBGE agregados pelo IPEA no ano de 2001 exibem de modo inequívoco a desigualdade racial no Brasil, cientistas sociais ligados às universidades públicas mais poderosas rebatem as propostas de ação afirmativa para negros com o argumento de que as raças não existem. Deslocam de novo o problema para a biologia, quando o que está em jogo é a racialização construída como uma representação social que gera desigualdades crônicas e sistemáticas. Argumentos recentes de vários cientistas sociais contrários à política de cotas raciais já haviam sido formulados por Gilberto Freyre, de um modo quase idêntico e com essa mesma finalidade de desnortear o discurso anti-racista, há mais de vinte anos atrás (Freyre 1982).

A meta das ações afirmativas em discussão é deselitizar radicalmente o ensino superior público e com isso demandar da universidade pública um retorno à sua função social, desvirtuada há muito pela sua homogeneidade de classe. Sabemos agora que é possível formular políticas públicas para a população negra considerada como um grupo racial diferenciado no interior da nação e não apenas como indivíduos negros. O modelo estereotipado do Brasil como uma nação constituída basicamente de brancos, negros e índios, pode continuar, porém tratando-os agora devidamente como três coletivos merecedores de tratamento equânime por parte do Estado. É somente enquanto benefício a um coletivo que a reivindicação de cotas para negros é ética e politicamente defensável. Esse mesmo princípio já opera nas demais políticas públicas diferenciadas destinadas aos índios: não é o índio isolado, mas o índio partícipe de uma nação que absorverá os recursos para promoção de uma melhoria de sua vida. A definição de um coletivo negro provocará, necessariamente, um reajuste das relações raciais brasileiras inédito na história do país. Por exemplo, no momento em que tornar visível para os 500 professores brancos da FFLCH da USP, ou para os 800 professores brancos do CCS da UFRJ, que todos eles são expressão do poder discriminador de um coletivo branco e não apenas do mérito individual de cada um daqueles 1300 professores brancos, teremos entrado no debate realmente político sobre ações afirmativas e racialização da academia no Brasil. Elaboremos um pouco mais este ponto.

A ênfase na diferença da situação brasileira para a situação dos Estados Unidos e da África do Sul escondeu sempre este ponto central: nos Estados Unidos e na África do Sul os indivíduos brancos sempre se assumiram como parte do coletivo branco. No Brasil, os brancos enfatizaram a multipolaridade sem admitir que definiam esse quadro dito multipolar enquanto membros do coletivo branco. A elite branca brasileira definiu o quadro, porém não se aceitou como autora desse quadro e nem jamais questionou a parcialidade resultante do controle do seu autoretrato. Além disso, esse quadro não foi construído a 6 mãos e por isso sua legitimidade tem sido sustentada apenas pela conjuntura perversa da exclusão racial e étnica. Os negros e índios nunca foram autorizados pelos brancos a definir o quadro das relações raciais do país e começarão a fazê-lo quando tiverem garantido seus espaços no mundo acadêmico.

Eis a pergunta que deve ser colocada agora para os professores universitários brasileiros que são contrários às cotas e às reservas de vagas: uma presença de menos de 1% de professores negros em nossas universidades públicas é aceitável nos dias de hoje? Estão dispostos a continuar convivendo com esse grau de exclusão? O que diriam de um país que tivesse essa mesma proporção étnica ou racial em suas melhores universidades? Teriam a coragem de considerar essas universidades segregadas deveras como centros de excelência?

Um ponto de partida para as discussões das ações afirmativas no Brasil é lembrar o seguinte fato: todas as universidades do exterior que são referência de excelência para a academia brasileira são muito mais integradas racialmente que as nossas. Isso significa que estamos resistindo a iniciar uma integração que já ocorreu nas chamadas "mecas" do saber e que aspiramos a reproduzir aqui: Harvard, Oxford, Paris, Cambridge, Berlim, Columbia etc.

Em síntese, esse é o clima ideológico, solapado e sofismante, que foi construído para impedir um discurso que denunciasse abertamente a injustiça contra os negros no Brasil. Esse discurso pró-mestiçagem que tentou silenciar o protesto negro, apesar de sua fachada anti-racista, operou na prática como uma força anti-anti-racista – o que não deixa de significar, de um modo oblíquo, um apoio, ainda que involuntário, a uma atitude racista. E por que racista? Porque, se dependesse dele, o tipo de racismo praticado no Brasil poderia continuar, indefinidamente, sem nenhuma restrição.

### Inconsciência da exclusão racial nas associações científicas

Um bom exemplo (evidentemente, trata-se de um entre inúmeros possíveis) da inconsciência do problema da exclusão racial no mundo acadêmico brasileiro pode ser extraído do *Informativo Especial* nº 035/02, de 10/7/2002 da Associação Brasileira de Antropologia:

> A 23ª Reunião Brasileira de Antropologia realizada em Gramado, RS, de 16 a 19 de junho último, reuniu mais de 1.500 pessoas. Dentre os 1.057 inscritos havia pessoas de todas as regiões do Brasil, do Mercosul, México, Estados Unidos, Inglaterra, França, Noruega, Espanha. Foram apresentados 845 trabalhos nos vários simpósios, fóruns de pesquisa e sessões de comunicações coordenadas. Para financiar o encontro, a Associação obteve recursos junto a Capes, CNPq, Fapergs, Faperj, Fapesp e Fundação Ford.
>
> **ESTATÍSTICAS DO ENCONTRO**
>
> **Número de inscritos por categoria:**
> Profissionais 479; Estudantes (graduação e pós-graduação) 578
>
> **Instituições com maior número de participantes:**
> UFRGS 140; UFSC 83; UFF 82; UFRJ 77; USP 47; UNICAMP 33; UFMG 33; UnB 31
>
> **Estados com maior número de participantes:**
> RS 226; RJ 218; SP 109; SC 83; MG 71; DF 52

As detalhadas estatísticas do encontro atestam o zelo da Associação por exibir para a sociedade o seu perfil de pluralidade, tanto regional como internacional. Uma variável crucial, porém, ficou excluída dessas estatísticas: a (baixíssima) diversidade racial e étnica do encontro. Contudo, dois membros do Grupo de Trabalho de que fiz parte procuraram identificar o número de negros presentes na reunião de antropólogos de Gramado, e, após visitar todos os espaços da reunião, conseguiram contar apenas 15 – a maioria dos quais, ao que tudo indica, estudantes. Eis o que levantaram: 1.500 participantes – 15 negros e nenhum índio.

Continuamos na previsível porcentagem de 1%, padrão do número de professores universitários negros e, com toda probabilidade, padrão das demais associações científicas. Mais significativo, porém, que a porcentagem de 1%, é o silenciamento e/ou a falta de percepção sobre a diversidade racial e étnica em uma associação de antropólogos. Podemos falar, então, de uma naturalização, na Antropologia profissional brasileira, da idéia de um antropólogo como uma pessoa sem cor, o que contrasta com o argumento esgrimido por inúmeros antropólogos que se opõem ao sistema de cotas por considerá-lo insensível à diversidade racial brasileira derivada da mestiçagem. Interpretemos esse contraste: multicolorida é a sociedade "lá fora"; a Antropologia acadêmica é incolor. Dito nos termos mais comuns da nossa Antropologia: no país do "triângulo das raças", participamos de uma reunião de antropólogos com 99% de brancos, 1% de negros e nenhum índio. Pesquisa análoga deveria ser feita nas reuniões de Sociologia, Ciência Política, História, Filosofia, Psicologia etc.

## Conseqüências das cotas para as Ciências Humanas e Sociais

A tradição acadêmica que reproduzimos foi consolidada, enquanto instituição política e social, nos países ocidentais no início do século XIX . Como tal, é fruto direto do projeto de modernidade da sociedade capitalista que tinha como prioridade a completa industrialização e urbanização, que supostamente construiriam um novo espírito humano metropolitano, liberto do trabalho agrícola e industrial e individualista em sua ideologia. As estantes das nossas bibliotecas estão repletas de obras que narram essa saga da institucionalização das ciências e dos cursos universitários no século dezenove. O que geralmente não se comenta (e que é crucial para enxergar a situação das nossas universidades) é que esse mundo ocidental, moderno, industrializado, metropolitano, de saber disciplinado e burocratizado, era também um mundo branco e racista. O auge da expansão das academias de ciências e dos cursos universitários delas correlatos coincidiu com o auge do colonialismo e do imperialismo.

Traduzido em termos que nos afetam diretamente, eram os europeus e norte-americanos de pele clara que produziam o saber que, com sua ajuda e tutela, supostamente podia ser transladado para todas as demais regiões do planeta, onde viviam os homens de pele escura. O imaginário da academia tal como se difundiu em nossos países é a continuação de um imaginário ocidental fundamentalmente racista. O imperialismo cultural europeu do século dezenove, por meio da cultura chamada erudita, e o norte-americano, por meio da cultura de massa, construíram uma hierarquia racial de seres humanos dentro da qual sempre fomos levados a ocupar uma posição subalterna.

Esse imaginário racista metropolitano apenas se intensificou no Brasil pós-escravista, em um contexto em que o branqueamento se tornou política de estado. Houve, no final do século dezenove, um estímulo aberto à imigração européia e uma recusa sistemática, por parte da elite branca, a qualificar a mão de obra negra pós-escrava. Os poucos nichos que os negros haviam conquistado na área da educação, como a profissão de normalistas, por exemplo, foram sendo minados para serem transferidos à segunda geração de imigrantes europeus. Conforme argumenta Maria Lúcia Müller, a partir de 1903, paulatinamente "diminuiu a presença dos docentes negros no ensino primário fundamental" (Müller 2003: 100). Sua conclusão é de que já no início da década de trinta as netas de ex-escravos haviam sido expulsas da profissão de normalistas. A escola pública projetada para formar o espírito da nação se havia tornado inequivocamente branca e racista.

Se branca e racista era a escola básica brasileira nos anos trinta, como seria a composição dos docentes e alunos das grandes instituições de ensino superior que então se consolidavam? As universidades federais mais antigas (UFRJ, UFPR, UFRGS) eram brancas de formação e brancas de destino: o objetivo era crescer atraindo professores e cientistas da Europa, continuando o mesmo recorte étnico da política de imigração do século dezenove, agora afunilada para atrair a elite científica dos países formadores do poder econômico e político desses estados (alemães, italianos, acrescidos dos dois países de academia também poderosa: Inglaterra e França). O auge desse projeto de branqueamento universitário foi a USP, fundada em 1934 e que abriu suas portas para absorver o maior número possível de professores europeus.

Para uma população nacional que naquela época era majoritariamente negra, combinou-se um racismo de origem dos universitários com um eurocentrismo absoluto: o negro, pobre e de pouca escolaridade, ficou excluído desse projeto monumental de "progresso" e as suas tradições culturais e saberes de origem africana foram considerados "atrasados", inúteis e até mesmo nocivos, perigosos e proibidos. Esse modelo de imaginário acadêmico racista generalizou-se por todo o país, tendo sido apenas intensificado na medida em que foi aumentando o número de instituições superiores de ensino e pesquisa. O projeto modernizador de nação, ciência e cultura, fixe-se bem, tem sido sempre um projeto eurocêntrico e racista.

Todavia, nossa situação se complica ainda mais quando consideramos que as universidades européias e norte-americanas também seguiram esse modelo racista até os anos cinqüenta. Foi na ressaca moral do pós-guerra que uma nova política se impôs e o seu arianismo fundante pôde ser enxergado, reconhecido e criticado, em um processo bastante severo de revisão dos seus princípios e um esforço consciente e corajoso de mudança de rumo. Se hoje essas universidades são muito mais integradas racialmente que as nossas, isso se deve, em grande parte, à adoção de medidas de ação afirmativa.

As teorias das Ciências Humanas e Sociais nos países centrais tiveram um papel importante nesse questionamento e nas propostas de mudança desse imaginário originalmente imperialista e racista. As teorias da diferença, ainda tão pouco exploradas em nossos cursos, não surgiram como um puro jogo de idéias. Os conceitos de significante flutuante, de sujeito descentrado, as análises da condição subalterna e os processos de produção discursiva do sujeito foram reflexos de uma mudança no perfil hegemônico no interior da academia. A dessencialização das ideologias de identidade abriu caminho para uma crítica radical à estereotipia múltipla que colava, até uma geração atrás, a condição social e étnica a uma condição de gênero e de classe que demandava atitude subordinada dos oriundos dos povos do Terceiro Mundo com relação aos nativos do Primeiro Mundo. Tudo isso conduziu a uma transformação das posições de autoridade e prestígio no campo das Humanidades e das Ciências Sociais.

São os subalternizados e racializados negativamente pelo capitalismo da modernidade que aparecem agora entre as estrelas teóricas do nosso universo intelectual. Quando lemos no Brasil um ensaio de Stuart Hall sobre a identidade negra na Diáspora e nos conscientizamos de que ele é um negro jamaicano, experimentamos a dimensão ostensiva da teoria bakhtiniana da bivocalidade: o próprio Stuart Hall é o significante racial que oscilou de uma origem subalterna e discriminada para uma posição de prestígio na Inglaterra – posição que ele ocupa sem renunciar à diferença da sua condição original não-ariana, ou não-anglo-saxã.[28] E essa oscilação não é exclusiva de Stuart Hall, mas de uma geração inteira de intelectuais não-brancos que entraram nos sistemas universitários britânico, francês e norte-americano nas décadas de sessenta e setenta como conseqüência dos processos de descolonização e das políticas de ações afirmativas para minorias étnicas e raciais.

As ações afirmativas nas universidades européias e norte-americanas que consideramos de excelência não influenciaram apenas o mercado de trabalho, facilitando a produção de mão de obra negra e não-branca para reprodução de capital e gestão do estado; elas desestabilizaram também a imagem do acadêmico e do cientista, que atualmente já não é exclusivamente branca. E esses acadêmicos não-brancos não estão apenas reproduzindo o mesmo papel que seus colegas brancos desempenhavam no jogo estrutural da hierarquia acadêmica original do Ocidente estabelecido no século dezenove. Pelo contrário, não abrem mão de suas diferenças e é a partir delas que influenciarão na reprodução do sistema, procurando abrir ainda mais espaço para jovens acadêmicos não-brancos. Estão, além disso, questionando as bases mesmas desse saber que se canonizou e que reproduzimos acriticamente no Brasil.

É sintomático dessas lutas anti-racistas na academia metropolitana que os Estudos Culturais, área interdisciplinar de origem crítica e contestatória do conservadorismo da Sociologia, da Antropologia e dos Estudos de Comunicação, tenha justamente como um de seus fundadores um negro, Stuart Hall. Edward Said, palestino que emigrou para os Estados Unidos, questionou profundamente o cânon literário de língua inglesa, ao mesmo tempo em que denunciou convincentemente o interesse de dominação imperial por trás dos institutos e departamentos de estudos de áreas nas universidades norte-americanas. Gayatri Spivak, indiana, é hoje uma das mais influentes teóricas de Literatura Comparada, teoria pós-colonial e estudos subalternos. Na mesma linha dos Estudos Subalternos estão Ranajit Guha (fundador da área) e Partha Chaterjee. Homi Bhabha, também indiano, tornou-se um dos mais destacados teóricos dos estudos pós-coloniais. Jacques Derrida, um dos filósofos de maior influência no meio intelectual con-

---

28. Sobre a bivocalidade, ver Bakhtin (1988). Ver também a entrevista concedida por Stuart Hall sobre sua carreira acadêmica (Hall 2003).

temporâneo, colocou-se, na última década de sua vida, mais intensamente como um judeu argelino e foi dessa posição descentrada que propôs uma desconstrução radical dos textos canônicos ou eminentes da tradição judaico-cristã-ocidental. Esta lista de teóricos não-brancos poderia crescer e sua existência atesta a intensidade da luta contra o racismo nos espaços acadêmicos ocidentais hegemônicos nos últimos quarenta anos.

Immanuel Wallerstein afirmou recentemente que "o racismo está disseminado por todo o sistema-mundo. Nenhum canto do planeta está livre dele, como característica central das políticas locais, nacionais e mundiais" (2004:262). Daí ele propor "fazer do anti-racismo a medida definidora da democracia" (id.). O modo mais eficaz para começar a lutar contra esse racismo que se globalizou é tentar erradicá-lo do espaço em que atuamos e onde ele tem se reproduzido secularmente: nas universidades públicas brasileiras e nos discursos das nossas Ciências Humanas e Sociais.

CAPÍTULO IV

# Uma aliança negro-branco-indígena pela inclusão étnica e racial

## Universidades brasileiras: da origem racista às ações afirmativas

A luta pelas ações afirmativas nas universidades públicas brasileiras passa atualmente por uma efervescência inimaginável há cinco anos atrás, quando Rita Segato e eu lançamos uma proposta de cotas para negros e vagas para índios na Universidade de Brasília. Naquele momento, não havia ainda nenhum projeto de cotas em discussão nas universidades e a visão dominante na academia era de que as cotas significariam uma importação desastrosa do modelo norte-americano de relações raciais, supostamente muito pior que o nosso.

Quando proferi minha conferência no histórico Seminário de Ações Afirmativas da UFMG, em agosto de 2002, a proposta da Universidade de Brasília já estava em plena discussão na comunidade acadêmica e havíamos chamado duas reuniões abertas do Conselho Acadêmico para debatê-la. Enquanto escrevo, em agosto de 2004, o panorama das ações afirmativas já se ampliou surpreendentemente nas universidades públicas brasileiras. A UnB aprovou o nosso Plano de Metas para a Integração Étnica, Racial e Social, o qual previa cotas para negros e vagas para índios, no dia 6 de junho de 2003. Como conseqüência dessa resolução revolucionária, pela primeira vez na história do país, um grupo de 15 indígenas pôde entrar em uma universidade pública federal. Conseguimos assim re-fundar a UnB, a qual foi criada em 1960, por Darcy Ribeiro que, apesar de sua longa relação com os índios, não os trouxe à universidade. E no presente mês de agosto, o primeiro grupo de 378 estudantes negros que entraram pelas cotas iniciarão seus estudos acadêmicos. Também já aprovaram cotas para alunos negros, a começar em 2005, as universidades federais de Alagoas, do Paraná e da Bahia. Por outro lado, o núcleo de reação às cotas está concentrado nas duas universidades públicas mais antigas e de maior história do país: a UFRJ e a

USP. É ao Instituto de Filosofia e Ciências Sociais da UFRJ que pertencem um grupo de professores que ocupam quase diariamente a imprensa carioca com artigos contrários às cotas. Igualmente reacionária é a USP, sobretudo porque conta com uma Comissão de acadêmicos de alto nível para formular ações afirmativas, instalada em 1996, e que até agora não propôs absolutamente nada.

O texto que ofereço, portanto, visa aprofundar a discussão, já não mais para convencer um conselho acadêmico conservador sobre a necessidade de implementar ações afirmativas, mas para ampliar a discussão sobre as práticas racistas que exigiram essa demanda nacional pela inclusão dos negros e dos índios no ensino superior. Mais ainda, ela visa oferecer subsídios para a formulação de uma ampla aliança que possa unir, provavelmente pela primeira vez no Brasil, índios, negros e brancos na luta contra a discriminação étnica e racial.

Poderia sintetizar as quatro motivações principais para justificar a legitimidade e a urgência das cotas nas universidades. O primeiro argumento seria o da reparação: após mais de 300 anos de escravidão, a comunidade negra exige uma compensação inequívoca pela tragédia da escravidão. Garantir o acesso ao ensino superior, pelo menos para um pequeno contingente de descendentes dos africanos escravizados no Brasil, é uma das tantas formas possíveis de reparação. Um segundo motivo para as cotas seria a cobrança de um direito, mesmo depois de abolida a escravidão. A Constituição da República, de 1988, assegurava um tratamento igual a todos os cidadãos, no que respeitava aos serviços públicos oferecidos pelo Estado, entre eles, o acesso ao ensino gratuito. Após mais de um século de república, a desigualdade de participação no ensino superior da comunidade negra é escandalosa e, sob este ponto de vista, as cotas garantem um direito mínimo de participação. Um terceiro argumento diz respeito especificamente à dinâmica da instituição universitária: a presença de negros e índios enriquecerá a produção de saberes e forçará uma revisão do eurocentrismo subalternizante e absoluto que marca a vida universitária brasileira.

Contudo, há uma quarta motivação para as cotas que considero a de maior relevância: a intensificação da luta anti-racista no Brasil. Propor cotas é abrir a discussão, até agora silenciada, sobre a sociedade racista em que vivemos; reconhecer que essas práticas racistas estão presentes também no nosso ambiente acadêmico e forçar uma tomada de posição por parte de todos nós para reverter esse quadro e construir um ambiente universitário livre de práticas racistas e discriminatórias. É sobre essa quarta motivação, a da luta anti-racista, que pretendo discorrer no presente ensaio.

As universidades se consolidaram no Brasil após o grande deslocamento racial provocado pela chegada dos imigrantes europeus, entre 1870 e 1920, num total de 3.400.000 pessoas. Os negros foram excluídos tão intensamente do mercado de trabalho que já em 1901, 90% dos operários industriais em São Paulo eram imigrantes. O pouco capital técnico, social e econômico que os negros haviam acumulado até o final do século XIX havia sido desfeito pelos incentivos abertos do Estado brasileiro em benefício dos imigrantes europeus como concretização da ideologia do branqueamento. Isso significa que as universidades públicas (tais como as do Rio de Janeiro, de São Paulo, do Paraná e do Rio Grande do Sul) foram consolidadas nos anos 30 pela primeira geração de brancos imigrantes que havia ascendido socialmente através da industrialização racialmente estratificada. Isso significa que primeiro os negros foram retirados dos espaços econômicos que conduziam à ascensão social; depois apareceram as universidades públicas como instituições a cujo ingresso eles já não podiam aspirar porque haviam sido eliminados antes como potenciais competidores dos brancos.

Podemos entender assim por que os acadêmicos brasileiros insistem tanto na ideologia do mérito como reação às ações afirmativas. A meritocracia é uma ideologia da reprodução da vida acadêmica e evita sempre a análise da produção desse espaço em uma conjuntura histórica específica. Houve também uma coincidência favorável à cristalização do racismo acadêmico brasileiro: o fato de que a academia européia possuía um imaginário mono-racial, inteiramente branco, facilitou uma identificação naturalizada dos acadêmicos brasileiros com os europeus simplesmente porque esses acadêmicos brasileiros eram todos brancos. Esse ponto pode ficar mais claro se comparamos as universidades brasileiras com as universidades de *West Indies*, na Jamaica e em Trinidad, ou com as universidades cubanas, todas elas muito mais integradas racialmente do que as nossas.

É preciso enfatizar ainda que a exclusão racial ocorreu em todas as universidades públicas do Brasil, de Norte a Sul e de Leste a Oeste, aproximadamente na mesma proporção. Em outras palavras, a média nacional de estudantes negros no ensino superior é bastante próxima da média de negros em qualquer universidade pública. Das 53 Instituições Federais de Ensino Superior (IFES), não há sequer uma que seja integrada racial e etnicamente. É uma regra sem exceções. O racismo acadêmico brasileiro tem sido estável, constante, intenso e generalizado, o que o torna muito mais grave do que normalmente colocado pelos pesquisadores e o que igualmente exige uma crítica muito mais rigorosa do grupo branco dominante que o reproduz há tanto tempo.

### Os conflitos étnico-raciais no Brasil atual

Começo por apresentar um conjunto de reflexões acerca da conjuntura das atuais demandas por ações afirmativas, informado basicamente pelos dados e observações coletadas desde 2001, no contexto da luta pela implementação de cotas para negros e índios no ensino superior público. A novidade do tema em questão no Brasil permite que os esforços de compreensão da conjuntura abram caminhos para reflexões de maior alcance e abrangência. Ressalto o caráter sempre provisório, frágil e esquemático de qualquer análise de conjuntura e esclareço que falo de uma realidade que me pertence exclusivamente na condição de branco, condição essa cindida e problemática, como também o são as condições de negro e de indígena em nossa sociedade. Eis porque julgo importante a construção de uma aliança negro-branco-indígena que favoreça a explicitação dos problemas de nossas respectivas identidades para assim intensificar o combate à discriminação étnica e racial no país, tarefa que nos compete a todos, cada um a partir de sua condição específica.

Para pensar como melhorar a condição das minorias étnicas e raciais e dos despossuídos em um país que amarga há décadas os piores índices de desigualdade social, econômica, racial e étnica do planeta, é preciso lutar contra a prática do pensamento circular e essencialista. Circular, primeiro, porque podemos invocar o efeito para concluir a causa: se as intervenções diagnosticadas tivessem ocorrido, a desigualdade já teria diminuído. Identificar, portanto, os pontos de intervenção é apenas constatar e concluir mais uma vez que a desigualdade é conseqüência da falta de intervenção que deveria ter sido realizada pelo mesmo grupo social ou racial (os brancos) que fez o diagnóstico da repetição da desigualdade. Em outras palavras, não há mais por que postular mistério sociológico algum no Brasil, do ponto de vista da elite branca.

A própria Declaração de Durban é apenas mais uma prova, certificada por documentos oficiais assinados, de que a classe governante sabe o que deveria fazer, caso quisesse de fato mudar o país, ainda que segundo agendas reformistas. Como argumenta Slavoj Zizek, todos (neste caso os poderosos) sabem muito bem o que fazem. Aquele que poderia intervir e não intervém conhece os efeitos que seriam produzidos por uma intervenção sua que ele mesmo decidiu que não virá. Um ponto de partida bem fundamentado, então, para uma avaliação dos impactos (ou não) de Durban é a condição de cinismo - entendido aqui no sentido estritamente ideológico, tal como o usam Slavoj Zizek e Peter Sloterdijk - da elite branca brasileira. Sua inação diante da prática cotidiana do racismo engana e desfoca o conflito racial exposto, porque apresenta uma fachada de inconsciência que de fato não existe.

Sloterdijk considera o cinismo político contemporâneo como uma forma de "falsa consciência esclarecida", assim definida: "próspera e miserável ao mesmo tempo, essa consciência já não se sente afetada por nenhuma crítica ideológica; sua falsidade já está reflexivamente amortecida" (Sloterdijk 1987:5). A essa atitude cínica (da elite social branca, obviamente), que reconhece as conseqüências emancipadoras da intervenção para a qual se preparou em nome da modernização iluminista e ainda assim se nega a intervir, Sloterdijk opõe a atitude do filósofo grego Diógenes, que ele define como *kynismus* (digamos, kinismo), que opta pelo caminho da sátira, da risada, da satisfação corporal ao recusar os projetos (supostamente éticos) de construção da *pólis* participativa, da justiça do estado e da firmeza da verdade platônica. Insisto em que somente esse tipo de consciência cínica pode ser, no Brasil de 2004, indiferente à quantidade de dados sobre desigualdade racial tabulados e divulgados nacionalmente pelo IBGE, IPEA, INSPIR, CEERT etc.

No que tange ao cotidiano, somente no espaço de dois meses do presente ano foram amplamente divulgados, pela imprensa, rádio e televisão, inúmeros casos graves de racismo, tais como: assassinato de um jovem odontólogo negro, inocente, por policiais em São Paulo; assédio a um jovem negro por parte de um segurança em um shopping da Zona Sul do Rio de Janeiro; expulsão arbitrária de um grupo de quilombolas de uma pensão em Brasília; discriminação contra o Secretário do Ministro do Esporte por um taxista em Brasília; discriminação contra um grupo de mulheres negras em um restaurante do Hotel Nacional em Brasília. Tantos casos escandalosos (os dois últimos implicaram em uma reclamação oficial da UNESCO contra o estado brasileiro) parecem não causar nenhum impacto na consciência da nossa elite branca do poder, tanto político quanto judiciário, pois a impunidade é a garantia da continuidade da discriminação racial no Brasil.

Quanto ao argumento essencialista, viria da construção de um perfil definido, a-histórico e psicologizante das classes dominantes no Brasil: egoístas, predatórias, insensíveis, indiferentes, violentas. Se caíssemos nessa linha de argumentação teríamos que postular e demonstrar a existência e o funcionamento de uma pedagogia perversa, segundo a qual as elites dominantes passariam a seus descendentes os valores e o exercício da predação, da insensibilidade, da indiferença, da violência, como se esse ethos não se reproduzisse a cada vez em uma dialética tensa com os negros em revolta, ou em resistência camuflada. Enfim, ao essencialismo do país cordial, misturado e relacional, segundo o modelo de Gilberto Freyre e sua reprodução simplificada em seguidores como Roberto da Matta, contrapõe-se um outro essencialismo igualmente infértil e paralisante (e, no limite, tão racista quanto o modelo freyreano, porque silencia a capacidade de agenciamento dos negros na reprodução constante dessa estrutura) dos sociólogos críticos da classe dominante brasileira, que explicam o comportamento da elite branca brasileira em termos exclusivos de classe, sem reconstruir a dinâmica específica do conflito racial gerado constantemente entre brancos, negros e índios.

Historicizar, portanto, como sugere Fredric Jameson, é justamente recusar o convite sedutor da essencialização e mergulhar nos conflitos conjunturais específicos que permitiram a definição das estratégias de dominação e resistência que se reconstituíram periodicamente em um país que jamais passou por uma revolução social capaz de desestabilizar a sua estrutura de classes e a sua hierarquia racial gerada após a abolição da escravatura. Diferente dos argumentos circulares e essencializantes, podemos dizer que vige, então, no Brasil, uma conjuntura de tipo pós-escravista, consolidada nas primeiras décadas do século XX com a ascensão social e econômica dos imigrantes europeus que aqui chegaram no final do século XIX e que jamais foi desfeita, ainda que sempre marcada por uma tensão racial e étnica manifesta. Ou seja, os movimentos negros e indígenas pressionam intermitentemente por justiça e igualdade; até agora, porém, o sistema de poder branco tem conseguido resistir a essa pressão. Por tal motivo, acredito que seria útil a construção de uma aliança profunda entre o Movimento Negro e o Movimento Indígena e foi essa crença que motivou as reflexões que aqui ofereço. Enfim, o desafio é produzir uma resposta ao cinismo da elite branca que não seja somente o kinismo de uma atitude burlesca frente ao estado, mas uma pressão concreta por cidadania e ações afirmativas que possibilitem justiça social para todos, respeitando a autodeterminação de cada grupo étnico ou racial, em todas as esferas da vida.

### Pós-Durban: a conjuntura dos negros e índios

Espera-se que a agenda de Durban seja concretizada no contexto das relações sociais específicas de cada país que a assinou. Desse modo, sua implementação no Brasil dependerá de uma negociação interna diferente daquele vigente no Uruguai, por exemplo, para falar de um país próximo que foi interpelado em Durban pela sua minoria negra. Eis porque me parece relevante elaborar um modelo conceitual de compreensão do universo de relações raciais no Brasil na primeira década do século XXI para melhor formular as estratégias de cobrança de implementação do Plano de Ação da III Conferência Mundial contra o Racismo.

O Plano de Ação de Durban poderá encontrar dificuldade de implementação no Brasil também porque foi formulado de modo direto, consistente e auto-evidente (como corresponde a um acordo escrito e formalizado após uma longa negociação diplomática de escala mundial), modo discursivo que não consegue impactar ou coibir moralmente a razão cínica do nosso racismo, o qual é apresentado por ela em termos paradoxalmente integradores. O discurso de Durban traz a transparência da posição dos que se apresentaram publicamente demandando justiça racial, atitude de franqueza que é rebatida imediatamente pela ambigüidade da posição branca brasileira que não se reconhece como tal, porém que também não ousa afirmar o seu oposto. Acuada pelas evidências externas de racismo, ela produz um discurso que transfere o problema inteiramente para os negros, visando incapacitá-los de formular um quadro de vitimizador e vitimizado, sem o qual qualquer idéia de reparação ou discriminação positiva (cerne mesmo do esforço político de Durban) perde o sentido.

Essa correlação atual de forças foi gerada nos primórdios da República e consolidada na era Vargas, sobretudo pelas obras de Gilberto Freyre. Algumas poucas fraturas nesse modelo foram esboçadas nos anos sessenta e setenta, sobretudo pela pressão dos ativistas negros, porém a velha ordem racista foi recomposta pela elite após a ditadura militar (e de novo a atuação política de Freyre foi arrasadora ao denunciar o discurso anti-racista de intelectuais negros e brancos como se fosse comunista e antipatriota) e praticamente não foi mais desafiada pela frágil ordem democrática em que vivemos desde a Nova República até o ano 2001, quando surgiu a pressão internacional causada pela Conferência de Durban.

Acredito que o governo federal ainda não está (como nunca esteve no passado) convencido da necessidade de incorporar os negros e os índios nas esferas decisórias e nos espaços de riqueza da nação. O Brasil foi obrigado a apresentar uma proposta de ações afirmativas na Conferência de Durban, principalmente como resposta, não somente às demandas do Movimento Negro, como também a pressões da comunidade internacional. Mesmo após Durban; mesmo após a ampla divulgação dos dados estarrecedores de desigualdade racial sistematizados pelo IPEA; e mesmo após o intenso trabalho feito pelas lideranças negras durante o período de transição de governo, de outubro a dezembro de 2002; ainda assim, o presidente Lula tomou posse em janeiro de 2003 "esquecendo-se" de instalar a Secretaria Especial para Políticas de Promoção da Igualdade Racial (SEPPIR), que somente passou a existir em março daquele ano, com meia dúzia de pessoas e sem nenhum orçamento para todo o ano. Isso indica claramente a não absorção da urgência do combate ao racismo, que havia sido a mensagem consolidada na Conferência de Durban e feita promessa de campanha do atual Presidente.

A relação do governo com os grupos minoritários assumiu um perfil singular e sem precedentes na nossa história republicana. No caso específico do Movimento Negro, que fez crescer sua agenda de reivindicações e sua capacidade de mobilização ao longo das décadas de 80 e 90, desde 2003 muitas das suas principais lideranças fazem agora parte do governo. Essa chegada ao poder foi algo planejado pelas lideranças negras, que se concentraram em participar das lutas sindicais e em afiliar-se aos partidos de esquerda, sobretudo ao Partido dos Trabalhadores. Então, pela primeira vez na história do país, em um certo grau, uma parcela dos negros está no poder: as suas lideranças políticas.

Essa posição governista permite aos negros o acesso a certas esferas de decisão até então inacessíveis. Ao mesmo tempo, esse mesmo acesso consciente e procurado atrela os passos do Movimento Negro, ainda que parcialmente, às decisões de governo – gerais, estratégicas, ou prioritárias. Isso condiciona, de vários modos, a concretização dos projetos inscritos na agenda negra. É altamente significativo, por exemplo, a total ausência de manifestações e protestos, por parte do Movimento Negro, diante da recusa do Presidente Lula, sem haver dado qualquer justificativa à sociedade, em assinar a Medida Provisória sobre as ações afirmativas em janeiro de 2004. Se pensarmos que tal Medida Provisória havia sido proposta por um Grupo de Trabalho Interministerial após quase seis meses de esforço contínuo, podemos interpretar esse silêncio do Movimento Negro pelo menos como uma perplexidade diante de uma conjuntura política que envolve as lideranças negras em uma condição ambivalente, nem mais representantes da sociedade civil, nem inteiramente integradas à estrutura de poder do governo Lula. Para avaliar em que medida essa ambivalência afeta a auto-imagem da população negra, sugiro duas linhas de reflexão: uma análise sistêmica da psicopatologia do racismo brasileiro em sua fase atual e uma comparação com as estratégias de resistência e enfrentamento com o estado brasileiro utilizadas pelas nações indígenas.

O Movimento Negro tem agora a tarefa de transferir a luta reivindicatória dos negros nas ruas para dentro do governo. E toda a estratégia e toda a cultura institucional do estado brasileiro é eurocêntrica. Participar do Estado significa (pelo menos no momento atual) exercer essa perspectiva eurocêntrica e, evidentemente, branca. Assim, esta é a primeira prova da capacidade das lideranças negras de resistirem à assimilação ao eurocentrismo, ou paralelamente, ao branqueamento mental-institucional. Até no campo da gestão e da administração, todo o modelo de relações interpessoais e de avaliação de desempenho está montado a partir de padrões práticos de sociologia e psicologia ocidentais, marcadamente norte-americanos. A pressão passa a ser maior para o negro, portanto, porque, para desempenhar-se "bem" na esfera de governo, ele deve renunciar a certos aspectos e estilos de conduta e de comunicação aprendidos na sua interação, se não exclusiva, pelo menos concentrada, com membros da comunidade negra.

Uma questão central, e mais geral, portanto, a ser pensada com cuidado na luta por implementar o programa de Durban, é a conversão das minorias étnico-raciais a um tipo de estado eurocêntrico e monológico. Eurocêntrico por sua própria origem colonial e imperial sem revisão alguma da simbologia européia do poder e dos aparelhos ideológicos do estado; e monológico porque não há nenhum sinal do governo, até o presente momento, de um real interesse por implementar uma agenda multiculturalista no Brasil. Em outras palavras, a palavra diversidade é até agora uma palavra vazia na boca de nossos governantes.

Esse desafio de participar do governo, em um momento em que não existem manifestações explícitas do Movimento Negro na base cobrando mudanças nas relações raciais no país, traz consigo uma dimensão de alto risco, qual seja, o da cooptação estatal das lideranças negras um pouco ao estilo do que sucedeu nos Estados Unidos nos últimos trinta anos. Em uma perspectiva otimista, há agora uma dimensão de oportunidade histórica, de brecha emancipadora para combater o racismo estrutural da sociedade e valorizar a cultura africana preservada no país, afirmando, a partir dela, uma diferença civilizatória ou simbólica com um vigor que até agora os negros não tiveram oportunidade de manifestar.

Do lado dos índios, a situação não é nem um pouco mais promissora. De fevereiro a outubro de 2003, morreram assassinados 28 indígenas brasileiros, vários deles lideranças políticas das nações. Nenhum dos assassinos (todos eles agindo a mando das elites econômicas locais invasoras de terras e ligadas às oligarquias políticas regionais) foi sequer processado. Registramos assim um genocídio recorde da história contemporânea brasileira das relações das nações indígenas com o estado, em um clima de punição zero. Todos aqueles que vociferavam nos dias da ditadura diante dos maus tratos sofridos pelos índios calaram-se ano passado, quando ocorreu o que nunca havia ocorrido durante o período militar. O Brasil pós-Durban de Lula, portanto, retrocedeu em relação a todos os governos pós-ditadura militar no trato com os índios.

É ainda mais frustrante ter que relatar a pressão dos produtores de soja do Mato Grosso (incluindo o próprio governador) para retirar o Estado da Amazônia Legal, o que deixaria os donos dos agronegócios mais livres para predar a floresta e dela expulsar maior número de nações indígenas e remanescentes de quilombos de seus territórios. A grande pressão dos poderosos neste momento é consolidar a construção da rodovia Cuiabá-Santarém, destinada a favorecer o agronegócio da soja e a abrir uma nova frente para a monumental predação da selva amazônica, sinônimo direto de genocídio de nações indígenas. Essa política de destruição está se consolidando na contramão de um alerta mundial pela preservação do meio-ambiente e do direito de sobrevivência e autonomia das nações indígenas.

O Brasil de 2004, visto da perspectiva internacional da luta por assegurar a autogestão e o apoio à autonomia dos grupos étnicos diferentes da etnia hegemônica (no caso brasileiro, os brancos ocidentalizados), caminha na contramão do que o país firmou em 2001 na África do Sul. O Brasil de 2005 continua injusto com os índios como sempre e a tensão étnica só tem aumentado. Um escândalo comentado internacionalmente tem sido a morte sucessiva de dezenas de crianças guaranis Caiovás na região de Dourados, Mato Grosso do Sul, justamente no meio das gigantescas plantações de soja, símbolo desse crescimento econômico perverso de que o governo atual tanto se orgulha. Há notícia, inclusive, de que um grupo de 200 guaranis caiovás está determinado a cometer um suicídio coletivo. E também recentemente circulou entre pesquisadores a notícia de que os Cintas-Largas de Rondônia estão se preparando para morrer, ante a violência que sofrem da população branca da região.

Em Roraima, o Presidente da República finalmente assinou a reserva Raposa Serra do Sol, mas professores indígenas estão sendo ameaçados de morte, a ponto de que alguns já se afastaram do estado. No Espírito Santo, índios tupiniquins e guaranis invadiram uma fazenda da multinacional Aracruz Celulose, na tentativa de recobrar parte de suas terras que o Estado entregou à gigante da produção mundial de papel. E finalmente, neste mês de maio de 2005, assistimos a um protesto mundial contra as cifras aterradoras das áreas desmatadas e queimadas da floresta amazônica, que significam a maior destruição já realizada até hoje em um único ano. Destruir a Amazônia é destruir as bases da sustentação da vida das nações indígenas que nela habitam.

A discussão de Durban teve como uma de suas novidades que, talvez pela primeira vez em décadas de uma intensa propaganda da luta vitoriosa dos negros norte-americanos oferecida como modelo para os países como o Brasil, justamente a delegação dos Estados Unidos não conseguiu se impor e nem pautou construtivamente as reivindicações mais revolucionárias e politizadas da Conferência. Muito pelo contrário, o próprio modo como os Estados Unidos se retiraram da Conferência evidencia, para os que se interessam em ler esses eventos criticamente, o grau de cooptação e de rendição dos negros desse país à lógica de dominação e intolerância do grupo étnico branco norte-americano contra todos os povos do mundo. Foi Condoleeza Rice, negra e assessora direta do Presidente dos Estados Unidos para assuntos internacionais, beneficiada pessoalmente pela política de ações afirmativas do seu país para o ensino superior nos anos setenta, que conduziu a retirada abrupta e arrogante da delegação norte-americana da Conferência, rejeitando justamente a discussão do tema da reparação aos povos e países que foram vítimas da escravidão, que entre os quais se incluíam seus próprios ancestrais.

O exemplo norte-americano de políticas de ação afirmativa é claramente uma estratégia de cooptação, neutralização e finalmente de apagamento dos modelos alternativos de Estado que as comunidades negras da Diáspora pós-escravista possam tentar formular. Acredito que essa cooptação foi mais fácil e totalizante porque o conflito racial foi confinado ideologicamente em uma briga entre brancos e negros, deixando de fora as outras populações marginalizadas e oprimidas. A própria decisão dos negros norte-americanos por absolutizar sua luta e exigir uma reparação isolada pelos horrores da exploração escravista abriu as portas para uma solução conservadora, que não se propôs a refazer o pacto social como um todo – nem mesmo no interior da ordem capitalista; muito menos, então, de questionar as bases imperialistas da sociedade a que pertencem e a cujos interesses de dominação mundial aceitaram então aderir como cidadãos e soldados inteiramente integrados, tanto ao estado, como às corporações e à máquina de guerra dos Estados Unidos.

Assim, apesar da importância da saga dos negros norte-americanos, eles não conseguiram estabelecer uma aliança com os índios e concentraram suas energias em alcançar as mesmas posições dos brancos. Pelo que sei, também os índios não se aproximaram dos negros escravos. A chave discursiva da saga indígena não incorpora a escravidão negra, assim como a saga dos negros não faz menção ao massacre dos índios. Essa cisão pode ser observada nas obras importantes que narram essas duas sagas. Os livros de John Hope Franklin e Martin Luther King e a Autobiografia de Malcolm X, por exemplo, que historiam toda a luta dos negros por igualdade de direitos, não se referem à luta dos índios.[29] Paralelamente, as obras lapidares da consciência indígena atual, como *Custer Died for Your Sins*, de Vine Deloria, Jr., *Trail of Tears* de Gloria Jahoda e *Enterrem meu Coração na Curva do Rio*, de Dee Brown, traçam a geografia do genocídio dos índios sem mencionar a geografia, justaposta à sua, do massacre dos negros.[30] Na verdade, as minorias étnicas e raciais nos Estados Unidos – negros, índios, hispânicos, asiáticos – jamais fizeram uma frente comum, solidária e politizada, daí o tom politicamente conservador que assumiu a ação afirmativa naquele país. Enquanto não houver essa união, as ações afirmativas continuarão ocorrendo dentro de um clima racista: os brancos lidam separadamente com as demandas de cada minoria. Com essa focalização e circunscrição, não se chega perto do espírito de Durban. O caso norte-americano reforça nossa idéia de que uma aliança negro-branco-indígena coloca um grau de politização na luta anti-racista brasileira que pode evitar, ou pelo menos dificultar a cooptação, tanto dos negros como dos índios, por parte dos brancos no poder, quando negociam separadamente com cada um dos dois grupos minoritários. Essa cooptação foi a marca da política norte-americana para as minorias desde os anos setenta do século vinte. Daí a necessidade de reflexão e análise para evitar que ela seja reproduzida no Brasil no início do século vinte e um.

### O racismo brasileiro como sistema de duplo vínculo

Uma das características dessa ordem dominante branca no Brasil (cuja especificidade em nada altera a intensidade do nosso racismo) é que ela tem forçado os negros a entrarem cindidos no discurso social, submetendo-os a um duplo vínculo (tomado aqui no sentido proposto por Gregory Bateson) mais paralisante, em termos de resguardar uma alteridade individual e coletiva, que a célebre condição de dupla consciência (com a qual é muitas vezes confundida), tal como a definiu W. E. Du Bois, no início do século XX, para caracterizar a experiência de discriminação sofrida pelos negros norte-americanos.

---

29. Ver John Hope Franklin (1998), Martin Luther King (1990) e Alex Haley (sd).
30. Ver Vine Deloria (1988), Gloria Jahoda (1975) e Dee Brown (2004).

Du Bois assinalava uma superposição de identidades, sendo porém cada uma delas inequivocamente colocada e reconhecida. Eis a sua frase famosa: "É uma sensação estranha, essa consciência dupla, essa sensação de estar sempre a se olhar com os olhos de outros, de medir sua própria alma pela medida de um mundo que continua a mirá-lo com divertido desprezo e piedade. E sempre sentir a duplicidade - americano e Negro; duas almas, dois pensamentos, dois esforços irreconciliados; dois ideais que se combatem em um corpo escuro cuja força obstinada unicamente impede que se destroce" (Du Bois 1999:54).

É possível pensar, inclusive, que essa consciência dupla formulada por Du Bois está mais claramente presente na experiência de certos índios brasileiros do que na dos negros. Muitas das atuais lideranças indígenas, que foram criadas entre os brancos (geralmente missionários) e que depois de adultos recobraram seus vínculos com seus parentes ou suas nações de origem, experimentam exatamente essa condição de dupla consciência, de ser índio e ao mesmo tempo "brasileiro" (porque.assim se vêm e assim são vistos).

A frase de Du Bois, ainda que dramática, confirma a existência de um olhar de fora (do branco) que constrói o negro enquanto negro. Ele reclama da "sensação de estar sempre a se olhar com os olhos de outros, de medir sua própria alma pela medida de um mundo que continua a mirá-lo com divertido desprezo" (p.54). O olhar do branco sobre o negro de que fala Du Bois é um olhar negativo, porém um olhar que o identifica como negro. A luta do negro norte-americano baseou-se, naquele contexto, em desfazer essa imagem negativa que ele mesmo havia introjetado para em seguida construir uma imagem positiva de si mesmo. Primeiro para seu próprio benefício, isto é, para sua auto-afirmação de ser humano com dignidade e merecedor de respeito; logo, para enfrentar o branco e forçá-lo a mudar a imagem que construiu do negro. E é no bojo desse confronto com o branco que a demanda por reparações (incluindo ações afirmativas) foi colocada. Houve aqui sofrimento, humilhação e neurose; porém, a patologia do duplo vínculo não foi estruturante da relação com o branco, porque a mensagem do branco, apesar de unilateral, foi basicamente unívoca e consistente: o negro é um inferior, porém é também uma alteridade – e como tal, sua referência é a identidade do branco que foi auto-afirmada de um modo inequívoco. E foi fincando o pé nessa condição de alteridade – isto é, de não-branco – que a luta anti-racista se estruturou com a finalidade de reverter esse discurso unilateral.

W. E. Du Bois escreveu sobre um mundo em que os brancos se apresentam na arena do confronto. A arena de Durban é um espaço político exatamente desse tipo.

Quando os negros brasileiros regressaram esperançosos de Durban, reencontraram um mundo em que o branco se recusa a mostrar-se na arena do confronto. Há uma forte ideologia assimilacionista no Brasil, que faz com que a discriminação não entre jamais no discurso histórico da nação. Isso dificulta até a reivindicação, porque o único argumento "irrefutável" de que se pode lançar mão é o censo do IBGE e as correlações do IPEA, amplamente difundidos desde 2001. Não existe um discurso branco legitimador da discriminação disponível na arena pública que os negros possam invocar para pressionar a agenda de Durban. O discurso legitimador do racismo mais próximo de se converter em um discurso público são as piadas sobre negros, que circulam socialmente muitas vezes em espaços públicos, porém sob o álibi do anonimato. Além disso, não é fácil processar alguém por piadas.

Analisemos essa estrutura de duplo vínculo que constitui as relações no Brasil após a abolição da escravatura. Há, de saída, a injunção primária negativa, afirmada na posição do branco que recusa identificar-se com o negro porque ele é pré-definido como um ser inferior. Aqui as causas invocadas para a inferioridade do negro podem ser várias, e do ponto de vista sistêmico pouco importa se o branco inferioriza o negro lançando mão de teorias biologizantes da hierarquia racial ou de outros estereótipos de inferiorização, tais como ignorância, feiúra, pobreza, linguagem etc. Frente a essa injunção primária ativada, somente resta ao negro contentar-se com permanecer nas posições mais inferiores da pirâmide social, pois são os lugares mais humildes que corroboram a desigualdade fundante do discurso branco que quer construir o negro de modo aberto segundo essa hierarquia.

Assim, porém, que o negro resolve afirmar-se em sua condição de negro (condição prescrita justamente pela injunção primária do discurso branco), o branco não aceita essa afirmação, lançando mão de uma injunção secundária em conflito com a primeira: não, não há diferença entre um negro e um branco, você é igual a mim, logo não tem o direito de marcar essa diferença irredutível. Esse duplo vínculo específico aprisiona o negro brasileiro em uma relação que mina a sua auto-estima porque não lhe permite responder a uma mensagem que simultaneamente nega e afirma a sua condição de alteridade (ou de identidade) frente ao branco. Completa-se aqui o sentido do duplo vínculo tal como formulado por Bateson: se permanecer vinculado a essa estrutura desigual de comunicação, sairá perdendo sempre, independente da posição que escolha assumir.

Uma das expressões literárias mais dramáticas e intensas do efeito negativo do duplo vínculo na psique do negro brasileiro está contida no extraordinário texto intitulado *O Emparedado*, do poeta catarinense Cruz e Sousa: seu esforço de ilustração é afirmado e negado simultaneamente, pois é a própria condição de ilustração européia adquirida na escola dos brancos que lhe empurra a afirmar que pertence a uma condição inexoravelmente não ilustrada: a condição de africano.[31] Não nos deve causar surpresa o fato de que praticamente nenhum dos autores brancos que escreveram sobre escravidão e relações raciais tenha oferecido, até hoje, alguma consideração sobre os efeitos desse duplo vínculo na consciência do negro brasileiro. Igualmente se recusaram a considerar as conseqüências dessa relação patológica também para a coletividade dos brancos. Na verdade, foram autores negros que produziram ensaios notáveis sobre o problema do branco brasileiro: Guerreiro Ramos, Abdias do Nascimento e mais recentemente, Maria Aparecida Bento.[32]

Se o negro é pressionado para entrar paralisado no discurso hegemônico do branco, também o branco brasileiro sofre as conseqüências negativas de sustentar essa ambivalência em relação ao negro. Uma conseqüência visível é sua incapacidade de incluir o outro. E essa rejeição conduz a uma mentalidade de sítio, que no Brasil tem sido menos explícita que em países como África do Sul, Zimbabwe e Estados Unidos, porém não menos intensa. Afinal, somente essa sensação de sitiado pode produzir tanta violência racial "preventiva", por assim dizer. Junto com a prepotência "cordial" dos brancos brasileiros, manifesta-se uma violência racial constante. E essa violência, de um grau de destrutividade tão ou mais alto do que o praticado nos países demonizados como emblemáticos do racismo (os Estados Unidos pré-movimentos pelos direitos civis e a África do Sul durante o regime de *apartheid*) é também praticada sob a égide de um outro duplo vínculo, potencializando assim a pressão esquizofrenizante dos negros no Brasil: as vítimas de assassinato são majoritariamente negras.

O discurso branco primeiro traz a injunção do crime contra os negros; logo em seguida rejeita que o crime cometido contra os negros seja um crime racial. Ao fazê-lo, o branco empilha ainda um terceiro duplo vínculo ostensivo: nega a chegada do negro ao discurso, encurralando-o e estimulando-o a que apele para a última condição restante de expressão, qual seja, a violência; e logo em seguida ameaça-o com o uso da força (ou seja, anuncia que está disposto a duplicar os crimes contra os negros "rebeldes") caso o negro se torne violento. O negro "violento" que se insubordinar

31. Ver Cruz e Sousa (1961).

32. Ver Guerreiro Ramos (1995), Abdias do Nascimento (1961) e Maria Aparecida Silva Bento (2002).

contra esse racismo amordaçador brasileiro passa a ser então a profecia branca que se autocumpre: não há como acolher um ser que não dialoga, um incivilizado que não conhece limites; no limite, um terrorista.

Essa dimensão de encurralamento do duplo vínculo que joga o negro contra a parede do silêncio da qual somente pode sair lançando mão de uma violência, que por sua vez justificará a intensificação da violência dos brancos contra si, é praticamente equivalente ao que diz Slavoj Zizek sobre o ato terrorista, quando tenta entendê-lo como ato contra-hegemônico, à luz da teoria lacaniana da violência simbólica. Talvez uma boa definição do racismo brasileiro seja: trata-se de um ato beligerante dos brancos contra os negros ao qual os negros não podem reagir sob pena de serem tachados, eles, negros, de terroristas e como tais serem punidos violentamente pela lei construída pelos e para os brancos.

Zizek dirige sua argumentação para ressaltar que a hegemonia do campo dito democrático legitima uma violência simbólica que os grupos subalternos não mais percebem como violenta. "Hegemonia significa, portanto, usurpar a violência cujo caráter violento é superado. É neste quadro que devemos abordar o problema dos assim chamados "atos terroristas", da tentativa desesperada de se desvincular do duplo-vínculo do discurso hegemônico em que a mais alta violência posa com consentimento e diálogo não-violentos – o verdadeiro alvo das atuações (*acting-outs*) terroristas é a violência implícita que sustenta o próprio quadro de referência tido como neutro, não violento" (Zizek 1994:204).

Deste modo, o branco justifica plenamente a sua condição hegemônica e torna impune o crime inicial contra os negros, porque o despolitiza, jogando-o na vala comum da "violência social" de raízes econômicas ou de classe, cuja solução é postergada *sine die* e que não dependerá de nenhum rearranjo das relações raciais no país, simplesmente porque não surgiu de nenhum desarranjo das mesmas. O discurso branco hegemônico avança, então, impondo mais silêncio e colocando ainda mais pressão destrutiva sobre a comunidade negra. A contrapartida negativa dessa atitude na psique dos brancos é esgarçar ainda mais a armadura hipócrita de sua proposta "civilizatória", que é cada vez menos pacificadora. Não é de surpreender, nessa conjuntura, que uma entrada no discurso para resistir assuma a forma de denúncia em chave poética e performática, como é o caso do discurso do *hip-hop*. Daí a pressão e a demonização constante do *hip-hop*, estigmatizado porque representa uma das poucas tentativas políticas não institucionais de formular uma resolução positiva do duplo vínculo negro no Brasil.

Há um outro lugar, porém, em que o branco hegemônico aceita colocar o negro, percorrendo agora o outro pólo da linha esquizóide que vai da ameaça ao estímulo: instando o negro a que sorria, que performe alegremente sua dança e sua música. Em tal caso, a alteridade negra é então aceita e até celebrada, pois aqui será o branco que construirá o cerco em que o negro estará, paradoxalmente, alegre e sitiado: o negro performa; o palco, porém, da arena pública, pertence ao branco. O aparente "kinismo" do negro que aposta ostensivamente no corpo e no prazer é, na maioria dos casos, apenas mais uma manobra de controle ideológico perpetrada pelo cinismo branco.

Poderíamos acrescentar aqui a ambivalência esquizofrenizante da autodeclaração do Ministro Gilberto Gil, logo no início do seu mandato em 2003, como um "negromestiço".[33] Ao emitir essa definição contraditória, coloca os milhões de negros brasileiros que o admiram também em uma injunção psíquica de duplo-vínculo. Por um lado, admiram-no enquanto um negro, grande artista, modelo de sucesso e auto-estima raríssimo entre os membros de sua comunidade. Por outro lado, o mesmo Gilberto Gil avisa que não é negro e nega a oferta de identificação que ele mesmo emitiu para seus irmãos negros ao se declarar mestiço, isto é: sem nenhuma identidade racial confrontadora, alguém famoso que não incomoda, atitude bem ao gosto dos brancos racistas. A ideologia freyreana dos "antagonismos equilibrados" e da democracia racial é aqui mais uma vez usada na contra-mão de um momento político de afirmação da comunidade negra brasileira extremamente importante como o atual, e justamente por um músico (negro?) brasileiro mundialmente famoso.

Tal como o vejo, cobrar a implementação de Durban é encontrar um caminho enviesado e surpreendente de entrada no discurso hegemônico no Brasil. É muito provável que a fina ironia e o humor ferino do ex-escravo Luiz Gama no século dezenove tenham sido tão eficazes porque ele se moveu em um sistema de comunicação menos hipócrita, mais preso a uma literalidade das posições em confronto que lhe permitiu maior margem de manobra. Já os negros brasileiros da era de Durban encontram-se com a árdua tarefa de atravessar a fria parede de setenta anos de duplo vínculo freyreano, atualizado por três gerações de ideólogos brancos até os dias de hoje. O grau de esquizofrenia nas nossas relações raciais é, portanto, penso eu, o mais agudo de toda a nossa história: nunca foi tão fácil comprovar a existência da violência racial, devido aos dados objetivos acumulados e divulgados; e nunca foi

---

33. Ver Gil (2003).

tão intenso o duplo vínculo lançado para os negros, na tentativa de impedir que solicitem finalmente dos brancos um reconhecimento público e ativo do racismo por nós praticado. O sítio político em que os brancos se vêm imersos tem seu contraponto no estado de sítio discursivo em que estão os negros confinados: nunca houve tanto para anunciar e nunca foi tão difícil impactar a realidade com a denúncia – visto que a realidade é constituída pela denúncia. E é justamente a consolidação discursiva da denúncia o que tem sido especialmente difícil.

E aqui devemos introduzir a importância da discussão sobre as cotas para negros nas universidades. Essa campanha expressa uma demanda por cidadania que surgiu e que corre independente da tentativa de controle por parte das Ciências Sociais enquanto reprodutora da ideologia da elite branca brasileira, que deixa agora de ser a principal emissora do discurso sobre as relações raciais no Brasil e passa a ser interpelada de fora (mesmo que uma parte dos brancos apóie a reivindicação da comunidade negra). Por tal motivo, a reivindicação de cotas coloca, penso que pela primeira vez, uma pressão de duplo vínculo sobre a elite branca brasileira. Em primeiro lugar, ela concentrou seu discurso na defesa de uma suposta "sabedoria civilizatória" brasileira que prescindira das cotas na medida em que a nação já havia promovido a integração racial através da famosa mestiçagem. Agora, porém, que as cotas começaram a ser implementadas, se ela posicionar-se contra, confirmará as denúncias de racismo ora em curso; e se for a favor, também as confirmará e terá que se desdizer e desautorizar a si mesma enquanto uma elite branca intelectual que celebrou uma civilização mestiça sem antagonismos raciais. Esta é a razão pela qual considero especialmente estratégica a luta pelas cotas no Brasil, que tanta polêmica tem gerado e que é justamente um dos pontos centrais das recomendações de Durban.

Quando insisto no valor das cotas como mecanismo fundamental da luta anti-racista, refiro-me à sua capacidade de desestabilizar e expor o racismo acadêmico. A elite branca das Ciências Sociais sempre pregou a necessidade de primeiro interpretar a realidade das relações raciais para depois intervir sobre ela (e, na verdade, sua conclusão sempre foi a de que não havia necessidade de intervenção: o conflito social e de classes, em algum momento, se resolverá e dissolverá o conflito racial). O que sugiro, pelo contrário, é que é preciso intervir primeiro para melhor conhecer. No momento em que intervimos, o sistema reage exibindo os seus sintomas recalcados. E é pelo flagrante desses sintomas que podemos conhecê-lo mais profundamente. Estudos como os do DATAFolha indicam que 90% dos brasileiros admitem que há racismo no Brasil, porém, 90% não se acham racistas. Há racismo; os racistas, porém, não mostram a sua cara. Agora começam a mostrá-la.

Após quatro anos de discussões em dezenas de instituições de ensino superior, foi em um debate na Universidade Federal de São Carlos, em maio de 2004, que pude flagrar, pela primeira vez, a resistência branca às cotas como uma reação conscientemente racista. Um estudante branco argumentou que a porcentagem de estudantes amarelos nas universidades públicas paulistas é muito superior à sua representação demográfica no estado; e se eu estava propondo cotas para negros, então eu deveria colocar os negros nas vagas "deles" (dos asiáticos), que já estavam "excessivos", e não nas "nossas" (nas dos brancos) – termo por ele usado. Esse aluno branco da UFSCAR disse finalmente o que muitos acadêmicos brancos se recusam a dizer diretamente: que nós, do grupo hegemônico, somos perfeitamente conscientes da exclusão racial que reproduzimos, e que a integração racial que resultará das cotas implicará em uma perda de nossos privilégios. Outro sistema explícito de reação racista às cotas aparece agora nos banheiros da Universidade de Brasília, freqüentados principalmente por estudantes: pichações várias insultam os estudantes que entraram pelas cotas e instam os pares dos pichadores (os estudantes brancos) a se retirarem de qualquer relacionamento com os estudantes negros porque eles irão "destruir" a universidade.

### A reivindicação indígena

Uma grande parte da mitologia viva atual e dinâmica dos índios já incorpora a história (sempre traumática) dos quinhentos anos de contato com os brancos. Sua pauta de reivindicações parte sempre da alteridade e impõe a diferença como horizonte de negociação. Primeiramente, reconhece como irreversíveis os vínculos resultantes dos quinhentos anos de massacre e visa construir um horizonte realista de projetos de futuro sem fugir para uma fantasia de reconstituição de uma realidade paradisíaca pré-cabralina. Igualmente descarta a ilusão de alcançar uma integração tranqüila com os brancos, baseada em alguma comunhão de interesses. De fato, apesar da enorme variedade de situações vividas pelas centenas de nações indígenas brasileiras, nenhuma delas propõe a assimilação ao mundo branco como horizonte de reivindicação ou como possibilidade de resultado das negociações. A preservação de uma autonomia para gerir e até mesmo intensificar a diferença é o denominador comum entre as pautas apresentadas pelos principais movimentos indígenas aos brancos: a COIAB, a FOIRN, a APOINME, a COPIAM, a APIR, a ATIX, entre várias outras associações, enfatizam a necessidade de manter uma distância e uma autonomia estratégica de seus projetos.[34]

Guardadas as devidas proporções entre os dois contingentes de dimensões demográficas tão dessemelhantes, acredito que a consciência e a informação específica sobre essa pauta chega a ser mais difundida e presente entre os índios que entre os negros. Ou seja, mesmo havendo entre os índios um grande déficit de recursos e de poder de influência na sociedade branca, isso não acarretou necessariamente um déficit de consciência ou de auto-imagem enquanto alteridade originária da nação. Os índios se vêem com direito de reivindicar e cobrar o que lhes foi retirado pelo Estado branco por meio de atos imorais e violentos ao longo de cinco séculos. Uma questão, portanto, a ser colocada para reflexão por parte dos ativistas e pesquisadores da área é avaliar qual o impacto das injustiças e dos genocídios na auto-estima das populações indígenas. A própria tenacidade e a resistência incessante, apesar de tantos massacres e traições de acordos, leva-nos a postular que a reserva simbólica própria dos patrimônios culturais específicos das sociedades indígenas ainda assegura a cada um, individualmente, enquanto membro de uma nação ideologicamente autônoma, um mínimo de auto-estima.

O recurso simbólico principal dos índios para a preservação de uma auto-imagem positiva em sua diferença consiste em ativar narrativas míticas que possibilitem aos grupos desconstruir as imagens negativas que deles fizeram os brancos para logo se reconstruir de um modo favorável e em geral superior aos próprios brancos. Assim, Davi Kopenawa pode contar que, para o seu povo Yanomami, os brancos foram criados na floresta dos índios, porém o criador os expulsou de lá por sua absoluta falta de sabedoria; e essa ignorância branca pode ser perigosa para todos os indígenas.[35] Igualmente, Ailton Krenak resume a percepção que têm do branco diversos grupos indígenas da América do Sul, como os Tikuna e os Guaranis, ao retratá-los como um irmão que se afastou há muito tempo atrás e com isso perdeu a chance de evoluir em

---

34. Existem atualmente dezenas de associações indígenas em todas as regiões do país. COIAB: Confederação das Organizações Indígenas da Amazônia Brasileira; FOIRN: Federação das Organizações Indígenas do Rio Negro; APOINME: Articulação dos Povos e Organizações Indígenas do Nordeste, Minas Gerais e Espírito Santo; COPIAM: Confederação dos Professores Indígenas da Amazônia; APIR: Associação dos Povos Indígenas do Roraima; ATIX: Associação Terra Indígena Xingu. Sobre o movimento indígena brasileiro e sua posição quando comparado com os movimentos indígenas da Austrália e do Canadá, ver Baines (2003).

35. Ver Kopenawa (2000:21).

sua humanidade como o fizeram os indígenas. Daí a frase lapidar de Ailton Krenak sobre o homem branco: "Ele é um sujeito que aprendeu muita coisa longe de casa, esqueceu muitas vezes de onde ele é, e tem dificuldade de saber para onde está indo".[36] Seria útil compilar, entre as lideranças negras atuais (como antes no Quilombismo de Abdias do Nascimento e no estudo da patologia social do branco brasileiro de Guerreiro Ramos), avaliações demolidoras e questionamentos explícitos e pertinentes sobre a condição e os valores dos brancos quanto essas de Davi Yanomami e Ailton Krenak, a que se somam declarações análogas de Álvaro Tukano, Marcos Terena, Kujame Kuikuro e tantos outros.

Já no caso dos negros, a parte mais forte da sua simbólica de alteridade (como o candomblé, o xangô, o batuque, o congado etc.) opta por não tocar nem absorver explicitamente a longa história de lutas e resistência contra os brancos durante os séculos de escravidão. Conforme argumentei em outro ensaio sobre a memória histórica no xangô do Recife, os episódios da escravidão são excluídos dos relatos históricos, provavelmente porque não haveria como justificar porque os orixás, com todos os seus poderes extraordinários, não foram capazes de impedir os horrores da escravidão.[37]

Obviamente, isso não quer dizer que outras metáforas de resistência não tenham sido ativadas pelas comunidades afro-brasileiras a partir de seus discursos culturais tradicionais (o que Rita Segato chama de códice afro-brasileiro, exemplificado pelo xangô, o candomblé, o congado, o maracatu etc).[38] A questão é que as metáforas de recorte mítico, acionadas pelos negros em um espaço urbano e integrado à ordem política e econômica dominantes, tornam-se mais distantes do tipo explícito, reflexivo e racionalizado de discurso requerido para formular uma reparação em termos legais, a ser demandada de um Estado ocidental moderno.

Quando se chega a esse ponto crítico do conflito político, fica difícil para a maioria dos negros, crescidos e formados em um universo de instituições ocidentalizadas altamente secularizadas, invocar a memória ancestral africana como apoio instrumental à *persona* pública que terão que exercer. A cultura política requerida pelos negros excluiu quase inteiramente a dimensão do mito. Em contrapartida, a cultura

---

36. Ver Krenak (2000:47).

37. Ver Carvalho (1988).

38. Ver Segato (1999).

política dos índios nunca deixou de integrar o mito, a ponto de que até o inimigo branco representante do Estado já aprendeu, mal ou bem, a contar com essas diferenças radicais de visão de mundo invocadas por todas as lideranças indígenas. Nesse sentido, a alteridade negra é debilitada em sua reprodução discursiva e isso condiciona a eficácia (relativamente menor) de sua mobilização, que em geral não consegue angariar a mesma simpatia da sociedade que os índios conseguem, apesar de todos os preconceitos vigentes. O exemplo maior dessa insensibilidade é justamente a repetição, banalizada como o mal de que fala Hannah Arendt, dos casos de discriminação racial que apenas surgem para cair na impunidade perfeitamente previsível.

É comum que os índios interpretem as reivindicações dos negros como propostas totalmente assimilacionistas, a ponto de vários líderes indígenas terem afirmado que os negros querem branquear-se, isto é, ocupar todos os espaços ocupados hoje pelos brancos e assumir todas as suas funções. Dito de outro modo, na perspectiva da sua alteridade mais radical, as lideranças indígenas vêem os negros do mesmo modo que os brancos: os negros estão mais próximos do poder, desejam introduzir-se nas mesmas redes construídas pelos brancos e por eles controladas e, se necessário (pensam os índios), serão tão opressores com eles quanto o são os brancos. Uma tarefa importante, portanto, neste contexto, é desarmar os índios em relação à desconfiança que alguns têm dos negros em geral. É possível também que ressoe, na memória coletiva de muitas nações, inúmeros episódios dramáticos da história colonial e imperial brasileira, em que os negros, na qualidade de capitães do mato, perseguiram os índios a mando dos senhores brancos. Os negros participaram dos exércitos e da caça aos índios nos episódios das entradas e bandeiras, por exemplo, que tantas conseqüências traumáticas tiveram na consciência histórica de inúmeras nações indígenas do Centro-Oeste e da Amazônia.

Em inúmeros casos conhecidos, porém, os negros são incluídos nos relatos míticos como parte da categoria de brancos enquanto não-índios; isto é, como humanos pouco desenvolvidos. Por outro lado, vários grupos, como os Waimiri-Atroari, por exemplo, reproduzem os mesmos preconceitos veiculados pelos brancos sobre os negros, como feios, sujos e inferiores.[39] Enfim, até onde conheço, parece haver pouca percepção de uma alteridade específica negra na consciência de muitos grupos indígenas; ou então, essa percepção é negativa, contaminada pelo discurso branco

39. Agradeço a Stephen Baines pelas referências aos Waimiri-Atroari.

racista. Contudo, valeria a pena dialogar mais acerca dos negros com os grupos indígenas que, por sua localização geográfica, tiveram contato mais prolongado com os negros escravos e quilombolas. De fato, na literatura antropológica recente nos deparamos com os índios "negros", evidentemente misturados de longa data, que provavelmente detêm uma leitura mais rica e própria de seu contato com os negros. Tal é o caso de muitos grupos indígenas do Nordeste que foram escravizados junto com os negros, como os Pankararus, Xukurus, Cariri-Chocós, Potiguaras, Trukás, Pataxós, Tumbalalás etc. E na região Norte, grupos como os Tirió e os Wapishana conviveram por séculos com comunidades de quilombolas.

O momento para uma revisão dessas visões cruzadas é oportuno porque está em pauta, na atual conjuntura política do país, uma excepcional demanda por cidadania e por ações afirmativas, o que pode levar a que se sentem, na mesma mesa de negociação com os brancos controladores do Estado brasileiro, lideranças negras e lideranças indígenas. A questão, portanto, é começar a realizar, no Brasil, mesas de diálogo entre negros e índios na linha da mesa realizada em Arica, no Chile, em junho de 2001, convocada pela Aliança Estratégica de Afro-Latino-Americanos e Caribenhos e da qual saiu o Acordo de Arica, no bojo da grande mobilização continental preparatória da Conferência Mundial de Durban. Um evento de grande valor histórico, nesta linha de reflexão, é a aliança estratégica firmada entre as mulheres negras e as mulheres indígenas, em julho de 2004, quando se declaram "parentes", que é o termo utilizado por todos os grupos indígenas para referir-se à afinidade fundamental que reconhecem entre si.[40]

Para que a luta dos negros não seja assimilacionista nem conservadora, seria importante que incorporassem a comunidade pequena, mas estruturada, dos índios como aliados de primeira hora. Reivindicar junto com os índios e pelos índios é delinear mais claramente o espaço de privilégio, controle e concentração de riqueza ocupado pelos brancos. A fala conjunta de negros e índios isola e sinaliza mais nitidamente a condição branca, que até agora não tem sido pressionada para apresentar-se, enquanto condição racial, no campo discursivo dos confrontos por justiça e igualdade no Brasil. Uma estratégia dos brancos bastante convincente, tem sido, inclusive, a de acusar os negros de forçarem uma polaridade racial supostamente inexistente no país. Artigos recentes de antropólogos contrários às cotas para negros nas universidades

---

40. Ver a Carta Aliança de Parentesco das Mulheres Negras e Indígenas (2004).

esgrimem esse tipo de argumento que foi consolidado por Gilberto Freyre nos anos trinta.[41] No momento, porém, que surgir um discurso de confronto articulado conscientemente por negros e índios, a natureza mesma dessa polaridade se transformará e ficará mais difícil para os brancos negar o seu lugar hegemônico e privilegiado. A universalidade da condição de branco somente se realizará com nitidez no Brasil quando as demais alteridades se apresentarem simultaneamente na arena pública tensionada pelas demandas de cidadania. Por tal motivo, considero a tarefa mais importante e urgente, no momento atual, de demanda por inclusão étnica e racial, articular uma frente comum de negros e índios.

## A recusa dos acadêmicos em reconhecer-se brancos

A incomunicabilidade presente entre os negros e índios no Brasil é efeito também do discurso das Ciências Sociais com sua considerável parcela de influência na hegemonia branca nacional. Foi a Antropologia que mais produziu, a partir dos anos sessenta, um discurso científico que separou dois contingentes não-brancos, como se fossem independentes um do outro: os índios e os negros. Roberto Cardoso de Oliveira, por exemplo, formulou, nos anos sessenta, a noção de fricção interétnica, por ele concebida como equivalente à noção de luta de classes e destinada a sintetizar a natureza do conflito entre os índios e a "sociedade nacional".[42] Esse modelo analítico, ainda de grande influência na postura disciplinar da Antropologia praticada no Brasil, retirou do cenário a história dos negros em sua relação com a história dos índios. Igualmente, nas suas matrizes disciplinares dos estudos antropológicos no Brasil, não há lugar para uma história específica dos estudos afro-brasileiros, os negros aparecendo sempre subsumidos nessa noção de sociedade nacional.[43]

Pedagogicamente, construiu-se um cenário ideológico em que a sociedade nacional, por um lado, tem um problema – o índio – para resolver, como se a sociedade

---

41. Yvonne Maggie e Peter Fry, ambos professores da UFRJ, estão na linha de frente dessa reação acadêmica anti-cotas e sustentam sua reação em uma defesa da tão decantada variedade de cores da população brasileira, argumentando que a taxonomia de brancos e negros presente nas propostas de cotas da UERJ, da UNEB e da UnB é uma criação exclusiva dos "militantes negros e dos seus aliados sociólogos" (ver Fry & Maggie 2003). Como se sua posição contrária às cotas para negros não fosse uma posição militante!

42. Ver Roberto Cardoso de Oliveira (1962).

43. Para uma crítica atualizada desse modelo de disciplina antropológica no Brasil, ver a tese de doutorado de Mônica Pechincha (2003).

nacional não tivesse estado sempre tensionada de conflito racial e logo, dividida internamente, sua cisão interna motivando também, por caminhos extremamente complexos, a cisão com os índios. Um outro efeito negativo desse modelo interpretativo é que, ao forclusar o negro do cenário fundante dos dilemas do Brasil enquanto sociedade e da constituição da nossa Antropologia, retira qualquer possibilidade de agência por parte dos negros, negando à comunidade negra a produção de uma história comum, ainda que constantemente tensionada, com os brancos e os índios. E mais, tal modelo procede como se essa comunidade não tivesse uma historicidade que a conduzisse ao momento atual desses dilemas, também com a capacidade de contribuir para alterar a atual conjuntura da nação, eivada de conflitos dramáticos e violentos entre os três contingentes humanos principais que constituem a nação.[44]

Uma década mais tarde, essa divisão foi reforçada pelos influentes ensaios de Roberto da Matta, que também separam o universo indígena do universo negro. Implicitamente, continuou tratando, até teoricamente, a situação do negro como se fosse uma situação do tipo urbana/próxima e a situação dos índios como selvática/distante. Por um lado, a discriminação sofrida pelos índios praticamente não tem lugar no seu modelo, de corte estruturalista levi-straussiano. Por outro lado, a leitura que oferece do "dilema brasileiro" no seu famoso "triângulo das três raças" toma em conta exclusivamente os autores brancos, silenciando inteiramente a produção de Clóvis Moura, Guerreiro Ramos, Abdias do Nascimento, Lélia Gonzalez, entre tantos outros autores negros e dos líderes indígenas que também ofereceram leituras da discriminação racial e étnica no Brasil. Além disso, esse "triângulo das raças" é apresentado a-historicamente, como se essas relações étnicas e raciais tivessem sido as mesmas no Brasil Colônia, no Império, na sociedade pós-escravista da República Velha, na era Vargas etc. Retirar essas relações da história é mais uma vez negar o protagonismo das militâncias negra e indígena.

No momento presente, em que a luta pelas cotas para negros e índios mobiliza toda uma revisão da ideologia de democracia racial que impediu o discurso anti-racista no Brasil, impacta a publicidade gerada em volta da reedição, em volumes cuidados e luxuosos, da trilogia reacionária de Gilberto Freyre, certamente para dar nova munição ao discurso contrário à explicitação do conflito racial brasileiro.

---

44. Vale lembrar os contingentes que representam outras alteridades no Brasil: os alemães, os italianos, os japoneses, os sírios e libaneses, a comunidade judaica etc., que conscientemente optei por não incluir neste modelo. Acabo de redigir, contudo, um ensaio geral sobre toda a diversidade étnica e racial do Brasil, em que ofereço uma interpretação da articulação entre todos esses grupos (Carvalho 2005).

É altamente significativo do duplo vínculo da nossa elite branca que o sociólogo e ex-presidente da República Fernando Henrique Cardoso, primeiro estadista do país que admitiu a existência do racismo no Brasil e que impulsionou a preparatória para a Conferência de Durban, se disponha a escrever uma apresentação laudatória de *Casa Grande & Senzala*, classificando-o ambiguamente de "um livro perene" e afirmando que o seu mito da democracia racial é um "quase embuste".[45]

Nessa linha de argumentação, Roberto da Matta celebra a noção de hierarquia de Louis Dumont (e que já é conservadora em relação à realidade indiana para a qual foi formulada), alegando que está presente em *Sobrados & Mucambos* e que ela permite a "conciliação dos conflitos" (evidentemente sem resolvê-los), de modo que "os senhores englobavam mas eram também englobados por seus escravos".[46] Primeiro, haveria que explicar, até mesmo para hegelianos empedernidos, em que contribuiria para a libertação dos escravos esse "englobamento" de amos, que deve ser a tal conciliação de conflitos em um regime de escravos submetidos por seus amos a torturas quase diárias. Essa teoria da hierarquia pode assumir duas funções ideológicas concretas no momento atual e seria pertinente que quem a utilize deixe claro para que o invoca: ou ela serve para justificar um modelo histórico de relações raciais desiguais cimentadas por essa cultura hierárquica; ou ela é justamente o que deverá ser superado no momento em que as ações afirmativas promoverem uma igualdade racial que nunca tivemos. Não é, portanto, por acaso que seja reeditada a trilogia freyreana justamente no contexto pós-Durban de recrudescimento da luta anti-racista. E não faltam notáveis para reenergizar o freyreanismo e abafar o impacto do nosso racismo, nem que seja apenas para acrescentar um "quase" ao embuste monumental da democracia racial brasileira ou fantasiar "englobamentos" conciliadores (torturas à parte) entre amos e escravos.

O não questionamento da condição de branco no Brasil aparece nesse modelo acadêmico pela via do recalque e do universalismo colonizado. O que ainda está por dizer e refletir é o fato de que o branco brasileiro é e sempre foi subalterno em relação ao branco europeu. Talvez seja esta a razão pela qual nunca houve lugar para estudos eurobrasileiros explícitos nas universidades brasileiras (o que teria implicado na construção de uma teoria pós-colonial própria, movimento negado pela adoção integral e submissa de um modelo de Antropologia e Sociologia coloniais copiado dos Estados

45. Ver Fernando Henrique Cardoso (2004).

46. Ver Roberto da Matta (2004).

Unidos, da França e da Inglaterra). Como conseqüência dessa identidade recalcada, a especificidade da condição branca no Brasil diluiu-se nos estudos de Antropologia e Sociologia Urbana (formulada, na maioria das vezes, sem um recorte racial específico), de Antropologia e Sociologia da Sociedade Nacional, ou dessa categoria abertamente ideológica de Pensamento Social Brasileiro, centrada majoritariamente no pensamento da nossa elite branca ou branqueada.

Nos modelos oferecidos pela maioria dos nossos antropólogos, estabelece-se uma separação nítida, como se se tratasse de duas especialidades praticamente estanques, autônomas e mutuamente excludentes: Etnologia Indígena por um lado e Estudos Afro-Brasileiros por outro. Essa separação dificultou uma visão de conjunto, ao mesmo tempo em que consagrou o caráter meramente "acadêmico" (quer dizer, que diz respeito apenas à elite branca, já que 99% dos acadêmicos são brancos) dos estudos sobre os negros e sobre os índios brasileiros. Além disso, duas realidades importantes foram excluídas do discurso disciplinar estabelecido: a experiência dos quilombolas como uma dimensão singular da história dos negros no Brasil; e os índios negros, sobretudo no Nordeste, que trazem um desafio à visão essencializante do índio difundida nos manuais introdutórios de Antropologia.

Se a disciplina antropológica seccionou os grupos marginados, negando as interseções das suas histórias, com isso ajudou a reiterar a atitude política segregadora do grupo branco dominante. A própria história corrente do abolicionismo desvia a atenção para o genocídio que os índios sofriam durante o século dezenove. Seguindo uma postura exatamente inversa e paralela da de Bartolomé de las Casas, que procurou salvar os índios caribenhos da escravidão admitindo e recomendando a escravidão negra, os mesmos intelectuais brancos brasileiros que vociferavam contra a escravidão negra compactuavam silenciosamente com o massacre contra os índios, que ocorria na mesma época. Por tudo isso, acredito que somente agora poderemos começar a construir um modelo intercultural de leitura da história comum entre brancos, negros e índios no Brasil. E essa leitura corre paralela ao movimento concreto de promoção da igualdade étnica e racial no ensino superior. Assim, a primeira reunião de mulheres indígenas brasileiras realizada com a finalidade de reivindicar ações afirmativas específicas para sua condição étnicas e de gênero foi organizada por Rita Segato, antropóloga não vinculada à Etnologia enquanto especialização acadêmica.[47] Em outras palavras, a pergunta pela

47. Ver Segato (2003).

promoção da igualdade étnica e racial é um tema inovador que provoca uma reorientação nas grades disciplinares e interdisciplinares.

### Sugestões para uma aliança negro-branco-indígena

Os concursos de dotação para ação social e política junto a comunidades negras devem estimular a reabilitação e a difusão das lutas do povo negro ao longo dos 500 anos no Brasil, desde as primeiras rebeliões de escravos e os primeiros quilombos em meados do século XVI. Torna-se crucial, hoje em dia, analisar as conjunturas específicas para se pensar um leque maior de alternativas para ações no presente. A grande comunidade negra brasileira é detentora de uma longa história de lutas que ela mesma desconhece em parte e que ainda não pôde incorporar ao seu discurso presente.

O primeiro passo é difundir, socializar e refletir estrategicamente sobre todos os movimentos de resistência, desobediência e insubordinação que foram liderados por negros ou aos quais eles se integraram em número significativo de pessoas. Há que começar inclusive por uma atualização política da resistência de Palmares. Na verdade, propor agora uma frente negro-indígena é retomar um dos ideais da república de Palmares onde, como enfatizaram Décio Freitas e Clóvis Moura, as lideranças negras aquilombadas abriram espaço político para a convivência integrada de índios, mulatos, negros escravos, negros libertos e até brancos pobres, todos escapados do horror do regime das plantações nas Alagoas.[48] Vários movimentos de insurreição do século XIX (Balaiada, Cabanagem, Sabinada) devem ser lidos politicamente como movimentos de resistência e trazidos à consciência no momento presente, de formulação de lutas e de construção de hegemonia.

É preciso resgatar, por exemplo, o maior episódio de insurreição popular contra o estado no Brasil, qual seja, a Guerra de Canudos, como uma guerra da população negra, tal como foi revisto no belo e original ensaio de Maria Beatriz Nascimento.[49] Após efetuar uma leitura minuciosa do censo das cidades de onde saíram grande parte dos conselheiristas, Beatriz Nascimento demonstrou que o movimento foi majoritariamente de negros, conscientes de sua condição racial, parte deles escravos que seriam deslocados para a região Sudeste, mormente para as plantações do interior de São Paulo; e parte pardos e pretos livres, que seriam praticamente re-escravizados, uma vez que o regime de contratados obrigava-os a um tipo de trabalho idêntico ao de um escravo.

48. Ver Décio Freitas (1990) e Clóvis Moura (1959).

49. Ver Beatriz Nascimento (1987).

Meditar sobre os negros de Canudos é expor a densidade praticamente estruturante do racismo na sociedade brasileira. Canudos foi destruída também porque se constituiu como um reduto negro, em uma conjuntura racista que não admitia a igualdade racial e diabolizava a diferença negra. Nesse particular, a tensão provocada pelos negros conselheiristas ressoa até hoje, ainda que de um modo pouco refletido. A atualidade de Canudos como uma revolta de negros contra os regimes de escravidão e semi-escravidão é evidenciada neste preciso momento pela horrorosa prática do trabalho escravo nas fazendas de vários estados brasileiros, generalizada a tal ponto que as investigações sobre os proprietários dessas fazendas conduziram à incriminação de deputados federais e senadores da República. Dada a ausência de resolução dos conflitos raciais no Brasil - e mesmo a pouca disposição explícita (e não meramente formal ou institucional) por parte da elite branca para colocar a questão racial como uma agenda de interesse para a sociedade como um todo - qualquer reivindicação mais forte dos negros pode ser recebida pela elite branca como uma reação irracional, tresloucada, de tipo conselheirista. Afinal, não esqueçamos que *Os Sertões*, de Euclides da Cunha, texto abertamente racista e que diaboliza perversamente a figura integradora e libertária de Antônio Conselheiro, é celebrado pela nossa elite como a obra mais importante da nossa história. Isso significa que a poderosa retórica arianista de Euclides é difundida diariamente nas escolas brasileiras, inoculando na juventude uma predisposição negativa com relação à rebeldia das "raças inferiores".

É muito provável que as lideranças indígenas desconheçam a dimensão das lutas negras contra os brancos. Não será de estranhar, inclusive, se não souberem que índios e negros lutaram juntos na defesa de Palmares na Serra da Barriga. Uma dotação específica poderia ser concedida para a construção de uma frente de aliança negro-indígena no Brasil. A primeira tarefa a ser desenvolvida por essa frente seria resgatar e difundir as lutas de resistência contra o poder branco em que negros e índios cooperaram sem conflito de interesses. Trata-se de promover uma recuperação da memória que seja útil ao momento presente e compensar momentos anteriores em que essa articulação não pôde ser feita. Minha leitura da história recente do Brasil indica que nos anos oitenta, por exemplo, se negros e índios tivessem se articulado, ambos movimentos teriam ampliado significativamente o seu poder reivindicatório frente ao estado brasileiro, plasmado sobretudo pela Constituição de 1988.

Outra estratégia importante seria postergar por um tempo a idéia de um Movimento Negro totalizador e abrir várias frentes específicas e simultâneas, em uma linha similar à do Movimento Indígena, que de fato se manifesta no espaço público através de suas inúmeras associações e federações, situadas em distintas regiões do país e de ação localizada e articulada nacionalmente. Assim, a comunidade negra, muito mais numerosa, pode começar a pressionar através de seus vários segmentos, cujas pautas de reivindicação são claramente distintas e específicas. O estado brasileiro estaria assim cobrado ao mesmo tempo pelo movimento nacional dos quilombolas; pelos coletivos de estudantes universitários negros; pelos cursinhos pré-vestibulares para negros; pelo coletivo dos pesquisadores e professores universitários negros; pela associação nacional dos empreendedores negros; pelo movimento dos evangélicos negros; pela Pastoral Negra; pelo coletivo dos artistas e modelos negros etc.

Finalmente, acredito que o momento atual é de tensionar ao máximo a esfera pública, denunciando a hipótese de uma acusação racista de um "terrorismo negro e indígena" no Brasil. O foco é a cobrança por implementação integral do Plano de Ação de Durban: marchas de estudantes e ativistas; intervenções constantes na mídia impressa, de rádio e televisiva; processos na justiça civil; ações no Ministério Público; representações no Supremo Tribunal Federal; audiências públicas nas Câmaras Legislativas municipais, estaduais e federal; audiências diretas com Ministros e com o Presidente da República; denúncias do racismo e da discriminação étnica em todos os foros internacionais. Enfim, há que levar a militância não-violenta (ou apenas não-sangrenta?) ao seu limite. Para intensificar tudo isso, há que articular o maior número possível de negros, brancos e índios dispostos a lutar pela eliminação definitiva de todas as formas de discriminação étnica e racial no Brasil.

CAPÍTULO V

# A Extensão e os saberes não-ocidentais

Neste momento, duas questões me preocupam principalmente sobre o perfil das nossas universidades. Em primeiro lugar, a questão da inclusão social, étnica e racial, tema que nós silenciamos ferozmente ao longo de muitas décadas, a ponto de tornar-se praticamente inexistente. Ressalto o tema da inclusão porque ele toca diretamente o que tem sido o meu esforço diário ao longo dos últimos cinco anos: a luta pelas ações afirmativas para negros e índios no ensino superior brasileiro. O segundo tema que me preocupa particularmente é a falta de abertura das universidades para os saberes não europeus e para os saberes europeus ainda não legitimados pela nossa ciência ocidental. Desde que ingressei como professor na Universidade de Brasília, trazendo uma formação eclética adquirida na Venezuela e na Irlanda do Norte que me permitia incursões em várias áreas sem destruir minhas especializações, as expectativas que nutria em relação ao cosmopolitismo do saber na universidade brasileira pouco se cumpriram. Cada vez mais me parece de uma dissonância inexplicável e indefensável, esse eurocentrismo quase cego que é perpetuado no nosso meio sem ser submetido à menor crítica. Deixo claro de início que chamo de eurocentrismo o paradigma tradicional de conhecimento científico ocidental que se tornou hegemônico entre os séculos XVIII e XIX; enfim, o que Frithjof Capra chama de modelo cartesiano-newtoniano. Em outras palavras, afirmo que nossas universidades reproduzem o conceito de saber científico anterior ao que Capra chama de ponto de mutação.[50]

Essas duas questões se combinam, obviamente, na medida em que fazem parte de uma mesma tentativa de renovar os saberes, de reabrir a imaginação bloqueada e

---

50. Sobre a crise do modelo cartesiano-newtoniano e a passagem a uma concepção sistêmica da vida, ver Capra (1987).

desvalorizada e de deselitizar, social, étnica e racialmente, as nossas universidades, todas elas escandalosamente brancas e de classe média. A Extensão pode ser, neste sentido, um lugar chave nesse esforço de abertura e renovação, primeiro, ao reconectar-se com a sociedade; e logo, ao trazer os agentes sociais excluídos para dentro da universidade, superando assim uma resistência que ela tem mostrado ao longo de toda a sua história no século vinte.

Nossa forma principal de relacionamento com a sociedade sempre foi objetificadora. Afirmo-o inclusive porque a própria disciplina com que sou identificado, a Antropologia, que em princípio alega exercitar um diálogo com as chamadas sociedades "nativas", continua trazendo seus vários "outros" para perto de nós apenas como objetos de estudo. E esta não é, na verdade, a maneira de trazê-los ao nosso meio como iguais, mas apenas de observá-los para fins científicos. A consciência dessa objetificação tem crescido tanto ultimamente entre os excluídos que em uma discussão sobre cotas, no Rio de Janeiro em 2003, um estudante disse a um professor negro que era contra as cotas: "O senhor está com medo de que o micróbio assuma o microscópio?" Impressionante! Agora o micróbio vai assumir o microscópio! Já não vai ser mais o objeto, apenas, do olhar escrutinador e dissecante do professor. Isso conduz a um processo muito mais complicado, que é construir parâmetros para a legitimação de novos saberes - no caso, os saberes que os nativos, até agora objetificados, definirem como importantes para fazer parte do cânon acadêmico que pretendemos representar. Promover um envolvimento de mão dupla com as comunidades excluídas é o caminho para se propor esses novos saberes, até agora tidos como não-acadêmicos e torná-los legítimos. E que exatamente construiremos com esses novos saberes por nós legitimados? É esta, em síntese, a base dos questionamentos que trago aqui para consideração daqueles que estejam preocupados com o conservadorismo do nosso meio acadêmico.

Curiosamente, essa parte da revisão dos saberes, que deveria ser central para uma reorientação de sentido das nossas instituições de ensino superior, não parece alcançar destaque na atual proposta de reforma universitária. Enfim, se não ampliarmos esse debate para discutir os conteúdos que reproduzimos na universidade, podemos imaginar o perfil da universidade pública brasileira após uma reforma tida como radical e desestabilizadora: mais ou menos autônoma, com estudantes da escola pública; mais ou menos mista, mais ou menos privada; e, ao mesmo tempo perpetuando, como faz há já um século, o mesmo eurocentrismo e a mesma objetificação do outro.

Para oferecer uma resposta mais libertária, ou pelo menos para pensar em uma atitude mais radical, a partir de uma lógica mais ampla e crítica do capital sobre a situação das universidades hoje, proponho utilizar como referência um artigo de Robert Kurz, pensador alemão ligado até pouco atrás ao Grupo Krisis.[51] Seu texto, original e corajoso, discorre sobre o que chama de efeito colateral da educação fantasma, expressão metafórica da crise da educação, tanto no Primeiro quanto no Terceiro Mundo. Gostaria, então, de propor uma síntese entre o raciocínio de Kurz e outras evidências que apresento para analisar a situação da Extensão a partir da trajetória histórica do ensino superior no Ocidente moderno.

### A crise da academia eurocêntrica

As universidades públicas brasileiras são herdeiras, em sua auto-representação, das universidades européias do princípio do século XIX, principalmente das portuguesas, francesas e alemãs. Kurz argumenta que na maioria dos cursos desse modelo clássico de universidade havia uma forte divisão qualitativa e ideológica. De um lado estavam os cursos técnicos, destinados exclusivamente para as classes trabalhadoras mais qualificadas da revolução industrial; e do outro, aqueles cursos que seriam destinados exclusivamente para a formação da classe dominante, que poderia se dar ao luxo de introjetar um saber não-prático, sustentado em si mesmo. Enquanto o saber técnico seria meramente utilitário, concebido e ensinado como exterior e colado às necessidades de reprodução da vida material, o outro serviria para formar um indivíduo com um mundo interno supostamente mais rico. Essa dicotomia entre um saber aplicado à indústria, à reprodução da vida, à acumulação do capital, e o saber que formaria o caráter da classe burguesa (e cujo modelo foi a formação aristocrática), foi levada adiante sem rupturas por dois séculos e sói ser expressa, até hoje, na oposição entre os cursos de Ciências Exatas, por um lado, e os de Humanidades, por outro, que ainda é a nossa idéia-mestra organizadora do saber universitário. Ou, para usar a elegante expressão de Pascal, a oposição entre o *esprit géométrique* e o *esprit de finesse.*

Segundo Robert Kurz assistimos, no momento presente, a um colapso desse sistema educativo por vários lados, porém sobretudo em conseqüência do ímpeto suicida do capitalismo neoliberal de nossos dias. Na verdade, seu argumento central é que esse modelo de ensino não se sustentará por mais tempo, visto que o capital

---

51. Ver Kurz (2004).

não quer mais continuar financiando esse saber para todos. Ou seja, o ensino tende a se reduzir a zero pelo seu lado de formação humanizadora; e se tornará ainda mais estreito e simplificador pelo lado da formação técnica. Por um lado, o curso universitário foi ficando cada vez mais caro para os Estados; por outro lado, as empresas pressionam cada vez mais para não pagar os impostos que permitiriam a reprodução do ensino superior gratuito e universalizado.

Feito o diagnóstico com precisão, todas as alternativas apontadas por Kurz são impressionantemente negativas. Uma alternativa sedutora para os nossos governantes do Terceiro Mundo seria privatizar de vez o ensino superior pleno e integrado. A partir daí, quem quiser obter esse saber especial terá que pagar por ele. Segundo a visão de muitos colegas, este é o espectro que ronda a atual proposta de reforma universitária. Uma outra saída seria elitizar de fato as universidades, na linha do que já acontece nos Estados Unidos: ela pode até continuar sendo pública, porém somente uma pequena elite vai poder jogar esse jogo sofisticado de estar além do saber técnico e absorver um saber amplo, a atualização da *Bildung* humanizadora e desalienante do século XIX. Enfim, apenas uns poucos eleitos terão o privilégio de estudar o que quiserem de acordo com a sua "vocação", ou com o seu chamado interno; a maioria terá que se satisfazer com uma formação mais rasa e limitada (ou aplicada, digamos).

Resta ainda uma terceira possibilidade, igualmente terrível (e temo que talvez esteja também no horizonte da reforma atualmente em curso): que cheguemos a desenvolver uma atitude de rendição em relação ao caráter prático do mercado, de modo que a universidade – pública ou privada, indistintamente – terá todo o seu saber, toda a sua orientação cognitiva dirigida para um chamado desenvolvimento econômico, isto é, para algum tipo de projeto imediatista de interesse exclusivo do grande capital que dá as ordens na nossa política. E aí os temas de ensino e pesquisa poderão ser definidos fora das universidades - pela Câmara dos Deputados, pelos Senadores, pela Federação das Indústrias, por um conjunto de membros do executivo etc. Todos, na verdade, como acaba de explicar István Mészáros na sua conferência do Fórum Mundial de Educação em Porto Alegre, apenas obedecendo à lógica desumanizante do capital globalizado.[52] Essa proposta significaria colocar toda a sociedade – e em particular todos os estudantes e professores universitários – a reboque desse projeto de economia empresarial. Faremos aquilo que a elite política defina como sendo o seu projeto: desenvolvimentista

52. Ver Mészaros (2004).

para os ricos, atado ao FMI para (des)equilibrar as contas da nação, fazer crescer perenemente o bolo do PIB sem jamais distribuí-lo. Diante desses três cenários apocalípticos, Robert Kurz (e também István Mészáros) propõem a destruição desse totalitarismo econômico em escala mundial – somente assim salvaremos a educação humanizadora, porque somente assim poderemos salvar a humanidade.

Podemos agora tentar unir essa radiografia do ensino superior sob a égide do capital monopolista globalizado com a discussão sobre Extensão que aqui nos convoca. Uma das características mais dramáticas do processo educativo dos últimos dois séculos é o seu extremo disciplinamento, antes parecido com o regime de vida militar e agora perigosamente próximo de um outro tipo de instituição igualmente totalitária: as corporações do grande capital. A escola (incluindo o mundo universitário) exerce atualmente o mesmo tipo de disciplina intensa e irredutível dos conventos, dos quartéis e das empresas. As horas, os minutos, os intervalos, as provas; os projetos, as qualificações, as monografias, as comissões, os currículos, tudo se tornou absolutamente quantificado e verticalizado, como na ordem militar e empresarial que despersonaliza o neófito e o predispõe a obedecer e reproduzir sem crítica um mundo hierárquico, conflitivo e excludente. Há uma cativante caricatura, desenhada por Moshe Süsser, em forma de charge desse cotidiano asfixiante da escola no livro *Foucault for Beginners*, de Lydia Alix Fillingham. O desenho expõe graficamente, em tom jocoso, a verdadeira insanidade de uma agenda escolar que prescreve, no melhor estilo esquizofrenizante do duplo vínculo proposto por Gregory Bateson, a ordem severa de brincar por exatos 15 minutos!

Kurz retira dessa evidência uma conclusão surpreendente: por muito tempo, enquanto estavam todos imersos nesse processo foucaultiano de inclusão na escola, o Estado (e o capital) conseguiam disciplinar a sociedade como um todo. O grande exemplo da realização ideológica negativa desse disciplinamento é os Estados Unidos nos dias de hoje: um Estado que ameaça destruir o planeta, comandado abertamente pelo complexo industrial-militar (como também o foi o Terceiro Reich), porém que produziu um disciplinamento tão grande na população (exercido em grande medida por um ensino chauvinista e colado ao projeto militarista dominante) que a resistência às decisões políticas é baixíssima, comparada com as suas perigosas conseqüências mundiais. A mobilização na esfera pública norte-americana é notoriamente muito pequena, também porque o disciplinamento escolar tem trabalhado contra o desenvolvimento de um mínimo de senso crítico. Eis a dedução de Kurz: declina-se do projeto de universalizar a escola (rejeitado agora pelo capitalismo em crise), o qual formaria os membros do Estado-nação, extingue-se também a possibilidade de se disciplinar toda a população. As relações conflitivas entre os interesses do capital e os projetos clássicos do Estado-Nação interpelam diretamente as instituições de ensino superior em que atuamos.

O passo seguinte é o surgimento dos chamados excluídos como novos atores sociais, munidos de uma vantagem cognitiva de pensamento lateral comparada com os incluídos: contarão com um excedente de lucidez porque foram menos "institucionalizados" que os "normais" e "integrados". Esses excluídos irrequietos não vão estar disciplinados pelo regime escolar e poderão fazer uma resistência monumental ao sistema, e no limite, tentar até destruí-lo. É de se esperar que as rebeldias mais poderosas e articuladas surgirão dos não disciplinados pela escola. Kurz termina o artigo abrindo para a possibilidade de que nem tudo está perdido neste mundo em que se excluem as pessoas, porque elas certamente pensarão em formas de dar o troco ao sistema excludente e repressor. Ressaltemos aqui mais uma vez a consciência advinda da experiência de exclusão, a condição de exterioridade articulada e o campo de forças de que todos nós, sem exceção, fazemos parte: se excluímos ou incluímos a alteridade, comprometemos, de um modo ou de outro, o nosso próprio futuro.

Vendo essa realidade de dentro da universidade e na condição de professores, os projetos em que nos envolvemos parecem em geral mais tímidos, quando comparados com a radicalidade proposta por Robert Kurz. Pelo menos, não costuma ser esta a discussão principal da Extensão. Há alguns pontos em comum, porém, porque esse disciplinamento nos atinge e em boa medida limita a nossa imaginação. A Extensão poderia ser, portanto, uma forma de realimentar a imaginação interna ao nosso mundo, dela profundamente carente. Retomo por um momento uma reflexão que já desenvolvi em outro lugar sobre esse modelo da universidade humboldtiana do século XIX, que teria separado as "ciências exatas", o saber técnico, do saber "filosófico", de formação humanística.[53] Procurando ser positivo e indo mais além dos problemas advindos dessa dicotomização alienadora e falsa, há um aspecto interessante a ser resgatado no projeto humboldtiano: a sua flexibilidade pedagógica. Vejamos.

É interessante como nós, que nos dizemos herdeiros e continuadores do ensino superior europeu, fechamos inteiramente esse sistema antes tão aberto em seu lugar

53. Sobre as políticas da multiculturalidade e seu impacto na academia, ver Carvalho (1994). Para a formulação da proposta humboldiana, ver von Humboldt (1997).

de origem. Em uma universidade européia do princípio do século XIX, um estudante poderia estar assistindo um curso de duas semanas de duração e, ao mesmo tempo, terminando a terceira semana de um curso de outro professor que talvez tivesse vindo como visitante por quatro semanas; e logo começaria um novo curso que duraria uma semana. O sistema de créditos não era tão rígido como é agora. Alguém podia passar cinco anos na universidade, e suspender sua formação, por várias razões, porém sem uma noção muito formalizada de que havia encerrado a carreira universitária (como é o caso da Áustria, ainda hoje em dia, em que, rigorosamente, o estudante somente "se forma" de fato na universidade quando defende o seu doutorado!). O sistema de créditos era aberto, o regime de classes não era rígido, o fluxograma de cursos menos ainda e o corpo docente flutuava de tamanho a partir da oferta de intercâmbio entre as universidades, que eram todas de menor porte. Havia uma flexibilidade na composição das aulas e de alguma maneira isso facilitava a ligação da universidade com a comunidade, porque havia menos barreiras disciplinares para a realização desse trânsito. Paradoxalmente, tratava-se de um ensino menos alienado.

É preciso lembrar que não utilizamos praticamente nenhum desses recursos pedagógicos – a não ser, justamente, através da Extensão. Contudo, em alguns países, como na França, continua a tradição da aula livre, aberta para quem queira assistir. Exemplo recente e espetacular dessa cátedra livre são as aulas magistrais que Michel Foucault ministrava uma vez por ano em Paris, nas décadas de setenta e oitenta, em apenas 26 horas, de janeiro a março, em palestras de 2 horas. Conforme o descreveu Edward Said, que assistiu a uma dessas aulas em 1 de fevereiro de 1978, centenas de pessoas superlotavam o auditório, de mendigos a pesquisadores tão ilustres como o próprio catedrático. Sua descrição é surpreendentemente parecida com a reconstrução feita por Frederic Ungar de como foram as aulas do primeiro curso livre de História dado por Friedrich Schiller, na última década do século XVIII, na Universidade de Jena, em um salão lotado, com uma multidão de ouvintes disputando um espaço mínimo nas escadarias do lado de fora.[54] Quero então dizer que nós estamos procurando cobrir com a Extensão uma rigidez enorme, que talvez nem sequer seja mais percebida por muitos de nós, tal o ponto em que naturalizamos esse engessamento das possibilidades abertas à experimentação. Somos levados a ponderar, infelizmente, que é na verdade bastante limitado o jogo acadêmico que nos ensinaram a jogar no Brasil.

---

54. Ver Foucault (1999); Said (2000) e Ungar (1959).

Desejo ressaltar, portanto, o efeito de contigüidade entre um projeto formal de Extensão, em uma rígida grade curricular (que é o nosso caso), e a porosidade da universidade de pequena escala que foi de onde partimos, não faz tanto tempo. Efetivamente, passamos de uma universidade de pequena escala para uma universidade de grande escala. Contudo, creio que é possível imaginar uma possibilidade de se estar em uma universidade de grande escala e tentar construir uma vida acadêmica ainda mais porosa e sensível em sua relação com a sociedade e com o mundo de um modo geral. É claro que não expresso aqui nenhum voluntarismo acrítico: as contingências do capital que forçaram o aumento da escala das universidades compõem o quadro em que devemos atuar. Sempre cabe a nós, porém, render-nos à sua lógica ou resistir a ela. E para resistir é preciso mentalizar modelos alternativos, seja recuperando o melhor do passado ou experimentando com formatos inteiramente novos.

Evidentemente, carregamos ainda uma carga muito forte de eurocentrismo, dado que todo esse modelo de academia exclusivista foi gerado no mundo europeu, que se via como homogêneo etnicamente. Dito em termos antropológicos mais soltos, havia uma etnia dominante, tanto na Europa Central, como na Inglaterra e na França: os brancos. As minorias de outras línguas que não as línguas coloniais, estavam fora desse jogo político e acadêmico. Tratava-se, na verdade, de um mundo branco, ocidental, que funcionava como se não tivesse fraturas internas de visão de mundo, que se autoproclamava universal. Todavia, quando transladamos essa configuração sócio-racial para o nosso mundo, fomos forçados a pagar um preço muito alto em termos de silenciamento, de censura, de repressão de outras visões de mundo, porque nós não estamos nesse espaço austríaco, prussiano, britânico ou parisiense. Existem pelo menos 180 línguas indígenas faladas hoje no Brasil, daí que pelo menos a nossa Extensão deveria manter-se conectada com a parte não-eurocêntrica da nossa sociedade. Deve ser o lugar onde se faz o esforço por incorporar saberes não europeus que foram definidos por nós, brancos, como não-acadêmicos. Dou o exemplo das línguas indígenas, entendidas talvez como uma referência muito forte nas nossas universidades, porque reproduzimos uma noção altamente preconceituosa, que é a idéia de "língua de cultura".

Sempre que se vai abrir uma vaga nova na área de Línguas, há uma pressão para que se contrate mais um professor de francês, ou de inglês, ou de alemão. Então, se nós olharmos as línguas ensinadas nas nossas universidades, podemos detectar o descolamento das nossas universidades públicas com relação à realidade do nosso país. Por exemplo, se formos à Universidade de Alepo, na Síria, com certeza encontraremos, pelo menos, cursos de árabe, curdo, armênio e aramaico. Se formos à Universidade de Lahore, no Paquistão, poderemos aprender árabe, urdu, pashtu e talvez persa. Se formos ao Cuzco, no Peru, poderemos freqüentar cursos de espanhol e também de quechua. Pela mesma lógica, a Universidade Federal do Amazonas deveria dispor de cursos de tukano, baniwa, tuyuka, tikuna, nheengatu, mas esses idiomas não são oferecidos na UFAM. Semelhantemente, a UFRGS deveria ensinar kaingang, guarani, xokleng, iorubá, mas tal não sucede. A Universidade Federal de Minas Gerais deveria ensinar quimbundo e kicongo, as federais da Bahia e de Pernambuco deveriam ensinar iorubá, a federal do Maranhão deveria ensinar o fon (mais conhecido no Brasil como gêge), além de várias línguas indígenas.

Infelizmente, nenhuma dessas línguas locais não-européias são ensinadas em nossas universidades. Em todas elas são ensinadas, quase que exclusivamente, as línguas européias dos países de maior poder político e econômico: inglês, francês, italiano, espanhol, russo, polonês. O fato de o japonês (uma língua não-européia) ser ensinado em algumas universidades brasileiras talvez seja mais um reflexo do prestígio geral e do poder econômico daquele país na geopolítica mundial atual do que o fato de ser um idioma não-europeu falado no Brasil.

**Insuficiências do nosso modelo pedagógico de ensino superior**

Avançando nesse diagnóstico, um primeiro ponto de mudança de rumo seria admitir que muitos dos nossos cursos universitários estão montados sobre saberes desatualizados de 30, 40, até 50 anos atrás. As técnicas podem estar atualizadas (às vezes acriticamente), mas não assim a visão de mundo que orienta as decisões sobre o que pesquisar. A grande revolução de paradigmas que sacode o mundo científico e humanístico ocidental desde a metade do século passado não perece ter sido ainda incorporada devidamente às nossas ementas, grades disciplinares e abordagens teóricas. A propósito, lembro aqui que a UnB foi uma universidade fundada dentro de um espírito interdisciplinar e transversal, capaz de favorecer cursos livres, personalizados e com sistemas alternativos de avaliação. Tive o privilégio de participar dos últimos momentos de plena liberdade curricular quando ingressei na UnB em 1969. Naquela época, era possível cursar praticamente qualquer disciplina da universidade, tal a maleabilidade das grades curriculares dos cursos oferecidos.

Atualmente, as grades disciplinares da UnB estão cada vez mais fechadas e muitos cursos funcionam, na prática, como se fossem ministrados por institutos técnicos superiores, em que os estudantes só fazem as matérias específicas dos seus cursos. As faculdades funcionam como escolas, pois já não existe quase nenhuma integração nem circulação de saberes. Em muitas carreiras, os alunos são encorajados ou pressionados pelos seus coordenadores de graduação a não perder o fluxo e não "perder tempo" com disciplinas alheias aos seus cursos.

Observamos agora uma prática de orientação à inversa: os alunos chegam à universidade e os coordenadores de curso dirigem suas escolhas ao dificultar a matrícula nas matérias para os estudantes que vêm de outros departamentos. As vagas nas disciplinas são agora reservadas exclusivamente para os que optaram pelo curso. O caráter humanístico tão apregoado, de se ter as disciplinas abertas para a formação integral do jovem, para essa *Bildung* renovada, está desaparecendo a passos largos. Vários colegas têm lamentado essa situação em inúmeros debates. Cursos formativos como Introdução à Filosofia, Introdução ao Cinema, Introdução ao Direito, por exemplo, são agora restritos aos alunos dos cursos de Filosofia, de Comunicação e Direito. Pode-se imaginar que a disciplina de Filosofia interessaria também a um estudante de Engenharia, ou de Biologia, por exemplo. Essa tendência cresce com a pressão por terminar o curso em 4 anos e aponta para um apequenamento da formação universitária.[55] Creio ser papel da Extensão desafiar essa rigidez alienante.

### O poder no ensino e na pesquisa

No caso do ensino, a estrutura de poder tende a ser especialmente pesada. De todos os aparelhos ideológicos do estado, o ensino talvez seja um dos mais rígidos (ao lado do aparelho militar) e submetido agora a uma pesada chantagem por parte do capital, daí ser o mais difícil de transformar. E de fato não é fácil reformar o ensino superior, pois a dinâmica consolidada pelos colegiados aborrece qualquer movimento de mudança ou revisão profunda de valores e práticas. Experimentar, inovar, autocriticar-se, abrir-se para outros registros de fala não são características da nossa corporação. Em primeiro lugar, há os nichos de especialização dos professores que já estão muito demarcados. Logo nos deparamos com uma determinada grade disciplinar pouco flexível, construída para adaptar-se ao modo como alguns professores concebem suas disciplinas. Finalmente, e mais grave, trata-se muito mais de passar um conteúdo

55. Ressalto a louvável iniciativa da Universidade de São Paulo em tentar reativar a tradição das Humanidades, através da abertura de um novo curso formulado por Renato Janine Ribeiro (ver Ribeiro 2003).

consagrado e consolidado do que propor-se a resolver novos problemas prático-teóricos surgidos a partir de uma determinada interação com a comunidade ou com outras áreas disciplinares. Optou-se por uma linha de formação que consagra um cânon já banalizado por sua rotineira repetição, ao invés de buscar a resolução de novas questões e de novos paradigmas de pensar. De ser assim, é difícil propor mudanças pelo lado do ensino: as resistências hão de ser maiores que em qualquer outro lado.

No caso da pesquisa, a taxa de criatividade pode ser maior que a do ensino, a depender também das relações estabelecidas com as agências financiadoras. O mantra atual da academia é "agência financiadora": pode-se ser mais ou menos criativo a depender de como se luta e se rebela contra o que está sendo determinado ou imposto pela agência a que se dirige. A partir do que venho observando, em inúmeras situações, os colegas não pesquisam o que gostariam ou o que julgam ser socialmente relevante, ainda quando têm a clareza do que desejariam explorar. O mesmo sucede com os alunos, de graduação ou de pós-graduação, que procuram também adequar seus projetos para atender às linhas abertas de financiamento nos editais ou pelas necessidades de seus professores. Uma coisa é que se tenha uma grande urgência interna de pesquisar um tema, outra que os editais apontem os rumos da pesquisa. O acadêmico acaba pesquisando o que os editais propõem e não aquilo que a sua intuição teria proposto.

Neste momento presente, essa operação de conformismo já é realizada com um mínimo de resistência, às vezes automaticamente: o pesquisador apenas lê os editais e começa a reorientar, adaptar ou até negar o que desejava pesquisar para concorrer às verbas oferecidas. Essa mesma lógica opera tanto com os editais públicos como com os privados. Na verdade, a distância entre os dois só vem diminuindo na medida em que o Estado perde o controle das áreas estratégicas e passa, na prática, a ser controlado diretamente segundo os interesses do grande capital. Foi esse, inclusive, um dos pontos abordados por István Mészáros na sua conferência no Fórum Mundial de Educação, acima mencionada.

Essa migração de idéias, valores e teorias científicas não é trivial, porque significou uma transferência de uma massa muito grande de intelecto da universidade para um grupo pequeno que comanda a reprodução da academia. Ou seja, há uma minoria de especialistas no poder estatal que emite os sinais da direção; e um outro grupo, majoritário dentro da universidade (e que, bem ou mal, tinha antes sua própria capacidade de imaginar), que é agora obrigado apenas a reagir e se adaptar à agenda formulada pelo pequeno grupo. E as propostas recentes de mudanças nas políticas de fomento anunciadas pelo CNPq e a FINEP têm causado enorme preocupação nos pesquisadores negros. Eis o problema: essas instituições financiadoras não estão querendo mais aceitar projetos individuais de pesquisa que não estejam inseridos em grupos ou linhas coletivas já cadastrados. Essa exigência incide negativa e diretamente contra os (poucos) acadêmicos negros atualmente ativos no nosso meio. Se muitos dos professores negros não têm conseguido encaixar as suas linhas de pesquisas naquelas atualmente estabelecidas pelos colegas brancos (justamente porque não foram contempladas há décadas atrás, quando as redes se consolidaram), encontrarão ainda mais dificuldade em entrar nesse campo a partir de agora, porque ele se tornará ainda menos competitivo e mais clientelista – e obviamente, mais racista.

Penso que não é nada bom que se vincule todos os projetos individuais de pesquisa a grupos já consolidados, pois isso implicará em reproduzir um pequeno número de grupos, ao preço de mais uma vez limitar a inclusão racial e, com ela, cercear de novo a possibilidade de uma revisão e ampliação dos saberes legitimados. Trata-se de um mecanismo poderoso de controle político-acadêmico e de limitação da imaginação científica. Pode ser bom para os brancos inseridos na rede em termos de organizar e administrar a ciência (na medida em que fica mais fácil para o gestor homogeneizar o perfil dos seus gerenciados); contudo, além de excludente (pela reprodução consciente da desigualdade racial), certamente não é o mais rico para a comunidade de pensamento como um todo. Esse alinhamento temático, se implementado, provocará, portanto, uma dupla discriminação: racial e intelectual.

Enfatizar as disciplinas como fulcro do ordenamento acadêmico é favorecer a ortodoxia, o que é gravíssimo nos dias de hoje, quando testemunhamos um grande rearranjo dos saberes e dos paradigmas científicos e artísticos consolidados no início do século passado. E a maioria dos grupos consolidados na CAPES e no CNPq são grupos disciplinares. Os projetos interdisciplinares sempre têm mais dificuldade em ser aprovados. Se um pesquisador solicita apoio à sua área para uma experiência de pesquisa de fronteira com outra área, receberá dos colegas uma recusa, com a recomendação de que busque apoio na outra área... que, obviamente, se negará a financiar um pesquisador que não pertence à sua rede específica. Há muito dessa lógica posta em prática e sua conseqüência é a ortodoxia e o conservadorismo. Muitos dos grupos de pesquisa são extremamente fechados; e do controle da rede muitas vezes se passa ao controle científico, das idéias e dos temas definidos como legítimos. É claro que o modelo do grupo de pesquisa integrado faz sentido e deve continuar existindo. Mas este é um modelo apenas. O que não devemos fazer, parece-me, é generalizar o modelo de laboratório controlado como se fosse o único modelo autorizado de pesquisa coletiva. Dito telegraficamente, e em forma apenas de hipótese, acredito que uma boa parcela da rede social da academia replica outras redes da elite do país, o que pode dificultar o acatamento a reivindicações que deveriam ser de cunho estritamente científico. Em um clima como esse, é sempre um risco para um acadêmico assumir posições autônomas, pois pode ser alijado de ambas redes, as quais freqüentemente se superpõem.

### Extensão como espaço de integração de saberes

Diante desse panorama, o que pode fazer a Extensão? Pode estar mais livre para tomar decisões sobre que projetos privilegiar. Exemplos? Para começar, acolher e experimentar com a estrutura modular dos cursos, testando as novidades para expandir e revisar o conteúdo acadêmico vigente em cada área. Provavelmente seria mais eficaz, hoje em dia, em plena "sociedade da informação", ensinar disciplinas por módulos e não por semestre. A estrutura do semestre foi uma decisão tomada pelo MEC em um determinado momento na sua política de unificação e homogeneização do ensino. Somos 180 milhões de pessoas e temos que nos pautar todos pela mesma regra escolar, o que indica quão pouco temos usado a imaginação, a criatividade e o respeito à diferença regional. Se pensarmos em módulos, nem sequer é preciso adequar um formato para cada estado. Na verdade, cada universidade deveria ser capaz de experimentar com o formato que melhor lhe aprouvesse. Absurdo maior torna-se então admitir que os formatos sejam padronizados nacionalmente.

Mesmo que o sistema universitário se tornasse mais complexo, menos cartesiano e mais difícil de administrar, ainda assim, acredito, a produção de conhecimento seria maior, mais diversificada e mais sensível aos contextos locais e regionais. Se a articulação de módulos de tamanhos vários fosse uma prerrogativa de cada universidade autonomamente, estou convencido de que o caminho da inovação e da vinculação com a sociedade seria mais transitado, pois a experimentação com a forma estimularia uma revisão do conteúdo. Uma função importante da Extensão pode ser, nesse sentido, a de acolher projetos de inovação com as formas pedagógicas e também projetos que avaliem a incidência das inovações modulares na expansão e revisão do saber acadêmico.

Outro ponto, complementar à flexibilização do ensino, e em que a Extensão pode e deve intervir com conseqüências muito positivas, é em acolher e estimular os projetos interdisciplinares – ou transdisciplinares, ou multidisciplinares, sejam quais forem os nomes que lhes dermos. Enfim, deve cobrir aqueles espaços de interseção em geral bloqueados pelas financiadoras e pelo corporativismo dos colegiados, como mencionado acima. Por exemplo, sou consciente de que a UFRGS desenvolve atualmente um projeto de educação bilíngüe guarani, montado segundo acordo estabelecido com os caciques das aldeias beneficiadas. Este é um modo da universidade conectar-se com esses saberes extra-europeus e não canônicos, em um caráter franco de experimentação.

Neste momento, estou fascinado pelo tema da educação indígena e tenho tido o privilégio de participar de algumas discussões sobre o ensino médio indígena bilíngüe. É altamente desafiador o modo como os índios propõem o ensino médio bilíngüe no Alto Rio Negro, por exemplo. Pude acompanhar as propostas das escolas indígenas Baniwa e Tuyuka, que já deram excelentes resultados. Professores e alunos se reúnem regularmente durante dois meses na escola, período em que formulam mutuamente os temas e problemas a serem pesquisados. Após esses dois meses, fecham a escola e todos, alunos e professores, vão para as aldeias pesquisar aquele tema, cada um com seus recursos acadêmicos próprios. Dois meses depois, regressam à escola e discutem os trabalhos realizados. Aí fecham aquela fase de pesquisa/ensino e pensam juntos novos temas a serem pesquisados; e como antes, saem a campo e apenas dois meses depois vão reencontrar-se no ambiente escolar. Em resumo, trata-se de um ensino que está inteiramente pensado para a formulação de problemas e para a produção de conhecimento. Nós deveríamos pautar nosso ensino médio por esse tipo de ensino médio indígena, já que o nosso foi reduzido a decorar e aprender conteúdos visando unicamente à aprovação no vestibular. Podemos concluir que o ensino médio indígena é de ponta, se visto nos termos dos nossos critérios de avaliação de inovação em educação. Somos nós que precisamos ter o saber indígena em educação por perto, pois ele coloca alternativas que nos faltam neste momento.

Esclareçamos dois pontos que podem ter ficado ainda mal entendidos. Em primeiro lugar, a oposição humboldtiana entre saber humanístico e saber técnico analisada por Robert Kurz é um modelo evidentemente a ser superado. A formação superior integral deve estar acessível a todos os estudantes, se entendemos a universidade como um patrimônio público, o que significa: aberto a todos os cidadãos. A crise desse modelo permite expor o seu conservadorismo pelo avesso, argumenta Kurz, lançando mão de um argumento possivelmente inspirado nas teses sobre a Filosofia da História de Walter Benjamin: a hierarquia implícita na oposição entre saber técnico e saber humanizante é sustentada por um disciplinamento específico, que alcança tanto as classes populares quanto as classes burguesas. O declínio dessa força disciplinadora permite o surgimento de uma terceira posição, não necessariamente interessada na integração entre os dois saberes, mas em reagir contra a instituição que produz essa dicotomia mal resolvida.

Meu interesse em escutar as propostas da educação indígena é retirar dela novos argumentos para retomar uma perspectiva integral dos saberes humanos, idealmente ensinados em um tipo de universidade adaptada para a realização dessa integração. Enquanto ela se mostra distante, no tempo e na concretização, seus primeiros passos podem ser dados pelas atividades de Extensão, devidamente informadas e fundamentadas na direção da busca dessa integração. Em segundo lugar, é preciso insistir em que o lugar da Extensão não admite evasivas: ou se deixa reger pelo capital e se transforma no seu fulcro dentro da universidade pública (afinal, na cabeça dos privatistas, Extensão é fonte de dinheiro), ou se coloca como uma força assumidamente anticapital da academia, dedicada à dádiva da instituição universitária ofertada à sociedade circundante.

Podemos associar aqui a prática da Extensão como uma atitude crítica frente à ideologia elitista da universidade neo-humboldtiana que praticamos. Podemos fazê-lo ao oferecer eventos de Extensão que experimentem com formatos flexíveis e expor a dupla ilusão da idéia de "hora-aula", conceito nascido inteiramente dentro de uma visão capitalista do ensino: o pressuposto de que se pode quantificar o saber e que se pode quantificar o tempo. Essas duas dimensões qualitativas são atualmente o motor da mercantilização da sociedade. E mesmo no modelo humboldtiano clássico, o saber técnico guardaria uma afinidade eletiva com a mercadoria, porque ele seria quantificado como mercadoria para ser utilizado por um técnico, cuja função estaria, de um modo ou de outro, conectada também com a produção de mercadoria. Quanto ao saber humanizante, do mesmo modo implicaria, pela sua negação, a presença da mercadoria.

A Bildung, enquanto conceito, surgiu justamente na época da passagem do mercantilismo para o capitalismo, na primeira revolução industrial. Foi quando a idéia de um tempo inútil, de não-produção, começou a invadir uma visão de mundo que ainda não media a reprodução da vida em horas. Desenvolver as "ciências puras" era resistir, ilusoriamente, a uma servidão ao tempo produtivo – ou pelo menos postergar, para a classe dos poderosos, o momento dessa rendição, que em nossa época iguala a todos, ricos e pobres, letrados e iletrados, a uma batalha sempre perdida contra o tempo produtivo. A Extensão, ainda que em escala reduzida, permitiria o exercício de imaginar a possibilidade de uma atividade produtiva, criativa, coletiva e solidária, porém sempre no tempo.

Jacques Derrida, em seu ensaio sobre a dádiva, leva a discussão ao limite, quando afirma que a verdadeira dádiva, que se dá no tempo, é o próprio tempo.[56] Nosso ensino é absolutamente cronometrado, o que quer dizer: não dispõe de tempo nenhum para dar e sim para trocar – e, com a troca, produzir. A prática mais radical da Extensão deveria ser, então, a abertura para o tempo, pois que é barrada na sala de aula e no laboratório. A Extensão no tempo não pode ser, fixe-se bem, uma mera extensão do tempo. Em tal caso, ficará presa à mesma lógica da temporalidade que instrumentaliza e legitima um modelo que favorece, inevitavelmente, a transformação do saber acadêmico, de dádiva pública (os membros da sociedade que dão a si mesmos o saber que desenvolvem) para valor de troca: mais saber em menos tempo, mais tempo para mais saber, meio saber em meio tempo, o mínimo saber possível no menor tempo gasto. Enfim, comprar o saber que ensina a comprar, acumular e vender tempo. Mais ainda, dito em termos da crítica de Marx ao capital, a escola em geral (e a universidade em particular, na medida em que congrega exclusivamente os adultos) ensina fundamentalmente, segundo um mecanismo implícito em todos os cursos científicos e humanísticos, a absorver a noção, desumanizadora e predatória, da mais-valia relativa.[57]

É preciso falar sobre esses dilemas justamente agora, quando vislumbramos uma onda de mercantilização sem precedentes da instituição universitária e experimentamos uma grave sensação de impotência. A discussão do tempo e dos saberes indígenas e africanos (defendidos ainda da razão instrumental que ameaça generalizar-se por toda a tradição de saberes ocidentais) nos conduz a meditar sobre a possibilidade, positiva e esperançosa, de que a universidade seja uma instituição que ainda mantém traços estruturais não-capitalistas (e, dentro da lógica do capital, qualquer atitude não-capitalista é anticapitalista). E isso não é pouco, em uma época em que o grande capital ameaça com a mercantilização de todas as dimensões da vida. Repensar a Extensão nesses termos, de resistência intracampus e extramuros, é contribuir para as propos-

---

56. Ver Derrida (1995a).

57. Ver *O Capital*, Vol. I, Cap. X (Marx 1989).

tas de reformar a universidade, não para aumentar a produção de bens de ensino (o que seria o seu fim definitivo), mas para a produção de vida.

## Experiências inovadoras de Extensão e seus desafios

A Universidade Federal de Minas Gerais conta com um projeto original atualmente, conduzido pelas professoras Rosângela Pereira, da Escola de Música, e Maria Inês de Almeida, do Instituto de Letras. Elas estão trazendo os índios Maxakalis, do norte de Minas, para fazer estágios na universidade e participar de oficinas. Os Maxakalis são muito pobres, vivem em uma situação miserável em uma área muito pequena, mas sua imaginação artística e científica é enorme. Vários dos índios estão participando de oficinas em Artes Visuais, Gráficas, Música, Literatura, Arquitetura, Antropologia, Arqueologia, Lingüística, Ecologia e Turismo, a cada vez por um período de até quinze dias. Esse projeto é um primeiro passo no longo caminho da inclusão mais regular dos índios na nossa academia. Esta é então uma interação, uma troca, capaz de testar a resistência de muitos professores, que se sentem perturbados com a presença de índios na sala de aula, conversando, fazendo perguntas, trocando idéias e informações com os alunos e com eles próprios.

Outro projeto de Extensão desafiador, da Universidade Federal de Alagoas (UFAL), é a introdução de um curso de Capoeira Angola, não como educação física, apenas, mas como disciplina formativa, no sentido da integração corpo-mente. Esse curso, de duração anual, é possivelmente o único curso de capoeira assumido por uma instituição pública de ensino superior no Brasil. Questionando o conteúdo eurocêntrico embutido na formação universitária, a capoeira passa a ser acolhida na universidade como uma filosofia de vida, uma visão de mundo, um saber que interioriza, que promove equilíbrio, resgatando inclusive a figura do mestre capoeirista exatamente como é: um mestre de um saber afro-brasileiro que pode conviver e trocar com os outros mestres de saberes europeus. Esse projeto está vinculado ao Núcleo de Estudos Afro-Brasileiros da UFAL e seu coordenador, Professor Moisés Santana (também um praticante de capoeira), enfrenta agora o desafio de contribuir para ampliar o campo intelectual e espiritual de sua universidade. E as resistências ainda não são poucas.

Tocar nos núcleos corporativos e eurocêntricos no nosso meio não é tarefa fácil. Um exemplo que expõe a relação tensa (e necessária, por outro lado) entre os projetos de Extensão e os valores fechados de muitos Departamentos e Institutos foi um encontro de xamãs que ocorreu na Universidade de Brasília há dois anos. Um professor do

Departamento de Antropologia foi convidado a participar do evento, na sua qualidade de etnólogo e de alguém vinculado com a causa da promoção dos saberes e da educação indígenas. Assim que soube do evento em preparação, a Chefia do Departamento comunicou à Pró-Reitoria de Extensão que não autorizava a menção do nome da Antropologia nos panfletos e cartazes de divulgação do evento, deixando claro que o colega participaria em caráter estritamente individual, e não como membro do colegiado departamental. Ficou patente que a Chefia não queria dar legitimidade à presença de pajés indígenas na UnB. Sem entrar em maiores detalhes, este incidente ilustra vários dos problemas que discutimos anteriormente. Vejamos alguns deles.

Essa recusa em acolher os líderes espirituais dos índios pode estar relacionada com o medo de infringir o cânon etnocêntrico e sofrer represálias por isso: quem sabe, dada a dependência paranóica dos programas de pós-graduação em relação aos humores das agências financiadoras, se o nome do Departamento de Antropologia da UnB fosse associado a um encontro nacional de xamãs (que representam um tipo de saber até agora não legitimado), a CAPES ou o CNPq poderiam retirar as verbas do programa, rebaixar pontos na próxima avaliação etc. Aqui se evidencia o quanto a estrutura disciplinar e departamental pode tolher processos dinâmicos de intercâmbio e exploração de novas fronteiras de conhecimento no interior das nossas universidades. Aponta ainda para o problema grave do corporativismo e indica que o melhor caminho a ser trilhado pela Extensão deve ser o de contrapor-se aos fechamentos exercitados pela estrutura formalizada e fossilizada do ensino e da pesquisa.

Esse assunto dos pajés nos permitiria dar ainda várias outras voltas no parafuso do fechamento acadêmico. Por um lado, está o pressuposto de que o saber do outro, não-ocidental, só vale enquanto crença, e não enquanto saber equivalente ao nosso: nós, acadêmicos, apenas acreditamos que eles acreditam que sabem. Em segundo lugar, ele pode até valer algo, porém unicamente em seus próprios termos, isto é, desde que fique confinado ao ambiente da selva, ao mundo tribal: aqui na universidade ele já passa a ser embuste, oba-oba, ingenuidade, irracionalismos de neo-hippies, ou mercadoria falsa. Enfim, acreditamos que eles acreditam que sabem, mas acreditamos também que eles não sabem com o mesmo grau de verdade com que nós sabemos.

Indo adiante nessa análise, é ainda possível interpretar essa negativa como uma reação contra o que poderia ser entendido como uma exotização da pajelança indígena – o evento estaria retirando a pajelança do seu contexto tribal para trazê-la para um mundo alheio ao seu sentido original. Plausível e compreensível, restam para o extensionista favorável à realização do evento ainda alguns argumentos na manga. Afinal, os xamãs indígenas brasileiros estão entre nós e podem viajar; por que a universidade não pode recebê-los e reconhecê-los, ela que já recebe xamãs de outras civilizações? Lembro apenas dois "super-xamãs" que visitaram a UnB e receberam o título de Doutor Honoris Causa: o Bispo Desmond Tutu e o Dalai Lama. Não importa quão complexas sejam essas situações, a legitimação nesses casos é sempre mútua: a academia passa a ser mais academia por receber o homenageado; e o homenageado passa a ser mais eminente por ter recebido as honrarias da academia.

Finalmente, no caso dos saberes subalternos, como é o caso dos pajés, fica ainda no ar uma variável meio solta, que são os estudantes: quais serão as conseqüências para nós, professores, caso os representantes dos saberes não-europeus impactem positivamente os alunos? Não correremos o risco de nos desautorizarmos no nosso papel de até agora incontestes intérpretes de todos os saberes legitimados? Via de regra, nosso saber objetifica o outro; e o sintoma mais claro dessa objetificação é a ausência do outro no nosso meio. Trazer os pajés para que se apresentem como sábios é admiti-los como sujeitos de conhecimento. Operação nada trivial para um universo pulverizado em departamentos autônomos e sempre prontos a se auto-representarem como primeiros sem segundos, fechados sobre si mesmos. Por enquanto, somente a Extensão parece ter essa flexibilidade e essa liberdade para romper falsas barreiras.

Que fique claro que o incidente dos pajés na UnB nada tem de excepcional e é emblemático da atitude defensiva comum à nossa classe em todas as universidades públicas. Tive notícias de um caso análogo ocorrido em outra universidade, em que o colegiado de Educação Física quis impedir a presença de um mestre de yoga em um evento de Extensão, alegando que ele não tinha os títulos necessários para discorrer sobre Anatomia Humana. Essa autoproteção possui uma história, que precisa ser explicitada constantemente para que convivamos nesse nosso meio com um pouco mais de realidade e menos fantasia de superioridade. Esses incidentes devem surgir a cada vez que a Extensão propuser um debate que ameace os nichos de poder e legitimidade científica dos departamentos ou dos grupos de pesquisa estabelecidos. Pelo que ouço dizer, não está sendo fácil abrir a discussão dentro da comunidade universitária sobre os riscos dos alimentos geneticamente modificados (como a soja transgênica) e das manipulações genéticas em geral, porque os grupos que recebem financiamentos para desenvolver pesquisas nessas áreas (em geral de interesse de mega-empresas, mesmo que apoiadas com verbas estatais) não querem correr o risco de ser questionados por colegas e por alunos. Em tais casos, somente a Extensão ainda pode responder às legítimas demandas por informação e esclarecimento advindas da sociedade.

Nossas universidades, quando foram constituídas, desautorizaram sistematicamente todos os saberes dos indígenas e todos os saberes dos africanos escravizados no Brasil. Esta desautorização está até hoje embutida nos conteúdos das nossas aulas e nos nossos temas de pesquisa. Daí que o papel da Extensão deve ser justamente caminhar na contra-corrente desse processo de discriminação. Para tanto, deve atrever-se a reautorizar os saberes negados e reintroduzi-los no seio da vida universitária, através de duas intervenções: trazendo as expressões culturais e os conhecimentos dos subalternos para o campus e estabelecendo vínculos concretos de parceria com as comunidades que perpetuam esses saberes. Em suma, deve deslocar docentes para perto das comunidades através de projetos de parcerias e trazer representantes dessas comunidades para dentro da universidade.

Mais dois exemplos positivos dessas práticas inclusivas, antidiscriminatórias e anticorporativas da Extensão. Um dos momentos mais marcantes da Extensão na UnB foi a gestão do professor Volnei Garrafa, criador do Fórum Nacional dos Pró-Reitores de Extensão das Universidades Públicas Brasileiras, em 1987, e dos Núcleos Permanentes de Extensão, destinados a conectar a UnB com a realidade social do Distrito Federal, tanto nas cidades-satélites como nas invasões e nos municípios do Entorno. Os Núcleos chegaram a envolver 40 departamentos da universidade. Dois projetos desenvolvidos na Ceilândia merecem destaque: o apoio jurídico oferecido na Casa da Ceilândia (órgão da UnB) e a disciplina da Comunicação chamada Jornalismo Comunitário (já desativada), que ajudava na confecção do jornal "Nós da Ceilândia", primeiro veículo local de imprensa gerado naquela cidade. Outro projeto integrado importante, em parceria com o governo do Distrito Federal, foi o assentamento das invasões do Paranoá e da Vila Planalto, que envolveu estudantes e professores de Arquitetura, Serviço Social, Psicologia, Educação, Sociologia, Antropologia. Foi a Extensão da UnB que possibilitou, naqueles momentos, a formação de uma equipe deveras multidisciplinar capaz de comunicar-se de um modo criativo frente a um tema comum, façanha que nunca havia sido realizada, nem pelo lado do ensino nem pelo da pesquisa.

Foi igualmente o Decanato de Extensão que contribuiu, no âmbito da Reitoria, para a consolidação da nossa proposta de vagas para índios na UnB, justamente pela experiência da Decana, Profª Dóris Faria, em confrontar com versatilidade contextos sociais diferentes do campus estratosfericamente elitizado da Universidade de Brasília.

A primeira reunião, histórica, por mim articulada e conduzida, que as lideranças indígenas e representantes da FUNAI tiveram com a UnB para discutir a abertura de vagas para índios, não foi feita em nenhuma Faculdade em princípio afim com o tema da educação para índios (como a Faculdade de Educação ou de Ciências Humanas e Sociais), mas na Pró-Reitoria de Extensão.

Também o modelo final da proposta de cotas para negros foi feito de comum acordo com a Extensão, que coordenará um programa de apoio à escola pública da periferia do Distrito Federal, em articulação com a Faculdade de Educação e o Instituto de Psicologia. Esta solução evidenciou uma análise mais refinada da situação da escola pública que o Decanato de Extensão pôde trazer. Por que o apoio às escolas da periferia? Porque a escola pública não é homogênea. Colocar cotas para escola pública, sem perceber, por exemplo, que no caso de Brasília as escolas do Plano Piloto certamente têm uma capacidade de preparar para o vestibular muito maior que a das satélites, seria um equívoco. Se quisermos fazer uma ação afirmativa realmente inclusiva, social e racialmente, temos que fortalecer a escola pública das satélites, não as do Plano Piloto, caso contrário continuarão entrando na universidade apenas os alunos brancos egressos da escola pública elitizada. E o objetivo das cotas é justamente deselitizar o ensino público. Essa reflexão, mais sutil, é conseqüência também da relação do Decanato de Extensão com a realidade extracampus.[58]

Finalmente, gostaria de mencionar algumas intervenções extensionistas realizadas pela Universidade Estadual de Mato Grosso (UNEMAT). Nas palavras do seu Reitor, Taissir Mahmudu, mais que uma universidade pública, ele espera que a UNEMAT seja uma universidade popular (idéia que ainda horroriza uma boa parte dos colegas das universidades federais). Pioneira e inovadora, a UNEMAT é a primeira (e ainda única) universidade brasileira que abriu um terceiro grau inteiramente para os índios. No campus de Barra do Bugres funciona a primeira turma do terceiro grau de formação de professores, com 200 estudantes, que se formarão em janeiro de 2005. Dos 200 alunos, 180 são índios do Mato Grosso e 20 oriundos de outros estados, cobrindo todas as regiões do país. A coordenação do Terceiro Grau Indígena acaba de consolidar a abertura da segunda turma, que será de 100 alunos, a começar em 2005. A UNEMAT também oferta um curso de graduação de Pedagogia da Terra para assentamentos agrários em convênio com o INCRA; um terceiro grau modelar para o MST;

58. Para a proposta de cotas para negros e índios na UnB, ver Carvalho & Segato (2002).

e prepara agora, também para o Movimento, um curso de Ciências Agronômicas.

Assim, a UNEMAT confronta na prática a política estadual excludente e predatória, de prioridade à mega-produção de soja e que se transforma em uma patologia disfarçada de ideologia desenvolvimentista do agro-negócio. Enquanto o governador quer transformar o Mato Grosso no maior celeiro de soja do mundo, mesmo que para isso tenha que destruir toda a floresta amazônica e o modo de vida dos índios e camponeses que nela habitam (são palavras do próprio governador), a Extensão da UNEMAT atua em projetos que fortalecem a opção pela escala humana da relação com o meio ambiente. Na linha de flexibilização do ensino comentado anteriormente, a UNEMAT, sobretudo através da Extensão, oferece ensino a distância, em cursos parcelados e modulares, voltados para a inclusão social de grupos específicos.

Outros dois projetos importantes liderados pela Pró-Reitora de Extensão, Profa. Solange Ikeda, foi o Encontro de Agricultura Familiar, em Tangará da Serra, destinado a pequenos agricultores e assentados e o Festival Ecológico e Cultural das Águas de Mato Grosso, em homenagem a D. Pedro Casaldáliga e solidário com a luta das populações locais em defesa do meio ambiente, da cultura regional e dos direitos humanos. Obviamente, é preciso coragem para enfrentar a política regional, o capital bilionário do agronegócio e mesmo as pressões de algumas agências financiadoras para que esteja a serviço da lógica desse desenvolvimentismo predatório cujo futuro, sabemos todos, será a destruição completa do Centro-Oeste brasileiro – flora, fauna e modos de vida. (Enquanto escrevo, sou informado de que a UNEMAT está sendo ameaçada de federalização – uma espécie de "destruição branca", dada a sua inviabilidade – por parte do atual governo do estado do Mato Grosso; uma retaliação, também, ao excelente trabalho de Extensão promovido por uma universidade estadual que de fato cumpre o seu papel social de desenvolver todas as regiões e todas as populações e grupos étnicos do estado).

### A Extensão na encruzilhada: rebeldia ou submissão

O ponto básico dessas reflexões é enfatizar que para pensar a Extensão é preciso entender como opera a estrutura de poder dentro das universidades brasileiras. Na maioria, se não em todas as universidades públicas, o poder decisório está concentrado nos Departamentos, que são unidades extremamente reduzidas dentro do organograma da instituição e que compõem colegiados autônomos, os quais não passam em geral de duas dúzias de docentes. As unidades maiores, que são os Institutos ou Faculdades, pouca interferência exercem sobre as decisões dos colegiados departamentais;

menor ainda é a capacidade das Pró-Reitorias de interferir nas decisões dos Institutos. Esse grau tão alto de autonomia e os reduzidos mecanismos de controle externo favorecem a cristalização de focos de poder e de definição das linhas acadêmicas nas mãos de um número extremamente reduzido de professores, que podem impor-se a seus colegiados durante décadas seguidas, às vezes praticamente sem nenhum desafio. Ou seja, o colegiado departamental, concebido inicialmente como uma instância de poder, visa transformar-se, na prática, na única instância real de poder e representação.

Em um clima de tanta centralização (e muitas vezes de alta impunidade) a tendência comum é o fundamentalismo disciplinar e o conservadorismo teórico e temático. É esse o pano de fundo em que deve operar a Extensão. Em inúmeros casos, a tendência normal dos Departamentos será tentar barrar abertamente as propostas tidas como "ousadas" da Extensão.

Aqui poderíamos ponderar se não há ainda mais uma fundamentação teórica para a prática extensionista. Cada Departamento, cada Instituto ou Faculdade, cada curso, de graduação ou pós, opera com um determinado cânon do saber científico e assim delimita o que deve ser ensinado e pesquisado – nessa delimitação está a sua positividade, ao distanciar-se idealmente da *doxa* e do conhecimento superado. Contudo, todo cânon opera com um grau de censura; ou melhor, é somente através da censura que se converte uma seleção, arbitrária e sempre interessada, de temas e abordagens, em um cânon. O tema da censura universitária tem sido inclusive retomado nos últimos anos por Jacques Derrida, ao discutir a crise da universidade estatal pública. Podemos ler os seus textos como um alerta para as dificuldades e a atualidade generalizada do tema, pois Derrida criou o Colégio Internacional de Filosofia na Universidade de Paris nos anos 80 justamente como se fosse uma mega- Pró-Reitoria de Extensão filosófica, destinada a acolher e estimular os temas censurados pelos vários departamentos de Filosofia da Universidade, reacionários e ortodoxos.

Indo mais adiante, há sempre um não possível de ser formulado – um *Denkverbot*, para utilizar uma expressão retomada recentemente, e de um modo igualmente metafórico, por Slavoj Zizek, ao comentar o novo totalitarismo intelectual que ronda nosso mundo atualmente, correlato dos totalitarismos, mais dolorosos, econômico e militar.[59] Seria plausível conceber a prática extensionista como uma intervenção diagonal e contundente nesses pontos cegos dos saberes disciplinares, nessas terras-de-ninguém

59. Ver Zizek (2002).

entre os Departamentos e as Faculdades. Esse seria o caráter necessário e positivamente subversivo da Pró-Reitoria de Extensão.

Ao referir-nos às instâncias acadêmicas como nichos ou pólos de poder, a questão recai, quase inevitavelmente, sobre o grau de autonomia do campo científico enquanto tal. Pierre Bourdieu parte do princípio de que esse campo se constituiu e se reproduz a partir de sua dinâmica interna e formula a hipótese de uma independência do campo acadêmico em relação às disputas políticas que sucedem no interior do Estado.[60] Bourdieu construiu sua teoria da análise do mundo acadêmico da França, país rico do Primeiro Mundo e com instituições científicas de mais de dois séculos de existência e que se reproduzem ainda hoje com grande estabilidade. Na verdade, essa suposta e tão apregoada neutralidade política do mundo científico tem sido questionada por vários historiadores e pesquisadores, tanto para o caso europeu como para o norte-americano. Christopher Simpson e Noam Chomsky mostram, por exemplo, que as escolhas dos temas de pesquisa e mesmo de etiqueta acadêmica vigentes nos Estados Unidos e na Europa Ocidental foram construídos segundo parâmetros políticos formulados para a Guerra Fria. E István Mészáros mostra claramente como a pesquisa científica, no mundo ocidental, tornou-se dependente do complexo industrial-militar.[61]

No caso brasileiro, estamos falando de redes construídas majoritariamente na década de 70, em plena ditadura militar. Apesar do esforço continuado de muitas lideranças do campo científico em apregoar uma independência da sua atividade em relação às disputas ideológicas e partidárias, acredito que sempre existiu uma evidente contaminação entre as duas áreas, inclusive porque a política universitária, mais encarnada na disputa pelos cargos de representação na Reitoria, esteve sempre vinculada à disputa partidária regional e nacional. E o poder no campo científico e acadêmico é assim constantemente conectado com o poder político da Reitoria e da sociedade como um todo. Nesse sentido, o modelo bourdieano, que certamente possui um valor heurístico, por um lado ajuda-nos a fazer uma leitura específica da instituição; por outro lado, ele pode trazer-nos uma ilusão de autonomia que não é realista.

E aqui a Extensão é uma área particularmente politizada, na medida em que essa conexão com o mundo extramuros é sempre uma escolha de relação com agentes

---

60. Ver Bourdieu (2004).

61. Ver Simpson (1999), Chomsky (1998) e Mészáros (2004).

sociais inevitavelmente posicionados no campo político. Para ficar no exemplo da UnB, poderíamos facilmente traçar as conexões entre os momentos mais "corajosos" e "rebeldes" dos seus projetos, em contraste com os momentos mais "alienados" ou simplesmente conformistas, com alinhamentos políticos da administração da Reitoria com a dinâmica política local e federal. Mais do que resistir a essa vinculação, ou performar uma desconexão que não existe, talvez uma alternativa melhor seja explicitar abertamente essas posições e re-significar a vinculação com a política externa nos termos específicos das disputas acadêmicas. Assim, por exemplo, se a abertura para os saberes não-eurocêntricos passar a ser uma política de Extensão, os acadêmicos envolvidos nos projetos estarão enviando mensagens e reagindo, de um modo prático e contundente, a posturas governamentais – estaduais ou federais – que dizem respeito à construção de uma nação deveras multicultural.

A política da Extensão deve passar a ter também um "p" maiúsculo: ou bem os poderes constituídos são sérios no respeito à diferença (valor maior na construção da democracia) e terão na Extensão um interlocutor qualificado e disposto, ainda que autônomo; ou bem continuam reféns de uma elite brasileira branca, eurocêntrica e discriminadora – e em tal caso será de novo em nome da autonomia que os projetos multiculturalistas da Extensão assumirão uma feição mais aberta, subversiva e coerente com sua missão de engajamento e retorno do saber acadêmico para a sociedade. Em qualquer dos dois casos, teremos admitido com toda consciência que somos atores políticos em um mundo que é sempre perpassado pela política; e teremos exercido também nosso lugar de posicionamento, seja para influenciar uma política externa com a qual concordamos, seja para resistir, com uma ação concreta de intervenção, a uma política de governo que nos parece inadequada para uma nação multicultural plena. Em ambos os casos, portanto, estaremos rompendo a barreira da ilusão de uma neutralidade acadêmica que nunca existiu e nem provavelmente algum dia existirá.

Com um grau maior de controle dado pelo macartismo no caso norte-americano e um grau mais sutil de independência dado pela etiqueta pós-colonial francesa, é provável que até nossa concepção de Extensão não esteja isenta das agendas geopolíticas que mencionamos acima. Essa conexão mais mediada que absorvemos de uma ideologia de neutralidade científica que silenciou o discurso anticapitalista foi o que nos levou, por exemplo, a não refletir abertamente sobre a natureza das relações da nossa academia com as fundações estrangeiras de financiamento e apoio à pesquisa e à pós-graduação. Acredito que o momento presente, de repensar a Extensão no contexto agonístico de uma reforma universitária que dilacera a nossa comunidade, seja também uma boa ocasião para se iniciar uma discussão franca sobre o campo acadêmico brasileiro no contexto internacional, com todas as suas articulações e mediações, do Estado-Nação às empresas multinacionais que financiam pesquisas científicas e formação de especialistas, segundo os seus interesses de acumulação e reprodução do capital.

Para ir um pouco mais adiante, a Extensão, como a raiz do próprio nome indica, existe para trazer tensão a um campo domesticado, qual seja, o do saber acadêmico institucionalizado: identificar a tensão gerada pela censura e a exclusão de saberes não legitimados; formular projetos, em parcerias com os grupos e comunidades detentores desses saberes; e assim, ampliar o universo de reflexão acadêmica, dissolvendo de um modo positivo e enriquecedor a tensão excludente inicial (gerando, de fato, uma ex-tensão). Parafraseando Kant em sua célebre luta por publicar *A Religião nos Limites da Razão Pura*, que havia sido censurada por uma comissão obscurantista de colegas seus a mando do monarca, a Extensão deve estar sempre preparada para provocar, em nome da abertura dos saberes, um "Conflito entre as Faculdades". Aqui parafraseamos outro ensaio do sábio alemão em que comentou e teorizou sobre o conflito de legitimidades no mundo acadêmico, do qual havia sido vítima. Este ensaio foi retomado recentemente por Derrida, em mais de uma reflexão sobre a instituição universitária contemporânea.[62]

Julgo importante enfatizar o lado irrequieto e inovador da Extensão justamente como um alerta, pois ela corre o risco de exacerbar os malefícios e as distorções que encontramos hoje na prática do ensino. Por exemplo, se a tendência agora é privatizar a universidade sub-repticiamente, através de cursos pagos, a Extensão pode ser o lugar por excelência da prática mercantilista intransparente e imoral. E se os colegiados estão fechando os cursos ao diálogo interdisciplinar, de novo a Extensão pode seguir na mesma linha, apenas replicando, em um formato reduzido e muitas vezes pago, a prática conservadora da grade curricular existente. Assim, para além de qualquer caso específico, os dilemas da Extensão são os mesmos dilemas que deveriam ser colocados também para a Reforma Universitária atualmente em discussão. E que é um dilema também internacional, conforme demonstra, com precisão e detalhe, Robert Kurz. Repassemos.

---

62. Ver Kant (1999) e Derrida (1995b e 1995c). Discuti, em outro ensaio, a atualidade desses conflitos e da censura universitária, procurando dar um sentido local à desconstrução derrideana do texto de Kant (Carvalho 2002a).

Robert Kurz nos alerta para a possibilidade de uma insurreição que vem de fora, baseada na exclusão social por nós perpetrada, a qual significará uma ruptura radical de comunicação e o abandono definitivo da construção de uma proposta coletiva de convivência entre classes diferentes no interior da mesma sociedade. Em suma, essa ruptura poderá gerar uma atitude niilista e violenta por parte dos excluídos. Se tal ocorrer, perderão tanto os incluídos quanto os excluídos. Praticar Extensão é manter esse canal aberto com os grupos que mais se ressentem do poder injusto na nossa sociedade e que identificam a universidade como uma das instituições principais de reprodução da opressão a que são submetidos. Se a universidade não se abrir para esses grupos, ajudará a confirmar essa percepção (que eles já nutrem) sobre o seu papel de inimiga das camadas sociais injustiçadas pelo nosso Estado capitalista desigual e excludente.

Finalmente, lembremos que, do lado do ensino, a grade curricular homogeneizadora do MEC não permite quase nenhuma aproximação com os subalternos excluídos. Do ponto de vista da pesquisa, é a dependência das instituições financiadoras públicas e das empresas privadas que colocam barreiras contra uma escuta de temas emergentes e/ou insurgentes. Por esses dois lados, portanto, a universidade está deixando de escutar as vozes dos excluídos. A Extensão ainda é o elo que deve ser mantido para um enriquecimento mútuo e para evitar uma ruptura de comunicação muito mais dramática, a qual na verdade já começa a instalar-se na sociedade brasileira, entre a pequena elite universitária branca e a maioria esmagadora de pessoas brancas, negras e indígenas sem formação escolar suficiente para que possa sequer sonhar com a possibilidade de uma inclusão respeitável nas redes sociais e no mercado de trabalho, no contexto de um Estado racista periférico, dependente e que desnacionaliza e privatiza seus recursos a um passo cada vez mais acelerado – entre eles, os preciosos recursos destinados à educação superior pública.

CAPÍTULO VI

# Um sistema de preferência para negros e índios na pós-graduação, na docência superior e na pesquisa

## As práticas de exclusão no acesso à pós-graduação

Considero a presente proposta de ações afirmativas para a pós-graduação como complemento necessário da proposta de cotas para a graduação que conseguimos aprovar na UnB em 2003 e que hoje já funciona em mais de uma dúzia de universidades públicas, federais e estaduais. Afinal, a esta altura, após a acumulação de tantos dados sobre o crônico racismo acadêmico brasileiro, acredito que já chegou o momento de pensarmos em como promover a igualdade étnica e racial em todo o espectro do mundo acadêmico e não somente na graduação. Conforme argumentei nos ensaios anteriores, o quadro de exclusão racial na pós-graduação, na docência superior e na pesquisa científica é ainda pior que na graduação e se continuarmos com o sistema atual de ingresso, essa inclusão provavelmente não ocorrerá no presente século. Se quisermos intervir neste sistema para acelerar a igualdade étnica e racial, devemos tentar incluir, em caráter emergencial como são as cotas e as ações afirmativas em geral, os negros e os índios em todas as posições em que haja acadêmicos preparados desses dois grupos em condições de assumi-las: para os secundaristas negros e indígenas, as cotas para a graduação; para os que já terminaram a graduação, preferência para a entrada no mestrado; para os que já são mestres, preferência para a entrada no doutorado; para os que já são doutores, preferência nos concursos públicos para a docência; e para os docentes, preferência no acesso à carreira de pesquisador.

Uma vez definido um sistema de cotas para estudantes negros na graduação, pensemos como seria o equivalente das cotas para a pós-graduação. Como sabemos, o vestibular já é eivado de problemas e não mede com segurança todas as capacidades intelectuais dos candidatos e sim aquelas habilidades desenvolvidas a partir dos apoios e das condições favoráveis com que contam, entre as quais pesa positivamente a condição racial de branco e negativamente a condição de negro ou indígena. Já os problemas da pós-graduação são ainda muito maiores para os estudantes negros e indígenas. Em primeiro lugar, é preciso deixar claro que a pós-graduação não é universalista, e a ela não se pode aplicar, de modo algum, o argumento da meritocracia imparcial, brandido pela maioria dos opositores das cotas, que tentam ardorosamente salvar o modelo, acriticamente aceito como imparcial, do vestibular.

As linhas de pesquisa na pós-graduação sempre foram decisões de grupos e resultados de vontades políticas. Há que frisar sempre que o modo vigente de ingresso na nossa pós-graduação já é a prática de um critério de preferências, combinado com uma meritocracia parcializada que geralmente premia os melhores dentro do conjunto de preferências elegido. Por tal motivo, é comum que um estudante mais qualificado seja excluído simplesmente porque escolheu uma linha de pesquisa com poucas vagas, ou inexistente no programa a que se candidatou, enquanto outro estudante menos qualificado entre apenas porque escolheu uma linha já estabelecida menos concorrida. Esse tipo de prática não pode ser caracterizado como exemplo de meritocracia. Também não é universalista, porque os candidatos concorrem de um modo setorizado, obedecendo a protocolos de exames que variam enormemente, ainda no interior de uma única unidade acadêmica. Invariavelmente, esses exames incluem entrevistas, o que personaliza fortemente a deliberação das bancas. E é justamente na etapa das entrevistas que muitos estudantes negros apresentam seu rendimento mais insatisfatório e são eliminados da concorrência. A falta de monitoramento externo das entrevistas dificulta a composição de eventual tratamento desigual dedicado aos estudantes negros. Repetindo: a seleção para a pós-graduação é o resultado de preferências, que demandam manutenção de linhas para que os professores continuem com seus interesses de pesquisas e encontrem estudantes que se adaptem a esses interesses. Nesse quadro, em muitos casos nem sequer é possível comparar a capacidade relativa dos estudantes, porque não há unificação de critérios entre os professores, os programas, as linhas de pesquisa e os recursos institucionais disponíveis.

Apesar da variedade de critérios, podemos supor que um exame de seleção para a pós-graduação no Brasil, em nível de mestrado, com variações de acordo com a instituição ou programa, inclui os seguintes quesitos:

- carta de recomendação;
- elaboração de um projeto de pesquisa;
- prova específica de conteúdo;

- entrevista com a banca;
- prova de línguas;
- análise de *curriculum vitae* e histórico escolar;
- monografia ou dissertação já defendida

No caso do doutorado, certamente contará também a trajetória do mestrado: onde fez, quem o orientou e a qualidade da dissertação.

Um candidato desconhecido da banca, que estudou com um orientador desconhecido, e que apresenta cartas de recomendação de professores desconhecidos, terá uma desvantagem diante de um concorrente, em igualdade de condições acadêmicas, que é conhecido da banca, que estudou com alguém conhecido e bem visto pela banca e que foi recomendado por pessoas conhecidas e consideradas positivamente pelos examinadores. Isso apenas corrobora o que já dissemos, que mesmo sem o fator racial, a equanimidade de avaliação não é ponto pacífico na pós-graduação. Acrescentemos agora a esses fatores o componente racial: se o aluno é negro, incidirão mais fortemente sobre ele os estereótipos negativos e os preconceitos que são projetados sobre os alunos negros: menos capaz, com mais deficiências etc. Se é desconhecido da banca, sua condição racial tornar-se-á ainda mais negativa.

Em suma, trata-se de um sistema de avaliação, no mínimo com um alto grau de imprecisão, que pode aumentar e tornar-se intensamente parcial quando incluímos as idiossincrasias dos membros das bancas, com suas preferências e rejeições de temas e abordagens que às vezes não guardam nenhuma relação com as eventuais escolhas dos candidatos. Enfim, o ingresso na pós-graduação se dá através de mecanismos explicitamente parciais, não universalistas - ou melhor, abertamente interessados. Nessa linguagem tão excludente, a história prévia de exclusão dos candidatos negros pesa negativamente no cômputo de suas chances de aprovação.

Retomando o que dissemos sobre as redes, justamente no momento atual, quando começamos a discutir a exclusão racial na pós-graduação, a CAPES e o CNPq estão decidindo mudar as regras de concessão de bolsas para os próximos anos (o que incidirá sobre os critérios de seleção, afetando inclusive os docentes negros que queiram fazer seu doutorado). Ao invés de privilegiar o talento individual e o tema específico do candidato, as novas diretrizes recomendam, como princípio de seleção, privilegiar os estudantes que já estejam inseridos em alguma rede de pesquisa, ou seja, que já sejam elo de alguma rede. Nesse novo contexto, uma pessoa isolada já não tem chance de admissão. Quem não conseguiu entrar em alguma rede durante a graduação, praticamente não terá mais possibilidades de inserção na pós-graduação. Fechando a pós-graduação com grupos já existentes, essas diretrizes excluirão os negros ainda mais do que já são atualmente e distribuirão praticamente todos os recursos do Estado entre os estudantes brancos. Lembremos que os poucos estudantes negros que têm entrado na pós-graduação são justamente esses estudantes isolados, autônomos, de grande talento individual e que ultrapassaram o bloqueio racial contrariando as estatísticas que já os havia deixado de fora. Ainda que mude a justificativa, essa medida de fechar a pós-graduação em torno das redes estabelecidas é um paralelo, na academia, do trem da alegria do serviço público em 1985: será mais uma onda de exclusão com conseqüências futuras dramáticas para a frágil coletividade universitária negra.

Em um contexto tão absurdamente discriminador, será preciso uma revisão quase total da postura da CAPES e do CNPq frente aos programas de pós-graduação no Brasil, caso nos interesse promover uma integração racial: haverá que avaliar a função social e a adequação à diversidade de todos os temas e linhas de pesquisa, e também as disciplinas oferecidas. Além disso, haverá que contratar professores que possam atender aos temas de pesquisas demandados pelos estudantes negros em condições de seguir os cursos.

Relatos constantes de pós-graduandos e professores negros apontam para a sensação de isolamento que experimentam no ambiente universitário em que circulam. No caso dos professores, a pulverização de sua presença é ainda mais intensa, o que dificulta a própria possibilidade de colocar para os colegas e para a comunidade acadêmica em geral a situação de exclusão e de discriminação de que são vítimas. Como no caso da UFRJ, em que são três professores negros em um centro acadêmico com oitocentos professores; como na FFLCH da USP, que são três professores em quinhentos; e como no Instituto de Letras da UnB, em que uma professora negra convive com cem colegas brancos.

No caso dos alunos de pós-graduação, a competitividade coloca os estudantes negros sob uma pressão constante devido a uma carência de capital cultural específico, o que conduz a uma exclusão simbólica de graves conseqüências para o seu desempenho. Muitas vezes, ainda que perfeitamente capacitados nos conteúdos temáticos, os estudantes negros não dominam o código lingüístico para-disciplinar que abre portas. É aqui o espaço onde o efeito da segregação, resultante de histórias de vida que quase nunca se tocaram, se faz sentir e onde qualquer fantasia de mestiçagem como garantia de integração mostra-se realmente falsa. Um estudante negro às vezes não sabe como engajar intelectualmente a atenção do professor branco, simplesmente porque não compartilha do universo social e simbólico em que se movem os brancos universitários.

Espera-se dos negros uma linguagem que desconhecem e que não sabem como aprender: a linguagem dos brancos acadêmicos. E é absolutamente crucial aprender a linguagem acadêmica branca, já que o acesso à pesquisa, aos grupos de discussão, às informações e aos dados do saber disciplinar que apenas circulam nas interações informais depende da absorção e da familiaridade no manejo desses códigos quase esotéricos da nossa prática acadêmica.

Duas alternativas dramáticas são apresentadas aos estudantes negros: ou se metamorfoseiam de brancos após absorverem os códigos exclusivos desse mundo do qual jamais fizeram parte (o que significa abrir mão da sua diferença, da sua biografia, dos seus valores e muito especialmente da lucidez que introjetaram ao ter que lidar diariamente com a discriminação), ou partem para um confronto aberto, denunciando o racismo e as injustiças (o que significa arriscar suas poucas chances de inserção nas redes brancas já estabelecidas, saturadas e marcadas por padrinhos e controladores dos recursos disponíveis).

Esses números tão baixos da presença de negros nas universidades devem ser entendidos dentro da dinâmica concreta de relações raciais ativadas atualmente no nosso mundo acadêmico. Isso significa equacionar e oferecer explicações e alternativas de solução para os inúmeros casos de discriminação racial que vêm ocorrendo com estudantes em vários programas de Pós-Graduação. Casos de exclusão e hostilidade racial se multiplicam, tanto nos exames de seleção como no interior dos cursos, em reprovações inaceitáveis, rejeição de temas propostos por estudantes negros, desvantagens na distribuição das bolsas e inúmeras formas de dificuldades e antipatias. Já temos colhido queixas e depoimentos de incidentes de hostilidade racial na pós-graduação em pelo menos seis universidades públicas.[63]

Se o número de professores negros nas universidades públicas não chega a 1%, o número de pesquisadores negros que participam do sistema de produtividade em

63. Um caso que já se tornou emblemático da hostilidade docente contra alunos negros na pós-graduação no Brasil foi o de um doutorando de Antropologia da UnB, cujo drama já é mencionado e discutido em várias publicações, pelo próprio discriminado (Alves 2001), por mim (Carvalho 2002b) e por outros pesquisadores (Torres 2001, Santos 2003 e Siqueira 2005).

pesquisa não deve chegar a 0,5%. Nas poucas áreas que pude averiguar, há casos em que todos os pesquisadores, sem exceção, são brancos. É provável que dos quase oito mil pesquisadores que compõem a elite científica brasileira não encontraremos mais que 20 negros – uma porcentagem de apenas 0,25% em um país de 47% de negros. Pensemos o predicamento dos acadêmicos de cor negra: com o sistema de financiamento em retração, todas as áreas receberão um número mínimo de bolsas novas, que não deve chegar a dois dígitos por cada área. Todos os participantes do sistema já têm vários candidatos ao preenchimento dessas bolsas e a peça mais forte do currículo dos aspirantes é paradisciplinar, qual seja: com quem estudou, onde e que posição já ocupa na rede. As chances de que um jovem pesquisador negro consiga entrar no sistema do CNPq por meio da "livre" concorrência são mínimas, simplesmente porque deverá concorrer com pelo menos uma dúzia de professores brancos melhor inseridos que ele nas redes acadêmicas específicas de suas áreas.

### O conceito de preferências temáticas e raciais

Resumindo essa complexidade constitutiva do sistema da pós-graduação e da pesquisa, trata-se de uma rede que se estabeleceu e que está por trás dos concursos para professores, das bancas de mestrado e de doutorado e das comissões de avaliação dos projetos de pesquisa pelas agências financiadoras. Tudo isso deve ser tomado em conta na hora de argumentar pelas cotas. As cotas ajudarão a instituir no Brasil, talvez pela primeira vez na nossa história, um clima de real concorrência na academia e nas profissões. Se apoiarmos um contingente de estudantes negros bem preparados e motivados, que entrem agora na universidade, no mestrado e no doutorado, totalmente fora da rede estabelecida, eles irão competir com brancos que já estão inseridos na rede.

Imaginemos que um grupo de estudantes negros termine em cinco anos o curso de Medicina pelo regime de cotas. Teremos então um número de dez ou vinte médicos negros, que vão entrar na vida profissional junto com seus colegas brancos. Esses negros recém-formados em Medicina estão fora da rede dos médicos, enquanto muitos brancos já estão nela inseridos, até por razões familiares. Como reagirão os empregadores? Irão absorver esses novos talentos acadêmicos, esses negros anônimos, ou irão proteger os clientes brancos conhecidos? Aí estaremos realmente entrando numa discussão profunda sobre o mundo em que vivemos. Até agora não houve esse negro anônimo pressionando, daí que nem sequer podemos dizer que já houve concorrência aberta na nossa academia. Invertemos assim um argumento muito comum:

muitos adversários das cotas alegam que elas destruirão a concorrência leal que caracteriza o mundo acadêmico; na verdade, serão as cotas que permitirão uma verdadeira concorrência que ainda não temos.

O único modo possível para uma integração dos negros na pesquisa científica brasileira é por um sistema amplo de discriminação afirmativa. O CNPq terá que reservar bolsas de preferência para pesquisadores negros, começando pelos professores negros que já estão inseridos nas universidades e que desenvolvem pesquisas e orientações de estudantes negros, para que se fortaleçam e ajudem a formar uma rede paralela de pesquisadores negros.

A inclusão racial na pós-graduação e na docência só pode dar-se através de um movimento pulverizado, capilar e altamente individualizado. Ao contrário das cotas para o vestibular, que colocarão de uma só vez uma massa de estudantes negros na universidade, o sistema de preferência na pós-graduação e nos concursos para docentes sucederá de um modo mais lento e esporádico, pois muitas vezes tratar-se-á de escolher um candidato (no caso, um negro) entre vários aprovados e potencialmente em condições de preencher uma vaga. Por exemplo, se três concorrentes são aprovados em um concurso para professor, a banca dará preferência para o candidato negro para compensar a baixa presença de negros naquela unidade acadêmica. Mais uma vez, ao contrário do vestibular, a decisão sobre a inclusão racial não estará centralizada em uma comissão fixa (no caso da UnB, por exemplo, a Comissão Permanente do Vestibular, COPEVE), porém em inúmeras bancas específicas *ad hoc*, cujos critérios dificilmente são uniformizados.

O poder de realizar as ações afirmativas para a inclusão racial na pós-graduação terá que ser transferido necessariamente para um grande número de professores atuando independentemente nas diversas unidades acadêmicas, o que demandará de todos uma alta compreensão e absorção dos princípios e da legitimidade desse sistema de inclusão racial. Esse caráter sempre focal da ação afirmativa por preferência visando alcançar uma meta de integração assemelha-se mais ao modelo norte-americano (lembremos que não há vestibular nos Estados Unidos : nesse sentido, o nosso modelo de cotas não é nenhuma cópia do sistema norte-americano, malgrado essa acusação ser freqüentemente esgrimida pelos que são contrários às cotas). E aqui gostaria de colocar o questionamento aberto de Thomas Skidmore, profundo conhecedor do racismo brasileiro, no famoso seminário Multiculturalismo e Racismo ocorrido em Brasília em 1996: "qual é a 'reserva moral' do Brasil para enfrentar esta questão?" (Skidmore 1996: 133).

Podemos entender o significado de "reserva moral" de Skidmore, se visualizarmos o seguinte: pela primeira vez no país, milhares de professores universitários brancos, atomizados em grupos de três a cinco e reunidos ocasionalmente em milhares de unidades acadêmicas de uma centena de universidades, com inteira autonomia para deliberar, entrevistarão candidatos brancos e negros para a pós-graduação e para a docência, em todas as áreas do conhecimento, e terão que deliberar imparcialmente duas coisas: que um candidato negro mostrou qualificação suficiente para desempenhar a tarefa exigida; e que entre os aprovados, um negro deverá ocupar uma vaga em vez de outros candidatos brancos. A "reserva moral" é uma incômoda e pertinente observação e uma pergunta sobre a capacidade de nossas bancas de mudarem seu comportamento diante do novo sistema de ações afirmativas agora proposto.

## Uma proposta de preferências raciais e temáticas na pós-graduação, na docência e na pesquisa

Ofereço aqui alguns subsídios para a formulação de uma intervenção no padrão atual de segregação vigente na pós-graduação brasileira. Em primeiro lugar, eis alguns dados, fornecidos pela Secretaria de Planejamento da UnB em 2003, que fundamentam a necessidade dessas intervenções:

O número total de docentes atualmente ativos nas 53 universidades federais é de aproximadamente 46.679. Até onde sabemos, não deve passar de 500 o número de professores negros em todas essas universidades;

a) O sistema universitário público está em retração há mais de dez anos e o número de vagas proposto pelo governo para os próximos anos nem sequer reporá as vagas perdidas nesse período: no máximo serão abertas seis mil vagas novas nos próximos três anos. Isso significa que, ainda por várias décadas, o Brasil continuará exibindo o perfil de um dos sistemas acadêmicos mais excludentes racialmente de todo o mundo. O mínimo a fazer é garantir cotas para essas vagas novas, na expectativa de que o percentual de professores negros possa, pelo menos, alcançar a barreira do 1%, mesmo sem chegar a 2%.

b) Complementarmente, será preciso intervir na pós-graduação para preparar um contingente maior de mestres e doutores negros em condições de ocupar as vagas que conseguirmos reservar para eles nos concursos para docentes que forem abertos a partir de agora.

Além das propostas de cotas para a pós-graduação, que deverão ser formuladas de modo a atender as necessidades específicas de cada universidade, poderemos oferecer propostas gerais que poderão ser acrescentadas ao texto atual do Estatuto da Igualdade Racial, apresentado pelo Senador Paulo Paim.

Em segundo lugar, ficaram faltando três dimensões fundamentais na proposta e que devem ser incluídas antes da sua votação pelo Congresso Nacional:

c) Um sistema de preferência de vagas na pós-graduação

As unidades acadêmicas (Institutos, Centros ou Faculdades) das universidades deverão alocar, do montante total de vagas oferecidas nos cursos de pós-graduação, pelo menos 20% do total das vagas de mestrado e 20% do total das vagas de doutorado para candidatos negros aprovados no processo seletivo. Deve-se enfatizar que o critério para seleção de negros por preferência não deve ser na base do desempate, mas simplesmente por preferência na aprovação (equivalente ao que propomos para o caso das cotas para graduação pelo vestibular: um piso mínimo de aprovação).

Poderemos usar na pós-graduação a mesma idéia de um Plano de Metas que usamos na Proposta de Cotas para negros e índios da UnB. Podemos definir que, por 20 anos, a diversidade racial será um critério importante na avaliação dos programas de pós-graduação no Brasil. Espera-se que esse fator seja incorporado à nossa cultura acadêmica de modo que daqui a alguns anos será legítima a pergunta: que sentido de excelência pode ter um programa de mestrado ou doutorado que seja constituído exclusivamente de professores e alunos brancos, em um país que conta com 47% de negros e com centenas de sociedades indígenas?

d) Um sistema de preferência de vagas nos concursos para professores

Pelo menos 20% das vagas novas abertas nas universidades para contratação de professores deverão ser preenchidas por candidatos negros que sejam aprovados. O montante poderá igualmente ser contabilizado por unidades acadêmicas, para não atomizar excessivamente o processo de seleção dos candidatos negros.

Assim, conseguiremos estimular os programas de pós-graduação a absorver candidatos negros, alterando e ampliando suas linhas de pesquisa para então, pela primeira vez na história do país, recebê-los de um modo consciente e aberto. Ao mesmo tempo, estaremos preparando os potenciais candidatos a ocupar as vagas dos concursos para professores nas universidades.

e) Um sistema de preferência para negros na concessão de bolsas de pesquisa, em todas as modalidades, nas instituições federais de fomento (CNPq, MCT, Capes).

## Conclusão: da urgência da igualdade racial no ensino superior no Brasil

Penso que não será fácil levar essa discussão para a nossa classe docente. A idéia de compensação e preferência poderá chocar com crenças e convicções, escassamente discutidas e nem sempre trazidas à consciência, acerca do que entendemos como mérito e qualificação. Nós docentes teremos que reconhecer que também escolhemos candidatos na base da preferência – e em muitas situações de banca as diferenças entre os candidatos são irredutíveis à pontuação e a decisão final é feita na base da "política acadêmica", termo impreciso que certamente não se confunde com meritocracia. O "perfil" para um cargo inclui critérios de interesses de composição de grupos, de contribuição do candidato ao tipo de capital simbólico que a unidade acadêmica que o absorve optou por acumular; e em alguns casos, até mesmo de etiqueta ou protocolo pessoal (valores que são derivados do pertencimento a uma classe social). Apesar de tantas preferências exercitadas, a questão é que até agora ninguém nunca preferiu negros. E vamos ter de aprender a preferi-los. Ou seja, vamos ter que ser ativamente anti-racistas.

CAPÍTULO VII

# Cotas nas universidades: as primeiras polêmicas

## Comparando políticas de cotas: Brasil, Estados Unidos, África do Sul, Índia e Malásia

A primeira reação que pousa de "ideológica" contra as cotas é a de que estamos reproduzindo o modelo norte-americano de ações afirmativas, pensado para uma sociedade muito diferente da nossa, como se faltasse imaginação e senso de adequação à realidade nacional nos formuladores do sistema atualmente em andamento. Essa crítica é ambivalente, porque joga com um sofisma nacionalista: o problema já não é saber se o sistema norte-americano é de fato adequado para resolver o nosso problema de inclusão étnica e racial (caso seja de fato o que está sendo utilizado), mas que seja norte-americano. Discutamos essa objeção e comparemos nosso modelo com aqueles implementados em outros países, começando pelos Estados Unidos, que é o primeiro país invocado pelos que são contrários às cotas.

No capítulo anterior falamos da questão da reserva moral de Thomas Skidmore no que se refere à aplicação honesta e eficiente do sistema de preferência. Falta discutir, agora, as diferenças políticas e ideológicas entre os dois sistemas de inclusão racial no ensino superior, o brasileiro e o norte-americano. O modelo norte-americano de ações afirmativas representa um paradoxo para a sua ideologia liberal, de estado mínimo e de pouca intervenção estatal na dinâmica de competição entre os indivíduos. Daí porque há sempre controvérsia e oposição ao sistema, tal como ocorreu em 2003, quando a reação à discriminação positiva em favor dos negros praticada pela Universidade de Michigan chegou até a Suprema Corte, que finalmente deliberou pela continuidade das ações afirmativas.

Um emblema dessa tensão e desconforto constante é o famoso Caso Bakke versus Universidade da Califórnia, de 1977, em que um estudante reprovado no ingresso ao curso de Medicina processou a universidade e o Tribunal Superior do estado ordenou à Faculdade que o matriculasse, ao mesmo tempo em que proibia as universidades da Califórnia de levar em conta a raça nas decisões futuras sobre a admissão de estudantes. Essa decisão do Tribunal abriu uma complexa discussão sobre a universalidade do mérito acadêmico e em que medida ele deve acomodar desigualdades raciais de longa data combinadas com a escassez de vagas nas escolas de Medicina, tudo isso no pano de fundo da função social da profissão médica. Após uma demorada disputa, a Universidade da Califórnia pôde retomar seu sistema de discriminação positiva para negros através de pontuação pela raça.[64]

Contudo, mesmo significando uma exceção a esse ideal não intervencionista, as ações afirmativas não se separam de um outro grande valor dessa sociedade, qual seja, o individualismo, que às vezes chega às raias da egolatria. O sistema de pontuação com base na categoria racial é combinado sempre com a análise e a admissão de ingresso decidida caso a caso. Isso significa que cada estudante negro que entra por ações afirmativas ganhou uma concorrência frente a outros estudantes negros que foram considerados menos aptos que ele. A expectativa final para os estudantes negros passa a ser a mesma decretada para os estudantes brancos que entraram sem o apoio de pontos por ações afirmativas: que ao terminar o curso transforme-se em um vencedor, enquanto seus pares de cor que não conseguiram ingressar serão vistos como perdedores. É essa lógica vencedor-perdedor, absolutizada pela cultura capitalista branca norte-americana, que jamais foi retirada de sua política de ações afirmativas.

De um certo modo, a posição de vencedor passa de fato a subsumir a condição racial. Se no Brasil a fantasia reacionária de uma meta-raça, formulada por Gilberto Freyre e adaptada por Darcy Ribeiro e outros, é a condição de mestiço (cuja cor não fica claramente definida), é possível interpretar essa posição do "vencedor" dentro da ideologia capitalista norte-americana como equivalente à idéia ibero-americana de meta-raça, na medida em que o negro "vencedor" receberá o mesmo mandato de reprodução do sistema capitalista que o vencedor branco, seja no complexo industrial-militar, na indústria cultural ou mesmo no universo acadêmico. Esse colapso da diferença racial frente à ideologia egolátrica do vencedor assume neste início de século uma dimensão especialmente estridente com as nomeações sucessivas de um general, Colin Powell, e logo de uma executiva, Condoleeza Rice, para o cargo central de Secretário de Estado

64. Ver os dois ensaios de Ronald Dworkin sobre o Caso Bakke (Dworkin 2000).

do Presidente George Bush que, ironicamente, manifestou-se contrário às ações afirmativas, medidas diferenciadoras que justamente permitiram a ascensão social desses dois negros. Essa ênfase na figura do vencedor provavelmente suaviza a inconsistência da admissão de diferenciais para a entrada em um sistema liberal que prega a competição aberta. A ideologia do vencedor também acomoda a meritocracia, valor que organiza a idéia de quem vence a concorrência aberta entre indivíduos.

A política brasileira de cotas é muito diferente desse modelo. Os estudantes negros (e índios) entram pelas cotas na forma de um contingente, sempre de centenas de uma só vez. Apesar da prova ser realizada individualmente, a preferência, entendida como escolha de um entre múltiplos com rendimento equivalente, não se individualiza no vestibular. E a própria alocação dos candidatos em um contingente separado já coloca o critério do coletivo anterior ao critério individual. O objetivo da UnB é colocar de uma só vez 400 estudantes negros e 15 índios em cada vestibular. As pontuações não são somadas à pontuação universal, mas refeitas radicalmente de acordo com cada contingente. A base da aprovação continua valendo, mas ela não configura ainda uma dualidade valorativa extrema entre vencedores e perdedores, e sim, entre aprovados e reprovados. Nesse sentido, no que tem de valor coletivo, o sistema de cotas brasileiro está mais próximo de um valor socialista, dividido em etapas de absorção: a meta é que todos os negros alcancem a condição de freqüentar o ensino superior. Ainda que altamente utópica, a expectativa brasileira é de universalizar o ensino superior e não a de formar uma minoria de excelência. Este ponto é bem desenvolvido por Rita Segato, que inclusive contrasta o sentido político das ações afirmativas nos EUA, plenamente inseridas no sistema capitalista, com o seu sentido em Cuba, onde são entendidas como complemento ao valor dominante do socialismo, que é a igualdade.[65]

Vários opositores das cotas alegam que os negros e os índios norte-americanos que entraram nas universidades pelas ações afirmativas acabaram por branquear-se todos e que esse mesmo processo há de ocorrer no Brasil caso copiemos o modelo dos Estados Unidos. Independente de quanto isso tenha acontecido de fato na América do Norte, essa possibilidade é maior no caso da pós-graduação e na docência devido ao mecanismo, praticamente inevitável, da preferência. O vestibular é cego e massivo, o que protege o candidato de qualquer envolvimento subjetivo com os seus

65. Ver Segato 2004b

examinadores. Na verdade, o vestibular é um sistema de avaliação de dupla cegueira: os candidatos não conhecem os examinadores e os examinadores não conhecem os candidatos. O candidato negro aprovado ingressa na universidade, portanto, sem dever favor algum aos membros da comissão examinadora.

No caso do sistema de preferência, com entrevista, é uma banca de examinadores com nome e sobrenome que escolhe candidatos também com nomes e sobrenomes. As bancas, formadas por professores brancos, já forçarão um vínculo primordial do pós-graduando ou docente negro com o ethos e o sistema de valores dos docentes brancos com quem passará a conviver. A mensagem implícita inicial, portanto, é de convidar o candidato negro a entrar em uma instituição enquanto indivíduo. A situação ideal seria, na verdade, de aplicar simultaneamente cotas na graduação e vagas de preferência na pós-graduação e na docência; o contingente de graduandos negros poderia reforçar, nos individualizados pós-graduandos e docentes negros, o valor coletivo da política de ações afirmativas. Esse seria um modo de manter-se longe do individualismo destrutivo das sociedades industriais avançadas (da qual os Estados Unidos são apenas o pior sintoma, mas não o único exemplo) e mais fiel a um espírito de solidariedade e de vínculo comunitário.

Apresentadas essas diferenças notáveis, ideológicas e formais, entre o modelo norte-americano de ações afirmativas e o nosso sistema de cotas, falta esclarecer ainda um ponto em geral pouco elaborado por nossos formadores de opinião, tanto acadêmicos como da mídia: que os Estados Unidos não são o país que inventou as ações afirmativas. O grande criador do sistema de cotas, tal como o conhecemos em nosso tempo, foi o intelectual indiano Bhimrao Ramji Ambedkar, líder dos *dalits*, ou intocáveis da Índia, que desde a década de 20 do século XX lutou contra a desigualdade inerente ao sistema de castas do seu país. Foi Ambedkar que conseguiu colocar, na Constituição inicial da Índia independente, em 1948, a necessidade de cotas para os intocáveis (*dalits*) e os grupos tribais, nas instituições de ensino e no serviço público, como modo de compensar milênios de exclusão e desigualdade. Até hoje, a Índia mantém cotas para os intocáveis. A primeira formulação, portanto, das ações afirmativas, não surgiu das Ciências Sociais e Políticas ocidentais, mas da intelectualidade indiana que militava pela descolonização.[66]

---

66. Ver o excelente ensaio comparativo sobre ações afirmativas de Carlos Moore Wedderburn (2004 e 2005), em que ele descreve a luta de Ambedkar, ele mesmo um intocável, e seu enfrentamento político a Gandhi, que era da casta "superior" dos brâmanes.

B. R. Ambedkar utilizava o conceito de "tratamento especial" para definir o equivalente da nossa idéia de reservas de vagas e postos, tanto para as castas dos intocáveis, que incluem todos os *shudras*, chamados genericamente pelo termo mais difundido de *dalits*, quanto para o que chamam na Índia de "tribais", que são os equivalentes das nossas nações indígenas. Não deixa de haver inclusive uma certa equivalência com o caso brasileiro, visto que a condição de *dalit*, com todo seu estigma, foi assimilada por Ambedkar à condição de escravo. Ambedkar conseguiu incluir as cotas na Constituição indiana; por isso, a Índia é o país com a mais longa história e experiência de ações afirmativas no mundo e não os Estados Unidos, como supõe 99% da intelectualidade brasileira.[67] Os resultados das propostas de cotas de Ambedkar são convincentes: em 1950, os *dalits* detinham apenas 1% dos postos mais graduados do país e representavam 17% da população; hoje já detêm 12% desses postos.[68] Se lembrarmos que a população negra no Brasil é de 45% e continuam detendo apenas 1% dos postos mais graduados da nação, devemos concluir que a situação dos negros no Brasil é bem pior que a dos intocáveis da Índia.

Seguindo uma lógica semelhante, a Malásia, que se tornou independente em 1957, adotou, em 1971, um amplo sistema de cotas para os *bumiputeras*, os malaios que, apesar de serem a população originária e demograficamente majoritária do país, estavam inteiramente excluídos das posições de poder e da riqueza nacional, essas concentradas nas mãos das minorias chinesa e indiana. Parecidas com as cotas indianas para os *dalits* e tribais, as cotas dos *bumiputeras* incluíam acesso privilegiado à educação e ao serviço público, dentro de um plano nacional de metas de desenvolvimento econômico e social. Após 30 anos de cotas, a igualdade étnica no país já é aceitável e o sistema pode agora dar lugar às leis universalistas dentro de uma lógica realista de igualdade étnica e racial. Para expandir o horizonte limitado com que abordamos esse assunto, em que os Estados Unidos parecem ser nossa referência única e obrigatória, vale lembrar que a discussão na Malásia hoje é como formular (finalmente?) políticas públicas não-racializadas, após o cumprimento das metas propostas pelo Estado, enquanto a discussão no Brasil ainda está confinada a como convencer a elite da necessidade de iniciar um plano de metas que conduza à igualdade étnica e racial.[69]

---

67. Acaba de ocorrer um importante simpósio nacional na Índia para avaliar os efeitos da reserva de vagas no setor privado após 50 anos de ações afirmativas. Ver textos de Rodrigues (2005) e Gupta (2005).

68. Ver seus principais ensaios em Ambedkar (2002).

69. Ver o polêmico artigo de Kua Kia Soong, de nação chinesa, criticando a política pró-*bumiputera* por

Finalmente, também na África do Sul as cotas, ainda vigentes, foram adotadas no fim do período do *apartheid* para reparar uma exclusão brutal das nações africanas, ausentes das universidades, dos cargos políticos, das profissões liberais e das fontes de riqueza do país. Podemos mencionar os casos do Canadá, em que os Inuit têm cotas em todas as esferas do Estado, incluindo o Congresso Federal; da Austrália, que instaurou um sistema de reparação para os aborígines; e da Nova Zelândia, que estabeleceu cotas para os Maoris, povos originários do país. Entre nossos vizinhos da América do Sul, a Colômbia já instituiu cotas para negros e índios nas universidades desde os anos 90, segundo um modelo mais próximo do anglo-saxão. Outras propostas estão sendo discutidas atualmente no Equador, no Peru e na Bolívia, de inclusão de indígenas e negros no ensino superior, tomando em conta critérios de interculturalidade, análogos ao terceiro grau indígena que discutimos anteriormente.

Visto nesse panorama mais amplo, é importante rever essa associação automática das cotas com os Estados Unidos e considerar que o modelo de cotas para negros no ensino superior atualmente vigente no Brasil parece-se mais com o modelo da Índia, da Malásia e da África do Sul do que com o norte-americano. Conforme expliquei em um capítulo anterior, é possível que o modelo de ações afirmativas para a pós-graduação (o sistema de preferências temáticas e raciais) venha a parecer-se com o modelo anglo-saxão (Estados Unidos, Austrália, Canadá e Nova Zelândia), que não prioriza as cotas.

### Identificação dos cotistas: autoclassificação, fotografias, entrevistas, negritude atribuída

Uma das primeiras polêmicas importantes na implantação das cotas étnicas e raciais no Brasil ocorreu na UnB em 2004 e diz respeito, previsivelmente, ao método adotado para a identificação dos cotistas. Recapitulemos que a questão de quem são os beneficiários das cotas é uma das mais freqüentes em todos os debates públicos sobre o assunto. Em uma primeira aproximação, aparecem duas alternativas principais: a auto-identificação e a negritude atribuída, ou heteroclassificação. Seguindo as recomendações da OIT para os coletivos étnicos e raciais e tentando adaptá-los para o caso de indivíduos, Rita Segato e eu optamos, em nossa proposta

---

ser excessivamente malaiocêntrica, após 30 anos de cotas, no ano da Conferência de Durban. Valeria um contraste de seus argumentos com os dos acadêmicos brasileiros contrários às cotas que criticam a racialização antes de que tenhamos sequer começado o combate à exclusão racial no ensino superior em escala nacional (Soong 2001).

de cotas, pela autodeclaração como critério suficiente para que um candidato se inscrevesse no vestibular da UnB pelas cotas. Tal como dito no nosso Plano de Metas, pensamos as cotas destinadas para negros, categoria eminentemente política e explicamos, durante todos os anos de debate da proposta, porque não nos parecia adequado oferecer as vagas das cotas para pretos e pardos. Conforme argumentei no segundo capítulo, pardo é um termo que carrega uma ambigüidade: muitas pessoas de tez morena, não discriminadas racialmente, podem declarar-se pardas. Se abrirmos as cotas para pretos e pardos, elas podem em seguida identificar-se como parte do contingente dos negros e assim concorrer às cotas, burlando os objetivos anti-racistas do sistema.

Todavia, contra nosso melhor juízo, a Comissão de Implementação das Cotas da UnB, da qual não fazemos parte, reintroduziu na ficha do vestibular exatamente aquilo que havíamos evitado após longa reflexão: a identificação através das categorias do IBGE de pretos e pardos.[70] A ficha de inscrição do primeiro vestibular das cotas da UnB ficou então do seguinte modo: o estudante respondia se era preto ou pardo. Em seguida respondia se se considerava negro. Caso respondesse afirmativamente às duas questões, respondia se queria ou não participar do sistema de cotas. Assim, muitos pardos se declararam negros e fizeram o vestibular pelas cotas. Para evitar as fraudes, a Comissão decidiu utilizar o mesmo sistema que acabava de ser implantado no vestibular da Universidade Estadual do Mato Grosso do Sul: o teste das fotos. Todos os candidatos que optaram pelas cotas tiveram que posar para uma foto. Uma Comissão secreta foi então formada para avaliar as fotos e validar ou rejeitar a inscrição pelas cotas dos candidatos, a partir da análise dos seus fenótipos. Os candidatos reprovados nas fotos tiveram direito a um recurso e foram entrevistados pela Comissão, que procurou indícios contextuais da negritude de cada um.

Lembremos que a UEMS foi a primeira universidade a utilizar as fotos como sistema de identificação dos negros beneficiados pelo sistema de cotas. A Comissão julgadora incluiu membros do Movimento Negro do estado, sua composição foi aberta ao público e sua atuação não tem causado maiores conflitos.

70. Complementando os argumentos contidos na nossa proposta de cotas, Ernesto Carvalho e Carlos Henrique Siqueira elaboraram um documento minucioso e exaustivo, sistematizando todos os modelos possíveis para a implementação das cotas (Carvalho & Siqueira 2003). Infelizmente, toda essa reflexão original sobre o sistema de cotas brasileiro não foi acatada pela Comissão de Implementação das Cotas da UnB.

No caso da UnB, o uso das fotos causou (e ainda causa) uma enorme polêmica, com acusações da imprensa de que se tratou do primeiro "tribunal racial" no Brasil. Acaba de ser publicado o primeiro debate público sobre esse tema, que inclui um texto de crítica ao procedimento das fotos na UnB assinados por dois antropólogos (Maio & Santos 2005) e dois longos comentários dos autores da proposta (Segato 2005 e Carvalho 2005). Não pretendo reproduzir aqui minha resposta ao ataque ao sistema da UnB perpetrado por Marcos Chor Maio e Ricardo Ventura Santos e sim apenas registrar o pioneirismo da política de cotas e de como ela acusa o despreparo da nossa academia para entender a dinâmica das relações raciais no Brasil. Um aspecto politicamente grave, porém, da utilização do exame das fotos, foi a decisão da UnB de não revelar os nomes dos membros da Comissão Avaliadora. Politicamente, a idéia de uma comissão secreta é indefensável, pois a luta anti-racista passa justamente pela transparência dos mecanismos implícitos na reprodução da desigualdade racial.

Na nossa proposta, a autodeclaração de negro politizava a candidatura pelas cotas. Uma vez definidos os aprovados no vestibular, os cotistas entrariam na universidade como um coletivo e teriam suas matrículas feitas no mesmo dia, em hora e local estabelecidos. Entendemos que seria necessário marcar abertamente esse fato revolucionário da história das universidades brasileiras. Sua publicidade inequívoca serviria também como um constrangimento moral: se algum branco tivesse entrado pelas cotas autodeclarando-se negro, seria certamente interpelado, de palavra, olhar ou gesto, pelos colegas fenotipicamente negros. E um conflito maior que porventura eclodisse entre os cotistas poderia ser levado à Comissão de Acompanhamento das Cotas que poderia até solicitar ao aluno branco que devolvesse sua vaga.

Nossa discordância com relação ao uso das fotos não é primariamente "científica" (como se não fosse possível para uma Comissão manejar os mesmos parâmetros sociais que são acionados pelos racistas para exercer discriminação contra os negros) nem "jurídica" (pelo estabelecimento de um poder de controle contra a fraude racial), mas essencialmente política. No momento em que a Comissão certifica ou nega a negritude de um candidato, ela retira a responsabilidade pela identidade racial da pessoa que se apresenta e com isso despolitiza o processo de afirmação de uma identidade negra no meio acadêmico brasileiro. Além disso, o discurso da Comissão transcorre nos limites do campo jurídico, deixando de lado a questão central que motivou a proposta de cotas: o combate ao racismo. A Comissão elimina um branco por considerá-lo apenas um fraudador, quando na verdade uma pessoa branca que se dispõe a usurpar a vaga de um negro não é apenas desonesta: é também racista. Se todos os cotistas tivessem feito suas matrículas juntos, esse aluno, que a Comissão definiria apenas como fraudador, seria confrontado por centenas de cotistas negros e o conflito racial implícito na fraude teria finalmente aparecido e alguma solução negociada teria de ser encontrada.[71] Após esse conflito público inicial inequívoco, provavelmente o número de fraudes do segundo vestibular diminuiria.

**Meritocracia: crítica e ideologia do vestibular**

Um ponto central da resistência às cotas no interior da academia é o que denominamos princípio da meritocracia. Segundo os defensores do universalismo meritocrático, o valor do mérito individual estaria sendo negado pelo sistema de cotas. Argumentar em favor das cotas no meio acadêmico exige, portanto, uma leitura crítica dos pressupostos da meritocracia.

Antes de tudo, a meritocracia é uma ideologia que esconde a produção social do conhecimento e a hierarquia dos saberes acadêmicos legitimada previamente à concorrência entre os candidatos ao exame de ingresso. Assim, o mérito pressupõe um avaliador que já decidiu a priori os parâmetros de aferição, que serão sempre contingentes e parciais com relação ao contingente de candidatos, dada a variedade de formações e de interesses cognitivos vigentes em todas as sociedades humanas.

A idéia de mérito que circula no nosso meio é fruto de uma ideologia individualista, alienada da dimensão coletiva da produção de conhecimento. O mérito isola a parte do trabalho feita pelo indivíduo da colaboração que recebeu de inúmeras pessoas. Na realidade, quase nenhum trabalho é inteiramente individual; a maioria das realizações científica ou artística dependeu de regimes desiguais de co-autoria. Há sempre os que apóiam, ensinam, contribuem, corrigem, defendem, substituem, de modo a tornar possível o mérito atribuído a posteriori à realização de um único indivíduo. Contudo, uma vez alcançado aquele objetivo, todo o apoio e co-autoria são silenciados imediatamente.

O vestibular mede a pontuação final alcançada pelos candidatos, mas não mede a quantidade de apoio e estímulo que cada um recebeu. Se as questões da prova são quantificadas, uma quantificação das condições disponíveis para a preparação poderia inverter algumas reprovações em aprovações e vice-versa. Se a discriminação racial

71. Não estamos tratando aqui de possíveis casos de ambivalência racial sem má-fé, que seriam também solucionados ou encaminhados de algum modo após esse diálogo entre os calouros cotistas.

interfere na segurança e auto-estima dos candidatos; e se a segurança e a auto-estima interferem na capacidade dos estudantes negros de realizarem as provas ou testes em que enfrentarão estudantes brancos, é lícito perguntar se não seria possível e justo pensar em atribuir um diferencial de pontos ou peso por racismo no vestibular, por exemplo. Essa é a proposta de ações afirmativas adotada pela Unicamp em 2004. Apesar da pontuação atribuída à condição de negro ser mínima nessa universidade, conforme argumentei anteriormente, a sua utilização já introduz uma crítica, ainda que tímida, à ideologia meritocrática.

Submeter a meritocracia a uma análise crítica significa, no caso brasileiro, questionar a absolutização automática de uma hierarquia entre aprovados e reprovados no vestibular, como se fosse possível generalizar a conjuntura de um único exame. Em primeiro lugar, ressaltemos a falta de unificação de critérios de um vestibular para outro. O estilo de prova adotado pela Unicamp não se parece ao da UFBA nem da UnB nem da UFPE, por exemplo. Um estudante teria "mérito" para ser aprovado em uma dessas universidades, mas não em outras. A Unicamp, por exemplo, constrói um vestibular tido como mais "inteligente" que os outros, em duas fases: a primeira, de questões com respostas fechadas tipo verdadeiro ou falso; e a segunda, inteiramente discursiva. O resultado tem sido avaliado como positivo. Contudo, sem querer criticar negativamente esse modelo, é possível que alguns estudantes se adaptem melhor a esse modelo, enquanto que outros, de idêntica capacidade e preparação, alcancem melhor desempenho ao enfrentar provas baseadas em outros modelos. Por outro lado, é difícil qualificar uma adaptação ou uma preferência por modelos de provas como uma deficiência de mérito. Os treinamentos impostos pelos diferentes colégios e cursinhos moldam a atitude intelectual do aluno a tal ponto que sua reação às particularidades dos vestibulares de uma determinada universidade seja marcada muito mais por uma dimensão de diferença que de hierarquia de mérito.

Outra dimensão a ser tomada em conta é o modelo de aplicação das provas em diversas etapas, que pode secionar o "mérito" individual em dimensões diversas e com isso inverter a ordem de classificação de um mesmo candidato de uma universidade para outra. A opção por modos diferentes de construir as etapas sucessivas do processo seletivo do vestibular em algumas universidades pode ser comparada com os diferentes critérios utilizados para construir as fases de um campeonato de futebol, por exemplo. Assim, em alguns casos que têm gerado controvérsias, um time invicto pode terminar o campeonato em terceiro lugar, enquanto um time que sofreu uma derrota pode tornar-se o campeão. Paralelamente, um aluno reprovado em uma fase de seleção em uma universidade poderia ter sido aprovado, com a mesma pontuação, se essa mesma universidade mudasse apenas os critérios de competição.

Em um vestibular que utiliza a fase de etapa eliminatória, como o da UFAL, por exemplo, que primeiro separa um contingente de um triplo do número total de vagas oferecidas, pode ocorrer que um estudante aprovado tenha alcançado na segunda fase uma pontuação menor que na primeira. Tal fato pode implicar que um concorrente seu reprovado na primeira fase tenha alcançado pontuação maior que a do aprovado na segunda. Não é simples, em tais casos, encontrar uma fundamentação única e inconteste para decretar mérito maior daquele que passou na segunda fase com a pontuação menor que a de um reprovado na primeira. Exemplos como esse se multiplicariam pelas centenas de universidades do país se fizéssemos um estudo comparado de todos os modelos de provas atualmente em uso.

Outra intervenção consciente nos parâmetros da meritocracia foi praticada pela Universidade Estadual de Londrina. Até poucos anos atrás, a porcentagem de aprovados egressos da escola pública era de apenas 17%. Recentemente, a universidade alterou o estilo de perguntas formuladas no vestibular, deixando-as mais conceituais ou "inteligentes". O resultado dessa mudança foi que o número de aprovados egressos da escola pública subiu para 32%. Assim, a UEL não precisou de cotas para intensificar a inclusão social e sim de adaptar o mecanismo das provas a um perfil menos robotizado tal como o que é promovido pelos cursinhos de todo o país. Previsivelmente, ela teve que resistir a um poderoso lobby por parte das escolas particulares de Londrina para que adiasse por alguns anos a implementação do novo modelo de provas mais "inteligentes". Claro que a inclusão racial não depende apenas dessas mudanças e a UEL aprovou também as cotas para negros, em combinação com esse avanço na admissão dos egressos da escola pública.

Em seguida aparece uma outra variável que desafia a ilusão de um mérito inequívoco entre os candidatos: a nota de corte (ou pontuação mínima) varia enormemente de um curso para outro, dentro da mesma universidade. A hierarquia da nota de corte, porém, não pode ser transferida para uma hierarquia paralela da exigência acadêmica dos cursos com notas de corte diversas. No caso da UnB, por exemplo, é necessário três vezes mais pontos para a aprovação em Relações Internacionais que em Física ou Matemática, por exemplo; o que de modo algum indica maior exigência acadêmica ou dificuldade de acompanhamento para os alunos de Relações Internacionais quando comparados com os de Física. Indo mais longe nessa comparação, existem cursos que são fáceis de entrar e difíceis de terminar; e cursos que são difíceis de entrar e fáceis de terminar. Dados esses paradoxos da pontuação, um aluno pode ser reprovado no vestibular para o curso que escolheu, mesmo tendo obtido uma pontuação que lhe permitiria a entrada em 20 outros cursos. Qual é o seu mérito comparado com os dos aprovados nesses outros 20 cursos com pontuação inferior à sua?

Como se não bastasse a pontuação final, também não há consenso quanto ao peso relativo das provas do vestibular, geralmente separadas em dois conjuntos, de Humanas e de Exatas. Na UnB, por exemplo, as provas de Humanas possuem peso 6 e as de Exatas, peso 4, para quem escolher um curso da área de Humanas; para quem escolher um curso da área de Exatas, as provas de Exatas têm peso 8 e as de Humanas, peso 4. Essa ponderação desigual entre Exatas e Humanas varia de uma universidade para outra, indicando que os critérios para aferição de mérito não são constantes nem universais e dependem da ideologia científica e humanística particular de cada instituição de ensino superior. Essa variação incidiria sobre a avaliação do mérito relativo de dois estudantes com base exclusivamente no critério de escolha do vestibular a ser feito e não da sua capacidade relativa, se fosse medida através de outros critérios.

Outra inconsistência do vestibular como sistema meritocrático é um pressuposto da preparação relativa dos estudantes aprovados para a realização do curso escolhido. Uma pesquisa realizada pela Faculdade de Educação da USP em 2002 e outra realizada pela CESPE da UnB em 2003 procuraram responder à seguinte pergunta: qual é a relação entre a ordem de classificação dos alunos no vestibular e seus desempenhos respectivos durante o curso? A resposta, nos dois casos, é que não há nenhuma relação: um aluno aprovado entre os primeiros pode ter um desempenho inferior nas matérias do seu curso, enquanto outro aprovado nos últimos lugares pode ser um dos melhores da sua turma. Essa pesquisa é altamente relevante para uma defesa das cotas para negros e índios, pois desmonta a associação automática entre a pontuação no vestibular e a capacitação para desempenho no curso almejado. Por exemplo, um determinado estudante negro reprovado poderia entrar através das cotas e alcançar um desempenho acadêmico melhor do que o de outros aprovados pelo universal. Um dos fatores que podem influenciar essa aparente inversão do mérito é a motivação. A disposição para prestar o vestibular não é a mesma necessária para dedicar-se às matérias do curso escolhido; e a motivação é também uma energia social e dependente de inúmeros fatores extra-acadêmicos, sendo a condição racial um dos mais importantes em uma sociedade reconhecidamente racista como a nossa.

Há ainda outro conjunto de variáveis que desconstroem uma noção simplista de mérito: as estratégias de ingresso nos cursos universitários. Ilustremos a questão com o vestibular de Arquivologia da UnB do primeiro semestre de 2005 como exemplo. Segundo informações que recolhi de alguns alunos matriculados no curso, das 30 vagas oferecidas e preenchidas, 18 delas foram ocupadas por estudantes cuja meta é cursar Administração, Ciências Contábeis e Direito. Optaram por Arquivologia porque a nota de corte é mais baixa e em seguida farão os próximos vestibulares, agora mais tranqüilos, e abandonarão esse curso assim que passarem de novo. Além desses, 4 alunos já têm graduação completa e estão se preparando para a seleção de mestrado no fim do ano em História, Letras e Agronomia. Ou seja, na melhor das hipóteses, essa turma de Arquivologia de 30 vagas terá 8 alunos no segundo ano: 22 entraram para sair.

Essa mesma lógica do vestibular trampolim ocorre com Biblioteconomia, Serviço Social, Ciências Sociais, História, Ciência Política, entre outros cursos das Humanas. Nas Exatas, Física e Matemática são trampolins preparatórios para o vestibular mais competitivo de Mecatrônica; e Enfermagem e Bioquímica, preparatórios para Medicina. Os exemplos são quase infinitos. Os próprios cursinhos instruem os alunos para ocupar vagas mais fáceis da UnB apenas como uma etapa para alcançar o curso almejado. O resultado é desastroso para a formação de quadros do país em todas as áreas: de 30 alunos que entram a cada vestibular em Física, Química, Matemática, é comum que apenas dois terminem o bacharelado.

Imaginando que o comportamento observado na UnB não difira muito daquele existente nas outras federais e estaduais, a conclusão que se impõe é que não existe nenhuma preocupação com a função social das vagas oferecidas pelas universidades públicas. O sistema de ingresso é pautado por um individualismo extremo, muito mais egolátrico que os sistemas vigentes em países que consideramos individualistas, como os Estados Unidos, Canadá e os países europeus. Conclusão: individualismo e pragmatismo extremos da parte dos estudantes, descuido ou inconsciência dos professores para com a formação de um espírito cidadão entre seus alunos e caos absoluto no modo como as vagas migram e se perdem nos meandros dos cursos da universidade. Diante de um quadro como esse, haveria que perguntar àqueles que são contrários às cotas: por que tudo continuou sendo permitido ao longo de décadas (a estratégia do trampolim não é recente), menos a entrada, por um critério de discriminação positiva, de uma pequena quantidade de negros e índios? Essa indiferença de grande parte da classe docente com relação ao destino das vagas das universidades públicas (que deveriam atender a um princípio social de eqüidade) leva os negros e índios a avaliarem, com justiça, esse quadro caótico como mais uma expressão do racismo brasileiro. Os brancos podem fazer o que querem com as vagas das universidades públicas, incluindo desperdiçá-las ou malgastá-las, deixando-as nas mãos de quem não as queriam; o único que não aceitam até agora é que os negros e os índios possam ocupá-las através de um mecanismo fundamentado e planejado de discriminação positiva.

Diante de todas essas evidências, parece-me impossível defender a instituição do vestibular no Brasil. E é justamente porque ele não resiste a uma análise minuciosa e exaustiva (e o que apresentei aqui é apenas um esboço de uma pesquisa em andamento), que já é aceitável propor alternativas que rompam definitivamente com a falácia do mérito medido pelo vestibular. Uma dessas alternativas surgiu no ano 2001 nos debates pelas cotas na UnB. Dois estudantes da Filosofia propuseram que o vestibular deveria utilizar um sistema de sorteio. A prova apenas separaria os estudantes em dois contingentes: o dos aprovados (segundo a nota mínima exigida pela universidade) e dos reprovados. Em seguida seria feito um sorteio das vagas entre os aprovados, segundo suas preferências. Após refletir e debater essa proposta, minha conclusão, até aqui, é de que ela atenderia melhor à função social da UnB como instituição publica do que o atual sistema de vestibular classificatório e "meritocrático". Se tivéssemos sorteio, a UnB seria mais democrática socialmente, mais integrada racialmente, menos elitizada economicamente, com melhor equilíbrio entre egressos de escola pública e de escola privada e, (o que é tão crucial para o Distrito Federal quanto a igualdade racial) menos segregada geograficamente, pois passaria a contar com um número maior de estudantes oriundos das cidades periféricas em relação ao Plano Piloto. De quebra, o sorteio ajudaria a desmontar essas monstruosidades pedagógicas que são os cursinhos milionários. Com um sorteio entre os aprovados, a UnB seria uma instituição democrática e arrisco dizer que o seu "padrão de excelência" não cairia por isso. Afinal, se de 30 alunos que entram em cursos cuidadosamente planejados apenas 2 terminam, essa estatística aponta para um quadro de desperdício pior para o país que um sorteio aberto, que inibirá o individualismo doentio que predomina na nossa atual oferta de vagas para o ensino superior.

Um exemplo de instituição pública que sempre distribuiu suas vagas através de sorteio é a Escola de Música de Brasília, respeitada nacionalmente como uma das boas escolas de música, tendo inclusive revelado vários "talentos" e músicos de "mérito" para a nação. É o sorteio que permite à Escola atender jovens de todas as regiões do Distrito Federal. A Escola definiu como sua missão principal contribuir para a formação musical da juventude do Distrito Federal e o sorteio foi o mecanismo de seleção que optou por aplicar para cumprir essa missão. Não estou defendendo esse mecanismo do sorteio, mas apenas ressalto que ele funciona em pelo menos uma instituição pública de ensino há décadas. Mesmo que as universidades federais optem por não adotar esse sistema como alternativa ao vestibular, fica para reflexão a ressalva de que nem o vestibular assegura o mérito, nem o sorteio o rejeita de todo.

Mais um ponto frágil da ideologia meritocrática: pressupor um avaliador consistente, estático, sempre igual a si mesmo, onipotente e onisciente, sem preferências de nenhum tipo e incapaz de errar. O erro deve ser introduzido como uma variável fundamental de qualquer processo de avaliação. Conseqüentemente, o mérito é uma construção discursiva a posteriori e controlada em sua coerência por fatores externos ao processo de competição e que esconde inteiramente a sua caução na probabilidade maior ou menor do erro na avaliação. Basta que pensemos nas inúmeras fraudes e "colas" nos vestibulares pelo país afora. Geralmente chega-se à constatação de que houve fraude no vestibular pelas investigações policiais e não pelo acompanhamento docente do rendimento dos alunos. Inúmeros fraudadores já terminaram seus cursos e tornaram-se profissionais sem serem alcançados pela lei e nada impede que outros estejam agora mesmo cursando normalmente muitos cursos em nossas universidades públicas, tendo ingressado provavelmente com preparação inferior à de muitos reprovados. O escândalo aqui é duplo: o da desonestidade, evidentemente, porém aliado a outro que nos diz respeito: que nosso mecanismo de ingresso não tem como detectar os sinais acadêmicos dessa desonestidade e nem o estado caótico das vagas dos nossos cursos oferece elementos para filtrá-la.

Se ampliarmos essa noção de erro, poderemos incluir a influência da ideologia na avaliação do desempenho de candidatos. Há uma enorme gama de perguntas e de respostas que possuem uma dimensão subjetiva e política e que estão mais próximas da interpretação que da verdade inconteste. Candidatos marcados por trajetórias acentuadamente diversas (incluindo o pertencimento a grupos étnicos ou raciais em confronto) reagirão de modo distinto na sua leitura da veracidade ou da falsidade de determinados quesitos das provas. E os avaliadores poderão reagir de um modo automático diante dessas respostas diversas, sem questionar a influência da sua própria marca racial (predominantemente branca no nosso caso) na hora de pontuar essas respostas. Finalmente, existem também erros nas próprias perguntas formuladas em vários vestibulares, muitos dos quais são detectados e reproduzidos nos jornais. Contudo, nem todos os erros são identificados imediatamente pela comissão do vestibular nem divulgados (pois nem sempre é do interesse da universidade expô-los à opinião pública). Dado o desempate por milésimos da maioria dos vestibulares, podemos inferir que um certo número de aprovados foi beneficiado por erros nas perguntas, enquanto alguns candidatos foram reprovados justamente por terem respondido as questões erradas de acordo com seu conhecimento correto.

Na verdade, para que fosse de fato meritocrático o vestibular e deveras universalista o princípio orientador da seleção, então as provas de ingresso às universidades públicas deveriam ser unificadas nacionalmente. Assim saberíamos quantos estudantes das áreas mais pobres do país venceriam os estudantes das áreas mais ricas seguindo as mesmas regras de competição. Os mecanismos de singularização do exame hoje utilizados nas universidades de maior prestígio não contribuem para a absorção do maior número de talentos disponíveis no país como um todo, mas para a exclusão de potenciais concorrentes residentes nas regiões mais distantes desses centros de excelência.

### Reações racistas às cotas

Se as cotas são uma medida anti-racista, elas expõem a cultura racista brasileira com uma intensidade maior que o Brasil pré-cotas, pela razão óbvia de que invertem o significado da condição de negro e de índio. Em vez de discriminados e excluídos historicamente de todos os recursos e espaços de poder, o negro e o índio se convertem em sujeitos de direito e, como tal, beneficiários de vagas em algumas das melhores universidades do país. A reação a esses benefícios, em uma sociedade racista, era de um certo modo esperada. Começamos agora, portanto, a catalogar um número alto e constante de incidentes de discriminação étnica e racial, dentro e fora da universidade. Esses incidentes indicam, também, provavelmente, uma segunda mudança na dinâmica das relações raciais no Brasil: as vítimas de racismo e seus simpatizantes estão denunciando mais os casos de discriminação e a própria imprensa está mais aberta a acolher as acusações de racismo. Assim, o medo dos acadêmicos que são contra as cotas, de que a tensão racial aumentará no Brasil, parece confirmar-se. O que difere, porém, é o sentido que atribuímos cada um de nós a essa tensão. Os contrários ao sistema associam a tensão racial a uma novidade negativa provocada pelas cotas para negros e índios. A idéia é de que o Brasil contou até agora com uma boa convivência inter-racial e interétnica e que ameaça perdê-la e transformar-se em uma sociedade de má convivência racial, cujo modelo automático (ou antimodelo) seria os Estados Unidos.[72]

Como partidários das cotas, observamos duas coisas: primeiro, que essa tensão racial sempre existiu e tem sido silenciada no interior da academia; segundo, que agora contamos com uma estrutura legal e uma plataforma de ação que nos permite enfrentar os casos de racismo e os processos de resolução, punição e reparação correspondentes, em vez de jogá-los para baixo do tapete e censurar as denúncias como se fazia até recentemente dentro de um modelo "cordial" de relações raciais. Dou alguns exemplos de incidentes raciais recentes ocorridos na sociedade brasileira pós-cotas, que poderão indicar novas saídas para os incidentes de racismo anteriores às cotas que resumi no final do segundo capítulo.

Em junho de 2004 houve um incidente racial na Universidade do Estado do Mato Grosso do Sul (UEMS) que alcançou projeção nacional. Um estudante de Biologia deu queixa de racismo na polícia civil contra um professor de Física que fazia brincadeiras racistas em sala de aula usando expressões como "pretinho básico" e contando piadas como a seguinte: "um homem cansado após um dia de trabalho entra no ônibus e torce para que uma loira sente ao seu lado, mas para seu azar vem um negão e se senta" (Folha de São Paulo, Cotidiano, 13/12/04). O advogado Hédio da Silva Jr., que tomou o caso do estudante da UEMS, afirmou ser este o primeiro caso explícito de racismo no Brasil envolvendo estudantes beneficiados pelo sistema de cotas. A UEMS nomeou uma Comissão de Sindicância para apurar o caso e esta o arquivou, por julgá-lo improcedente.

Em agosto de 2004, na primeira aula da disciplina de Cálculo 1 na UnB, o professor dirige-se à turma de 40 alunos que inclui 2 alunos negros e pergunta, em um tom ameaçador: "quem aqui entrou por cotas?". Um dos alunos negros, africano, responde que não entrou por cotas; o outro aluno negro, brasileiro, intimidado, não responde. O mal-estar na sala é evidente.

O estudante africano que narrou o incidente acima contou também outro incidente ocorrido na disciplina de Física 1 na UnB em 2002. O professor afirmou em aula acreditar que "o negro tem a metade do cérebro de um branco". Em uma sala com alguns

72. Este argumento é colocado explicitamente por Peter Fry e Yvonne Maggie (Maggie & Fry 2002 e Fry & Maggie 2003).

estudantes negros ninguém disse absolutamente nada. O estudante queniano acredita que o silêncio se deveu ao medo de confrontar o professor e ser reprovado na matéria. Mais tarde interpelou privadamente o professor sobre o significado da sua afirmação, ao que ele respondeu que havia sido simplesmente "uma brincadeira de mau gosto".

Em dezembro de 2004, uma estudante senegalesa negra do curso de Arquitetura da UnB é insultada por um professor, que diz em sala de aula que não gosta dos africanos, que eles só dão problemas na UnB. Estudantes negros da UnB circulam o incidente pela Internet e solicitam apoio das instituições do Estado e da sociedade civil para que denunciem esse caso de racismo. A estudante senegalesa é um das únicas negras em todo o curso de Arquitetura. O professor continua impune até agora.

Em janeiro de 2005, dois jovens negros foram impedidos de fazer o vestibular da UFRGS em Porto Alegre porque corriam na rua para alcançar o portão do prédio em que fariam a prova antes que chegasse a hora limite de entrada. A 50 metros da entrada, foram barrados por um carro da polícia, que alegou mais tarde que eles estavam correndo e por isso pareciam suspeitos. Apesar do intenso apelo da sociedade e da divulgação na mídia, a universidade não aceitou o recurso dos dois estudantes, que perderam o vestibular.

Em maio de 2005, mensagens altamente racistas circularam em duas comunidades do Orkut, redigidas por pelo menos 20 médicos e ex-residentes do Hospital Universitário de Londrina, detratando pacientes e funcionários negros do Hospital. Grande escândalo na imprensa, que levou a Reitora da Universidade Estadual de Londrina (UEL) a reagir com veemência contra os racistas. Esse incidente ocorreu justamente no primeiro semestre em que a UEL adotou cotas para negros no vestibular.

Ainda em maio de 2005, o Ministério Público abriu processo criminal por incitação a racismo contra várias comunidades do Orkut, uma delas intitulada "Sou contra cotas para pretos" em que um dos membros da comunidade afirma; "o lugar deles é na floresta e não na faculdade. Volta pra África, bando de inútil!"

Em maio de 2005 ocorreu outro incidente tenso de racismo na Universidade Estadual de Santa Catarina (UDESC). A estudante negra Renata Batista Garcia, bolsista do Núcleo de Estudos Afro-Brasileiros da UDESC e aluna do curso de Pedagogia foi constrangida e insultada pelo professor da disciplina de Direito e Cidadania, Nelson Pedrini, que a chamou de "pessoa de cor", dizendo que "tudo o que vem dessas pessoas de cor é demagogia barata" e que "o vestibular é somente para os que são capazes". Renata Garcia, que divulgou uma mensagem sobre o ocorrido na

Internet, levou o caso ao chefe do Departamento, Professor Hamilton Léo Pires, que sugeriu que ela relevasse a história visto que o professor está se aposentando e é muito doente. A UDESC também conta com um programa de ações afirmativas na área de formação de professores.

É extremamente importante etnografar todos esses incidentes e casos de racismo ocorridos nas universidades, desde este momento inicial de instalação das políticas de cotas, para formar um banco de dados consistente que nos permita avaliar como evoluem: se mudarão de perfil, se explodirão em conflitos de grandes proporções, ou se declinarão com o tempo como conseqüência do aprofundamento e da provável generalização do sistema.

Por enquanto, podemos ressaltar tratar-se de conflitos localizados, setoriais, em geral individualizados, confinados a intercâmbios diretos entre poucas pessoas, com o padrão: professor branco – aluno negro. Se contrastados com a alta violência física e o assassinato de negros nas ruas das cidades brasileiras, podemos considerar esses conflitos como de baixo perfil de violência explícita, apesar de constantes e altamente nocivos. Parecem o inverso dos conflitos que ocorriam no cotidiano do Rio de Janeiro, no século XIX, entre escravos e senhores nas últimas décadas da escravidão, tais como descritos e analisados, por exemplo, no livro *Visões da Liberdade*, de Sidney Chalhoub: pequenos motins, fugas urbanas, assaltos, roubos; enfim, conflitos de baixo impacto, provocados pelos escravos tentando fugir do cerco escravista que minava constantemente a qualidade e a regularidade de suas vidas.[73]

O que descrevemos acima é próximo do reverso motivador desse comportamento libertário dos negros escravos: o sufoco do cerco branco (evidentemente, com muito mais violência física e moral que o dos professores universitários acima listados) sofrido pelos alunos negros. Cada professor que discrimina se lança individualmente contra um estudante negro, contando com uma rede corporativista de proteção que não se mostra abertamente nem para o aluno nem para a comunidade acadêmica como um todo. E apesar do discriminador acadêmico ser invariavelmente branco, seus cúmplices que ajudam a esvaziar o incidente não admitem apresentar-se como brancos e sim como colegas: o estudante negro tem cor, o professor branco, não. O resultado dessa operação é que a mídia, quando chega a divulgar esses casos, não racializa o branco que discriminou, fraseando o incidente sempre em termos de um

73. Ver Chalhoub (1990).

indivíduo, em geral desequilibrado ou de comportamento tido como inadequado para a função docente: doente, aposentado e ranzinza, autoritário etc. A questão importante aqui é que estão ocorrendo reações racistas em quase todas as universidades que adotaram algum sistema de cotas.

Os conflitos raciais ocorridos nas nossas universidades são até certo ponto controlados pela comunidade acadêmica branca para que não saiam fora de nosso espaço; por outro lado, a comunidade acadêmica não os inibe nem os elimina de vez. Como se construíssemos um clima favorável ao racismo de baixo impacto cuja função é produzir um clima de ameaça e desconforto constantes para os estudantes negros. Há uma permissividade crônica que estimula a discriminação e uma pressão para abafar os conflitos, com uma tendência à acomodação por parte do aluno dada a ameaça da reprovação. O professor racista é simultaneamente acolhido pelos colegas e colocado numa situação de afastamento estratégico: os mesmos que o protegem podem assim dizer que não compartilham suas posições preconceituosas. Os racistas atuam sempre individualmente, o que também desarma parcialmente o confronto, que fica difícil de ser caracterizado como uma guerra entre grupos raciais.

Uma diferença notável deve ser ressaltada entre os casos ocorridos após o início das cotas e aqueles que relatei no segundo capítulo: todos os casos recentes alcançaram ou poderão alcançar projeção na mídia sem dificuldade, pois a imprensa atualmente já aceita mais facilmente a possibilidade da existência desses casos no interior das universidades. Por outro lado, todos os casos anteriores foram silenciados, censurados ou abafados no interior das instituições universitárias em que sucederam. A exceção entre todos foi o caso de Arivaldo Lima Alves, ocorrido no Departamento de Antropologia da UnB: foi a recusa à acomodação de sua parte e divulgação e discussão incessantes do seu caso que conduziram à formulação da proposta de cotas para negros e índios na universidade federal da capital do Brasil.

APÊNDICE

# Plano de Metas para a integração social, étnica e racial da Universidade de Brasília

*O presente Plano de Metas visa complementar e integrar as várias propostas específicas de ação afirmativa que foram elaboradas e debatidas na comunidade acadêmica da Universidade de Brasília durante quase quatro anos. Sintetiza, portanto, as propostas contidas no documento detalhado elaborado por José Jorge de Carvalho e Rita Laura Segato intitulado "Uma Proposta de Cotas para Estudantes Negros na Universidade de Brasília". A primeira versão da proposta foi apresentada no dia 17 de novembro de 1999. A versão definitiva foi apresentada oficialmente na reunião do Conselho de Ensino, Pesquisa e Extensão (CEPE) da UnB do dia 8 de março de 2002. Finalmente, foi submetida a votação no dia 6 de junho de 2003. Para aquela reunião, preparei também um resumo atualizado da proposta definitiva, para facilidade de leitura dos conselheiros, que já tinham debatido o texto em uma reunião de outubro de 2002. Além dos dois textos da proposta, preparei também este Plano de Metas como documento-síntese dos mecanismos de cotas e ações afirmativas complementares que seriam discutidos. Assim, o Plano de Metas foi aprovado na íntegra na reunião do CEPE do dia 6 de junho de 2003, por 24 votos a favor e 1 contra.*

## Plano de Metas para a integração social, étnica e racial da Universidade de Brasília

### I. Objetivo:

O Plano de Metas para visa atender à necessidade de gerar, na Universidade de Brasília, uma composição social, étnica e racial capaz de refletir minimamente a situação do Distrito Federal e a diversidade da sociedade brasileira como um todo.

### II. Ações para alcançar o objetivo:

1. Acesso

a) Disponibilizar, por um período de 10 anos, 20% das vagas do vestibular da UnB para estudantes negros, em todos os cursos oferecidos pela universidade.

b) Disponibilizar, por um período de 10 anos, um pequeno número de vagas para índios de todos os estados brasileiros, sempre como resposta às demandas específicas de capacitação colocadas pelas nações indígenas e apenas na medida em que contem com secundaristas qualificados para preenchê-las. A expectativa atual é de que o número de vagas solicitadas não deverá ser superior a 20 por ano, de um total de 3900 ofertadas anualmente pela UnB.

c) Apoiar a escola pública, implementando uma ação afirmativa de cunho social nas escolas públicas de ensino médio do Distrito Federal. Essa ação consistirá no desenvolvimento de um Programa de Acompanhamento permanente, nas escolas públicas do Distrito Federal, especialmente em regiões de baixa renda da cidade, dos alunos interessados em se inscrever no vestibular da UnB, com apoio específico para aqueles que pretendam ingressar em cursos de alta competitividade, como Medicina e Direito. O resultado dessa ação sistemática será promover uma maior igualdade de oportunidades para os estudantes da escola pública na hora de competir com os estudantes oriundos das escolas particulares, em geral melhor preparados para a competição do vestibular.

Esse Acompanhamento dos Alunos da Escola Pública será coordenado pelo Decanato de Extensão e envolverá os Decanatos de Graduação e de Pós-Graduação, a Faculdade de Educação, o Departamento de Serviço Social e o Instituto de Psicologia, entre outras unidades acadêmicas.

### III. Permanência

1. A Universidade de Brasília alocará bolsas de manutenção para os estudantes indígenas e para aqueles estudantes negros em situação de carência, segundo os critérios usados pela Secretaria de Assistência Social da UnB.
2. A UnB, em parceria com outras instituições, como a FUNAI, propiciará moradia para os estudantes indígenas. Além disso, concederá preferência nos critérios de moradia para os estudantes negros em situação de carência.
3. A UnB se disporá a implementar três programas relacionados diretamente com o Plano de Metas:
   a) um programa de apoio acadêmico psicopedagógico, ou de tutoria, não obrigatório, porém sob solicitação, para todos os calouros que demonstrarem dificuldades no acompanhamento das disciplinas;
   b) um programa acadêmico destinado a observar o funcionamento das ações afirmativas, avaliar seus resultados periodicamente, sugerir ajustes e modificações e identificar aspectos que prejudiquem sua eficiência;
   c) uma Ouvidoria, destinada a promover inclusão de pessoas negras e membros de outras minorias e categorias vulneráveis na universidade.

### IV. Caminhos para a Implementação:

1. Será nomeada uma Comissão para Implementação do Plano de Metas, a ser constituída pelo Conselho de Ensino, Pesquisa e Extensão (CEPE) e integrada por membros do CEPE.
2. Paralelamente aos trabalhos da Comissão, a UnB realizará uma campanha de publicidade nas escolas do Distrito Federal, onde estudam a maioria esmagadora dos potenciais candidatos para as propostas de ação afirmativa e que geralmente desconhecem o funcionamento da universidade devido à alta segregação espacial e social existente no Distrito Federal.
3. Para fins de acompanhamento do processo de integração racial, será introduzido o quesito cor, tanto por autoclassificação como pelas categorias do IBGE, nas fichas de inscrição ao vestibular e nas fichas de registro dos candidatos aprovados.

Com essas três ações, a UnB intensificará um processo de integração racial, étnica e social no seio da sua população discente, atualmente extremamente elitizada.

# BIBLIOGRAFIA

ALVES, Arivaldo Lima. A legitimação do intelectual negro no meio acadêmico brasileiro: negação de inferioridade, confronto ou assimilação intelectual?, *Afro-Ásia*, No. 25-26, 281-312, 2001.

____________________ Preconceito sem Fim. Entrevista concedida ao *Correio Braziliense*, 01/07/2003.

AMBEDKAR, Bhimrao Ramji. *The Essential Writings of B. R. Ambedkar*. Oxford: Oxford University Press, 2002.

ANDRADE, Rosa Maria T. & Eduardo Fonseca. *Aprovados! Cursinho Pré-Vestibular e População Negra*. São Paulo: Selo Negro, 2002.

BAINES, Stephen. Organizações Indígenas e Legislações Indigenistas no Brasil, na Austrália e no Canadá, *Arquivos do Museu Nacional*, Vol. 61, No. 2, 115-128, abr/jun., 2003.

BAKHTIN, Mikhail. O Plurilingüismo no Romance. Em: *Questões de Literatura e de Estética*. São Paulo: HUCITEC, 1988.

BATESON, Gregory. *Steps to an Echology of Mind*. Chicago: University of Chicago Press, 2000.

BENTO, Maria Aparecida Silva. Branqueamento e Branquitude no Brasil. Em: Iray Carone & Maria Aparecida Silva Bento (orgs), *Psicologia Social do Racismo*, 25-57. Petrópolis: Vozes, 2002.

BLACK, Edwin. *A Guerra contra os Fracos*. São Paulo: A Girafa, 2003.

BOURDIEU, Pierre. *Os Usos Sociais da Ciência*. São Paulo: Editora UNESP, 2004.

BRANDÃO, André Augusto & Moema De Poli Teixeira (orgs.) *Censo Étnico-Racial da Universidade Federal Fluminense e da Universidade Federal de Mato Grosso*. Niterói: EdUFF, 2003.

BROWN, Dee. *Enterrem meu Coração na Curva do Rio*. Porto Alegre: L&PM, 2004.

CAMPOS, Ernesto de Souza (org). *História da Universidade de São Paulo*. São Paulo: EDUSP, 2004. 2ªedição facsimilar; 1ª edição: 1954.

CAPRA, Frithjof. *O Ponto de Mutação*. São Paulo: Cultrix, 1987.

CARDOSO DE OLIVEIRA, Roberto. Estudo de área de fricção interétnica do Brasil, *América Indígena*, Ano V, No. 3, 1962.

CARDOSO, Fernando Henrique. Um Livro Perene. Apresentação de *Casa Grande & Senzala*, 19-28. São Paulo: Global Editora, 2004.

CARVALHO, José Jorge. A Força da Nostalgia: A Concepção de Tempo Histórico nas Religiões Afro-Brasileiras Tradicionais, *Religião e Sociedade*, vol. 14, n.2, 36-61. 1988a.

__________________ Mestiçagem e segregação. *Humanidades,* v. 5, n. 17, p. 35-39, 1988b.

__________________ Políticas Culturales y Heterogeneidad Radical en America Latina. Em: Victor Guedez & Carmen Menendez (orgs), *Formación en Gestión Cultural*, 30-46. Bogotá: COLCULTURA\SECAB, 1994.

__________________ O Sistema de Cotas e a Luta pela Justiça Racial no Brasil, *Correio Braziliense*, 15 de novembro de 1999.

__________________ Uma proposta de cotas para estudantes negros na Universidade de Brasília, Cadernos *Opinião e Debate*, No. 1, 11-12, dezembro de 2000. Brasília: ADUNB.

__________________ Cotas para negros - uma reparação histórica necessária, *PETrechos* (Boletim Informativo do Programa Especial de Treinamento (PET/PSI), UnB, Ano VIII, No. 20. Março, 8-9, 2001a.

__________________ As Propostas de Cotas para Negros e o Racismo Acadêmico no Brasil, *Revista Sociedade e Cultura*, Vol. 4, No. 2, jul-dez, 13-30. Depto de Ciências Sociais, Universidade Federal de Goiânia, 2001b.

__________________ Poder e Silenciamento na Representação Etnográfica. Série Antropologia, No. 316. Depto. de Antropologia, Universidade de Brasília, 2002a.

__________________ Exclusão Racial na Universidade Brasileira: Um Caso de Ação Negativa. Em: Delcele Queiroz (org), *O Negro na Universidade*. Salvador: Programa A Cor da Bahia/EDUFBA, Série Novos Toques, No. 5; 2002b.

__________________ As Ações Afirmativas como Resposta ao Racismo Acadêmico e seu Impacto nas Ciências Sociais Brasileiras, *Teoria e Pesquisa*, Nos. 42 & 43, jan/jul, 303-340, UFSCAR, 2003a.

__________________ Ações Afirmativas para Negros e Índios no Ensino Superior: A Proposta dos NEABs. Em: Renato Emerson & Fátima Lobato (orgs), *Ações Afirmativas. Políticas Públicas contra as Desigualdades Raciais*. Rio de Janeiro: DP&A, 2003b.

__________________ Ações afirmativas para negros na Pós-graduação, nas bolsas de pesquisa e nos concursos para professores universitários como resposta ao racismo acadêmico. Em: Petronilha Beatriz Gonçalves e Silva & Valter Roberto Silvério (orgs), *Educação e Ações Afirmativas*, 161-190. Brasília: Inep/MEC, 2003c.

__________________ Ações Afirmativas como Base para uma Aliança Negro-Branco-Indígena contra a Discriminação Étnica e Racial no Brasil. Em: Nilma Lino Gomes & Aracy Alves Martins (orgs), *Afirmando Direitos. Acesso e Permanência de Jovens Negros na Universidade*, 61-96. Belo Horizonte: Autêntica, 2004a.

__________ Bases para uma aliança branco-negra-indígena na luta contra a discriminação étnica e racial no Brasil, *Cadernos CERIS*, Vol. 4, 13-34, 2004b.

__________ Usos e Abusos da Antropologia em um Contexto de Tensão Racial: O Caso das Cotas para Negros na UnB, *Horizontes Antropológicos*, No. 23, 2005.

__________ Exclusão Racial Negra e Indígena. Entrevista concedida a *Agência Carta Maior*, fevereiro de 2006.

CARVALHO, José Jorge & Rita Segato. *Uma Proposta de Cotas para Estudantes Negros na Universidade de Brasília*. Série Antropologia, No. 314. Depto. de Antropologia, Universidade de Brasília, 2002.

CHALHOUB, Sidney. *Visões da Liberdade*. São Paulo: Companhia das Letras, 1990.

CHOMSKY, Noam et. al. *The Cold War and the University*. New York: New Press, 1998.

CRUZ E SOUSA. Emparedado. Em: *Obra Completa*, 646-64. Rio de Janeiro: José Aguilar, 1961.

DÁVILA, Jerry. *Diploma of Whiteness. Race and Social Policy in Brazil, 1917-1945*. Durham: Duke University Press, 2003.

DEGLER, Carl. *Neither Black nor White*. New York: The McMillan Company, 1971.

DERRIDA, Jacques. *Dar (el) Tiempo*. I. La Moneda Falsa. Barcelona: Paidós, 1995a.

__________ Cátedra Vacante: Censura, Maestría y Magistralidad. Em: *El Lenguaje y las Instituciones Filosóficas*. Barcelona: Paidós, 1995b.

__________ La Filosofia en su Lengua Nacional. Em: *El Lenguaje y las Instituciones Filosóficas*. Barcelona: Ediciones Paidós, 1995c.

DELORIA, Jr., *Vine Custer Died for your Sins: An Indian Manifesto*. Oklahoma: Oklahoma University Press, 1988.

DU BOIS, W. E. B. *As Almas da Gente Negra*. Rio de Janeiro: Lacerda Editores, 1999.

DWORKIN, Ronald. O Caso de Bakke: as cotas são injustas? & O que Bakke realmente decidiu? Em: *Uma Questão de Princípio*, 437-469. São Paulo: Martins Fontes, 2000.

FERNANDES, Florestan. *Significado do Protesto Negro*. São Paulo: Cortez Editora, 1989.

FILLINGHAM, Lydia Alix. Foucault for Beginners. New York: Writers and Readers, 1993

FOUCAULT, Michel. *Em Defesa da Sociedade*. Prefácio de François Ewald & Alessandro Fontana. São Paulo: Martins Fontes, 1999.

FRANKLIN, John Hope. *Raça e História*. Rio de Janeiro: Rocco, 1998.

FREITAS, Décio. *Palmares: A Guerra dos Escravos*. Rio de Janeiro: Paz e Terra, 1990.

FREYRE, Gilberto. O Fator Racial na Política Contemporânea, *Ciência & Trópico*, Vol. 10, No. 1, 19-36, 1982.

__________ Eliminação de Conflitos e de Tensões entre Raças. Em: *Palavras Repatriadas*, 113-193. Brasília: Editora da UnB/Imprensa Oficial SP, 2003.

__________ *Casa Grande & Senzala*. São Paulo: Global Editora, 2004a.

__________ *Sobrados & Mocambos*. São Paulo: Global Editora, 2004b.

FRY, Peter & Yvonne Maggie. Questões de taxonomia, ou como o Brasil se tornou um país de brancos e negros na era das cotas. Texto apresentado na XXIII Reunião Anual da ANPOCS, Caxambu, 21-15 de outubro de 2003.

GIL, Gilberto. Discurso do Ministro Gilberto Gil dando Posse à Nova Diretoria da Fundação Cultural Palmares. Brasília, 11 de fevereiro de 2003.

GONZÁLEZ, Lélia & Carlos Hasenbalg. *Lugar de Negro*. Rio de Janeiro: Marco Zero, 1982.

GONZALEZ, Lélia. O movimento negro na última década. Em: GONZALEZ, Lélia; HASENBALG, Carlos. *Lugar de negro*. Rio de Janeiro: Marco Zero, 1982.

GUPTA, Dipankar Limits of Reservation. *Paper* apresentado no Simpósio "Reddressing Disadvantages. A Symposium on Reservations and the Private Sector". New Delhi: University of New Delhi, May 2005.

HALL, Stuart. A Formação de um Intelectual Diaspórico. Uma entrevista com Stuart Hall, de Kuan-Hsing Chen. Em: *Da Diáspora*, 407-434. Belo Horizonte: Editora UFMG, 2003.

HALEY, Alex. *Autobiografia de Malcolm X*. Rio de Janeiro: Record, sd.

HASENBALG, Carlos & Nelson do Valle Silva. *Relações Raciais no Brasil*. Rio de Janeiro: Rio Fundo Editora, 1992.

HASENBALG, Carlos, Nelson do Valle Silva & Márcia Lima. *Cor e Estratificação Social*. Rio de Janeiro: Contracapa, 1999.

HASENBALG, Carlos. *Discriminação e Desigualdades Raciais no Brasil*. Rio de Janeiro: Graal, 1979.

HENRIQUES, Ricardo. *Desigualdade Racial no Brasil: Evolução das Condições de Vida na Década de 90*. Rio de Janeiro: Texto para Discussão No. 807, IPEA, julho de 2001.

JAHODA, Gloria. *The Trail of Tears*. New York: Wings Books, 1975.

KANT, Immanuel. *La Contienda entre las Faculdades de Filosofía y Teología*. Madri: Editorial Trotta, 1999.

KING, Martin Luther. *A Testament of Hope*. San Francisco: Harper, 1990.

KOPENAWA, Davi. Descobrindo os Brancos. Em: *Povos Indígenas no Brasil* 500. *1996-2000*, 21-23. Brasília: Instituto SocioAmbiental, 2000.

KRENAK, Ailton. O Eterno Retorno do Encontro. Em: *Povos Indígenas no Brasil* 500. *1996-2000*, 44-48. Brasília: Instituto SocioAmbiental, 2000.

KURZ, Robert. O Efeito Colateral da Educação Fantasma, *Folha de São Paulo, Caderno Mais!*, 11 de abril de 2004.

LATIN AMERICA CARIBE - Aliança Estratégica 2000-2002.

MAGGIE, Yvonne & Peter Fry O debate que não houve: a reserva de vagas para negros nas universidades brasileiras, *Enfoques - Revista Eletrônica dos Alunos do IFCS/UFRJ*, No. 1, 108-117, 2002.

MARX, Karl. *O Capital. Livro 1*. Rio de Janeiro: Bertrand Brasil, 1989.

MATTA, Roberto. O Brasil como Morada. Apresentação de *Sobrados e Mucambos*, 11-20. São Paulo: Global Editora, 2004.

MENEZES, Carlos Rogério. *As Relações Raciais na UnB*. Monografia Final de Graduação. Orientadoras: Mireya Suárez e Tânia Mara de Alemida. Brasília: Departamento de Antropologia, Universidade de Brasília, 1995.

MÉSZAROS, István. A Ciência à Sombra do Complexo Militar-Industrial. Em: *O Poder da Ideologia*. São Paulo: Boitempo Editorial, 2004.

________________ *A Educação para Além do Capital*. Conferência proferida no Fórum Mundial de Educação, em Porto Alegre, 28 de julho de 2004. Site: www.tvcartamaior.org.br

MOURA, Clóvis. *O Negro. De Bom Escravo a Mau Cidadão?* Rio de Janeiro: Conquista, 1977.

____________ *Rebeliões na Senzala*. São Paulo: Editora Zumbi, 1959.

MÜLLER, Maria Lúcia. Professoras negras no Rio de Janeiro: história de um branqueamento. Em: Iolanda de Oliveira (org), *Relações Raciais e Educação*, 73-106. Rio de Janeiro: DP&A, 2003.

NASCIMENTO, Abdias. *Drama para Negros, Prólogo para Brancos*. Rio de Janeiro: Teatro Experimental do Negro, 1961.

NASCIMENTO, Maria Beatriz. O Movimento de Antônio Conselheiro e o Abolicionismo, *Revista do Patrimônio Histórico e Artístico Nacional*, No. 25, 261-267, 1997.

OLIVEIRA, Lúcia Lippi. *A Sociologia do Guerreiro*. Rio de Janeiro: Ed. UFRJ, 1995.

PAIXÃO, Marcelo. *Desenvolvimento Humano e Relações Raciais*. Rio de Janeiro: DP&A, 2003.

PECHINCHA, Mônica. *Uma Antropologia Sem Outro. O Brasil no Discurso da Antropologia Nacional*. Tese de Doutorado. Departamento de Antropologia, Universidade de Brasília, 2002.

PEREIRA, Pedro Paulo Gomes. Ruídos na Antropologia: O Caso Ari como Sintoma. Comunicação apresentada no GT Antropologia e o Controle do Imaginário, na XXIV Reunião de Antropologia, em Recife, junho de 2004. 10 págs.

PINTO, L. A. Costa. *O Negro no Rio de Janeiro*. Rio de Janeiro: Editora UFRJ, 1998.

*Por uma Política Nacional de Combate ao Racismo e à Discriminação Racial: Marcha Zumbi contra o Racismo, pela Cidadania e pela Vida*. Brasília: Cultura Gráfica e Editora, 1996.

QUEIROZ, Delcele Mascarenhas. *O Negro na Universidade*. (Salvador: Programa A Cor da Bahia/EDUFBA, Série Novos Toques, No. 5; 2002).

QUILOMBO Jornal dirigido por Abdias do Nascimento. Edição facsimilar. Rio de Janeiro: Editora 34, 2003.

RAMOS, Guerreiro. Patologia Social do "Branco" Brasileiro. Em: *Introdução Crítica à Sociologia Brasileira*, 215-240. Rio de Janeiro: Editora da UFRJ, 1995.

Relatório do Comitê Nacional para a Preparação da Participação Brasileira na III Conferência Mundial contra o Racismo, Discriminação Racial, Xenofobia e Intolerância Correlata. Ministério da Justiça. Brasília, agosto de 2001.

RIBEIRO, Darcy. *O Povo Brasileiro*. São Paulo: Companhia das Letras, 1995.

_____________ *Mestiço é que é bom!* Rio de Janeiro: Revan, 1996.

RIBEIRO, Maria Solange Pereira. *O Romper do Silêncio: História e Memória na Trajetória Escolar e Profissional dos Docentes Afrodescendentes das Universidades Públicas de São Paulo*. Tese de Doutorado. São Paulo: Faculdade de Educação, Universidade de São Paulo, 2001.

RIBEIRO, Renato Janine. *A Universidade e a Vida Atual*. Rio de Janeiro: Campus, 2003.

RODRIGUES, Valerian Ambedkar on Preferential Treatment. Paper apresentado no Simpósio "Reddressing Disadvantages. A Symposium on Reservations and the Private Sector". New Delhi: University of New Delhi, May 2005.

SAID, Edward. Deconstructing the System. A Review of Power. Essential Works of Michel Foucault, 1954-1984: Volume Three., *The New York Times*, Books, 17 de dezembro de 2000.

SANTOS, Renato Emerson. Agendas X Agências: A Construção do Movimento PVNC. Em: *Identidade Negra. Pesquisas sobre o Negro e a Educação no Brasil*, 37-57. Rio de Janeiro: ANPED/ São Paulo: Ação Educativa, 2003.

SANTOS, Sales Augusto. Ação Afirmativa e Mérito Individual. Em: Iolanda Oliveira & Petronilha Gonçalves (orgs), *Identidade Negra. Pesquisas sobre o negro e a educação no Brasil*, 17-36. Rio de Janeiro: ANPED, 2003.

SEGATO, Rita. Identidades Políticas/Alteridades históricas. Una Crítica a las Certezas del Pluralismo Global, *Anuário Antropológico/97*. Rio de Janeiro: Tempo Brasileiro, 1999.

_____________ Uma Agenda de Ações Afirmativas para as Mulheres Indígenas do Brasil. Série Antropologia, No. 326. Brasília: Universidade de Brasília, 2003.

_____________ Por Que Reagimos às Cotas para Negros?, *O Público e o Privado*, Revista Acadêmica do Mestrado em Políticas Públicas e Sociedade da UECE, No. 3, 61-81, Fortaleza, jan-jun, 2004.

_____________ Antropologia y Derechos Humanos: Alteridad y Ética en el Movimiento de los Derechos Universales. Série Antropologia, No. 356. Brasília: Universidade de Brasília, 2004b.

_____________ Em Memória de Tempos Melhores, *Horizontes Antropológicos*, No. 23, 273-282, 2005.

Seminários Regionais Preparatórios para a Conferência Mundial Contra o Racismo, Discriminação Racial, Xenofobia e Intolerância Correlata. Brasília: Ministério da Justiça - Secretaria de Estado dos Direitos Humanos, 2001.

SIMPSON, Christopher. *Universities and Empire*. New York: New Press, 1999.

SKIDMORE, Thomas. Ação Afirmativa no Brasil? Reflexões de um Brasilianista. Em: Jessé Souza (org), *Multiculturalismo e Racismo*, 127-136. Brasília: Paralelo 15, 1997.

SILVA, Petronilha Beatriz Gonçalves & Valter Roberto Silvério (orgs.). *Educação e Ações Afirmativas*. Brasília: Inep/MEC, 2003.

SIQUEIRA, Carlos Henrique Romão. O Processo de Implementação das Ações Afirmativas na Universidade de Brasília (1999-2004), *O Público e o Privado*, Revista Acadêmica do Mestrado em Políticas Públicas e Sociedade da UECE, No. 3, 165-188, Fortaleza, jan-jun, 2004.

SLOTERDIJK, Peter. *Critique of Cynical Reason*. Minneapolis: University of Minnesota Press, 1987.

SOONG, Kua Kia. Racial Eyesores on the Malaysian Landscape, *Indian-Malaysian Online*, March 27, 2001.

SOUZA, Jessé (org). Multiculturalismo e Racismo. Uma Comparação Brasil - Estados Unidos. (Brasília: Paralelo 15; 1997).

TEIXEIRA, Moema de Poli. *Negros na Universidade*. Rio de Janeiro: Pallas, 2003.

TORRES, João Batista de Miranda. A Televisão a Cabo no Brasil: Pretexto ou Desafio à Ação e ao Pensamento Crítico da Antropologia. Comunicação apresentada ao Seminário Temático: Antropologia e Comunicação, na XXV Reunião Anual da ANPOCS. *Paper* incluído no CD-Rom da XXV ANPOCS. Outubro de 2001.

UNGAR, Frederick. An Account of Schiller's Life and Works. Em: Friedrich Schiller, *An Anthology for our time*. New York: Frederick Ungar Publishing, 1959.

VÁRIOS AUTORES. *Educação, Racismo e Anti-Racismo*. Salvador: EDUFBA/Programa A Cor da Bahia. Série Novos Toques, No. 4, 2000.

Von HUMBOLDT, Wilhelm. Sobre a Organização Interna e Externa das Instituições Científicas Superiores em Berlim. Em: Gerhard Casper & Wilhelm von Humboldt, *Um Mundo sem Universidades?* Rio de Janeiro: Editora da Universidade Estadual do Rio de Janeiro (EDUERJ), 1997.

WALLERSTEIN, Immanuel. *O Declínio do Poder Americano*. Rio de Janeiro: Contraponto, 2004.

WEDDERBURN, Carlos Moore Das Políticas de Ações Afirmativas e Algumas Questões Afins. Texto apresentado no Fórum Mundial de Educação, em Porto Alegre, dia 31 de julho de 2004.

_____________ Do Marco Histórico das Políticas Públicas de Ações Afirmativas – Perspectivas e Considerações. Em: Sales Augusto dos Santos (org.), *Ações Afirmativas e Combate ao Racismo nas Américas*, 313-341. Brasília: Ministério da Educação, 2005.

ZIZEK, Slavoj. Eles não Sabem o que Fazem. O Sublime Objeto da Ideologia Rio de Janeiro: Jorge Zahar, 1992.

___________ Taking Sides: A Self-Interview. Em: *The Metastasis of Enjoyment*. Londres: Verso, 1994.

___________ Afterword: Lenin's Choice. Em: *Revolution at the Gates. V. I. Lenin, The 1917 Writings*. Londres: Verso, 2002.

### Matérias de Jornais

Lições de desigualdade nos corredores da UnB. Matéria da jornalista Ana Beatriz Magno no *Correio Braziliense*, segunda-feira, 28 de agosto de 2001, pág. 34.

Talento não tem Cor. Entrevista a Zezeh Barbosa por Ana Carolina Horta. *Tablado*, Brasília, Ano IV, No. 79, págs. 6-9, 12-26 de outubro de 2001.

*Brasil Negro é 101° em qualidade de Vida*, Folha de São Paulo, domingo, 6 de janeiro de 2002.

*Correio Braziliense*, Brasília, Quarta-feira, 27 de fevereiro de 2002, página 6, matéria de Luiz Alberto Weber na coluna Tema do Dia sobre "Combate ao Racismo".

### Documentos

Carta Aliança de Parentesco das Mulheres Negras e Indígenas, lida na Conferência de Políticas para Mulheres. Brasília, de 15 a 17 de julho de 2004.

Ótica Constitucional: A Igualdade e as Ações Afirmativas. Discurso pronunciado pelo Presidente do Supremo Tribunal Federal, Ministro Marco Aurélio Mello, no Seminário Discriminação e Sistema Legal Brasileiro, promovido pelo Tribunal Superior do Trabalho, em Brasília, dia 20 de novembro de 2001.

CARVALHO, Ernesto & Carlos Henrique Siqueira. *Sugestões sobre Sistematização de Idéias sobre como Implementar as Cotas para Negros na UnB*. Documento apresentado à Comissão de Implantação das Cotas da UnB. 12 págs. 2003.

MOORE, Carlos. *Das Políticas de Ações Afirmativas e Algumas Questões Afins*. Comunicação apresentada no Fórum Mundial de Educação. Porto Alegre, 31 de julho de 2004.

### Videografias

SIQUEIRA, Carlos Henrique Romão & Ernesto Ignacio de Carvalho. *Sob o Signo da Justiça: A Luta pelas Cotas na Universidade de Brasília*. Documentário em Vídeo. Brasília: Fundação Cultural Palmares, 2005, 21 minutos.

Este livro foi composto com os tipos Times New Roman e Minion Pro e impresso na Orgrafic em papel lux cream 80gr. em julho de 2011.